ИНТЕЛЛЕКТУАЛЬНЫЙ
ДЕТЕКТИВНЫЙ
РОМАН

ДАРЬЯ ДЕЗОМБРЕ

ПРИЗРАК НЕБЕСНОГО ИЕРУСАЛИМА

ЭКСМО
МОСКВА
2015

УДК 821.161.1-312.4
ББК 84(2Рос=Рус)6-44
Д 26

Разработка серии *А. Саукова*

Иллюстрация на обложке *Ф. Барбышева*

Дезомбре, Дарья.

Д 26 Призрак Небесного Иерусалима / Дарья Дезомбре. — Москва : Эксмо, 2015. — 352 с. — (Интеллектуальный детективный роман).

ISBN 978-5-699-67871-6

Мертвецы всплывают в Москве-реке; сидят, прислонившись к древней стене Кутафьей башни; лежат, четвертованные, на скамеечке в Коломенском... Несчастные были убиты жуткими средневековыми способами, а в чем их вина – знает только убийца. Маньяк, ставящий одну за другой кровавые метки в центре столицы, будто выкладывает жуткий пазл.

По страшному следу идет пара с Петровки: блатная стажерка, выпускница МГУ, с детства помешанная на маньяках, и опытный сыскарь, окончивший провинциальную школу милиции. Эти двое терпеть не могут друг друга, но идеально друг друга дополняют. Только им под силу расшифровать ребус, составленный убийцей и уходящий своими корнями в древнюю Москву, в старые раскольничьи тексты, в символику Святого Писания. Психологический триллер, полный неожиданных поворотов, погружает в атмосферу шумного мегаполиса, в котором жестокий убийца вытаскивает на поверхность древние пороки столицы, ее страшные тайны и мистическую символику, зашифрованную в хаотичном сплетении старых улиц, переулков и площадей...

УДК 821.161.1-312.4
ББК 84(2Рос=Рус)6-44

ISBN 978-5-699-67871-6

Маме

«Искание правды, неутолимое русское стремление строить жизнь с Богом и по-Божьи, взыскание Града Божия, Китеж-Града, скрывавшегося от зла, разве пропало в нас? Не вы ли его искатели, этого Града Божия, потерявшие «град родимый», ныне трудящиеся во имя Града?»

И. Шмелев

«Тот, кто борется с чудовищами, должен остерегаться того, чтобы самому не стать чудовищем».

Ф. Ницше

ПРОЛОГ

5 месяцев назад

Холод, какой же все-таки холод! Катя по прозвищу Постирушка, бомжиха со стажем, зябко поежилась. Она не любила площадей, а эту — в особенности. Чувствовала себя на ней одинокой и маленькой, беззащитной перед возможной опасностью. Себе говорила, что слишком уж много тут шляется ментов, но каким-то животным инстинктом чуяла: опасность таится сверху. Стоишь на выпуклой твердыне рядом с Лобным местом и будто сама предлагаешь себя беспощадным небесам.

Оглядевшись, Катя стала себя корить: и чего приперлась? Иностранцев, с которых можно было бы снять сто рублей, — кот наплакал. Рано еще. Даже работники ГУМа не подтянулись. Только какие-то курсантики на другой стороне догуливают «ночное» — но с этими что разговаривать?

А холод, какой все ж таки холод! И ветер гуляет, и такое чувство одиночества в этих утренних тоскливых сумерках, что Кате захотелось срочно принять на грудь. Однако денег не было и не предвиделось.

Как вдруг... как вдруг показалось Постирушке, что Боженька сверху погрозил ей пальцем и сказал нечто вроде: раба Божия Катерина, прах ты, конечно, и тлен... Но так и быть — вот тебе от меня сувенир!

Недалеко от оградки Покровского собора лежал большой красивый пакет с логотипом ГУМа на белом боку. Катя аж задрожала от нетерпения: в пакете был, точно был, боженькин подарочек! Она повернулась к храму, перекрестилась благодарственно и поспешила к «подарочку». Внутри лежало нечто, обернутое белой бумагой в коричневых пятнах. Катя на пятна внимания решила не обращать и, не снимая продырявленных перчаток, разорвала обертку, высвободив сначала нечто продолговатое, белесое, в черных волосках, а потом и судорожно сведенные пальцы, с синими ногтями, сжимающие небольшую картину. Так, картинку: темная деревня, странное, чересчур отдающее ультрамарином небо, корова с человеческими глазами, глядящими прямо Кате в душу...

Несколько секунд у нее ушло на осмысление, что перед ней. А потом она закричала, на выдохе, как спела, протяжное:

— Ааааа!

И упала ничком на мощеную многовековую кладку Красной площади, успев отметить перед провалом в черное небытие, как к ней спешат двое полицейских...

МАША

Маша проснулась за пару минут до звонка будильника и некоторое время лежала с открытыми глазами, неподвижно уставившись на стену напротив. На стене, занавешенной любимым папиным турецким ковром, застыл квадрат солнечного света, отчего часть ковра казалась цвета еще более яркого, пламенеющего, а часть — густого темного кармина с черным орнаментом и вкраплением голубого.

Над ковром висела полка с детскими книгами, которые Маша отказывалась отдавать, потому что втайне от матери читала иногда по пять- десять страниц, вытащив в любое время наобум какой-нибудь из затертых корешков и открыв на произвольной странице. Иногда это был сэр Конан Дойль, иногда Джейн Остин или одна из сестер Бронте. Прочитать почти заученные наизусть родные страницы было тем же, чем для других — просмотреть с ностальгической улыбкой альбом с детскими фотографиями. А вот альбомы Маша смотреть как раз таки не любила. Тяжкое было занятие. Фотографии до двенадцати лет — потому что на них был папа. Фотографии от двенадцати и старше — потому что папы на них не было.

За стеной послышались шорох и придыхание, и Маша, как всегда, инстинктивно от стенки отодвинулась. Ей казалось отвратительным прикосновение — пусть даже через стенку — с тем действом, которое ее мать, всегда выбиравшая четкие определения для всего и вся, называла с какой-то фальшивой приторностью «избавлением от одиночества». Насколько Маша могла услышать — о эти некапитальные стены! — процесс избавления от одиночества у мамы происходил пару раз в неделю. И в эти моменты Маша чувствовала себя не выпускницей-краснодипломницей, умницей и почти красавицей, а девочкой, забытой на перроне и растерянно смотрящей вслед уходящей электричке.

Это было очень неприятное и унизительное чувство. Глупо было обвинять чужого человека, что мылся у них в ванной и варил по своему, особому рецепту кофе на их кухне, что он — что? Занял место папы? Или что он — просто — не папа. Да, вот так. НЕПАПА. Непапа чувствовал Машин антагонизм и, как медик и человек с высшим психологическим, находил для Маши оправдания перед мамой, в душу не лез и дарил дурацкие подарки: например, этот будильник, проигрывающий каждое утро такты из джазовой композиции Глена Миллера.

Будильник взорвался оптимистичным проигрышем, и Маша мстительно дала ему доиграть до конца. В наступившей тишине в соседней комнате шорохи тоже сошли на нет. Маша усмехнулась и потянулась: Глен Миллер, он — как Непапа. Отличный джазист, но не каждое же утро! Маша забрала с прикроватного столика часы, буднично кивнула фотографии на стене — мужчине с вытянутым, тонким лицом и ироничным прищуром, чья начинающаяся лысина делала лоб еще более высоким.

«Доброе утро, папочка, — сказала Маша. — Почему же ты дал себя убить?»

АНДРЕЙ

В первую секунду Андрей чуть не заорал благим матом от страха, пока не сфокусировал взгляд и не понял: огромная лохматая вонючая морда — не предмет его страшных снов. Но предмет обуявшей его вчера недостойной жалости.

Он возвращался, как обычно, около одиннадцати с Петровки, уставший сам как собака, и остановился купить хлеба в поселковом круглосуточном ларьке. Пес сидел у ларька и остервенело чесался. Пока Андрей распивал у ларька же честно заслуженную после работы бутылку «Балтики», они с псом побалакали. Вкратце — Андрей обрисовал парню свою аналогичную собачьей жизнь. Свое суровое мужское одиночество и общую брезгливость к «дамочкам» (с псом он выражений не выбирал, пес и сам знал, как называются у них особи женского полу), работу на износ и еду по забегаловкам... Поделился и геройским своим вчерашним выходом в кулинары — он зажарил себе из полуфабрикатов десяток котлет, которые и сегодня можно подогреть в микроволновке...

Вот это и оказалось стратегической ошибкой. Пес был не дурак: по крайней мере, про мужскую судьбу он все выслушал понимающе и с достоинством, но вот котлеты... На котлетах псина сломалась: глаза заблестели в летних сумерках особенно жалостливо, хвост забил по растрескавшемуся асфальту, и подобревший после «Балтики» Андрей сам же его и пригласил — решил пожертвовать бедолаге одну котлету. Мужики должны ж друг другу помогать!

Ну-ну. Пес его планов не разделял, а по-хозяйски потрусил за ним на кухню — темный закуток за верандой — и там смотрел глазами казанской сироты до тех пор, пока не съел пять котлет. Причем, граждане, даже не разжевывая, как приличная собака, а так, с горловым звуком, глотал целиком.

— Надо жевать, — говорил ему Андрей, давая следующую. — У тебя так ничего не усвоится (так говорила Андрею мама, когда еще следила за его питанием).

Но нет — ритм был неизменен: взгляд сироты — бросок ЕДЫ — горловой звук — снова взгляд сироты. Андрею самому пришлось глотать почти целиком оставшиеся котлеты, чтобы не достались хитрой тощей бестии, бьющей на жалость.

— Актеришка недоделанный, — говорил Андрей, попивая чай, когда собака поняла, что мяса больше не осталось, а «Липтон» был явно вне ее компетенции: жалостливый блеск в глазах угас, и она легла рядом со старым, продавленным диваном. — Даже и не думай — спать у себя не оставлю. — И Андрей хотел было вытащить пса за шкирятник. Но тот выскальзывал из пальцев, а когда Андрей попытался вытолкать наглеца ногой, тут на свет божий опять был извлечен взгляд несчастного страдальца, и Андрей сдался, плюнул и со словами «Черт с тобой, Раневская фигова!» прикрыл дверь из веранды в комнату и залег спать.

А наутро «Раневская», очевидно, сумела открыть лапой дверь. Андрей чертыхнулся, вышел на крыльцо, где висел рукомойник, и умылся. Автоматически снял с гвоздика рядом вафельное полотенце и тут же повесил обратно. Полотенце приобрело уже столь откровенный серо-черный оттенок, что использовать его не представлялось возможным. Андрей строго сказал себе, что надо, надо уже постирать накопившееся белье, и сел на веранде, включив чайник. Пока чайник закипал, он взял вчерашнюю кружку из-под чая, засыпал туда молотого кофе, положил пару кусков сахара, порезал хлеб... и наткнулся на собачий взгляд. «Бедновато живете!» — говорил этот взгляд.

— Не нравится — можешь чесать отсюда, Раневская! — рявкнул Андрей. С утра настроение было неважнецким, а тут он еще вспомнил, что забыл вчера за разговорами с псом купить сыру к завтраку.

Раздался звонок мобильника. Андрей выслушал и тихо выругался. С утра, как уже отмечалось, настроение было неважным. И надо сказать, вырисовывающийся день не сильно способствовал его улучшению.

МАША

— Урсоловича нет! — так сказала Маше раздраженная секретарь в деканате. — Звонить надо было.

— Так ведь расписание... — Маша растерянно топталась рядом с секретаршей, уже поняв, что зря ехала через весь город.

Спускаясь по лестнице, она ругала себя на чем свет стоит. Урсолович подчинялся лишь расписанию лекций. Все, что фигурировало как «работа со студентами», в расчет не бралось. У Урсоловича и кроме дипломников было чем заняться. Маша поначалу очень гордилась тем, что он согласился быть ее научным руководителем, но летели недели, месяцы, и появилась крамольная мысль, что чуть менее именитый преподаватель, чуть менее занятый написанием учебников, статей и конференциями в Принстоне, подошел бы ей много больше. Поскольку диплом она писала вовсе не для преподавателя, не для оценки, не для...

Маша резко затормозила: открытая дверь университетского буфета давала возможность увидеть окромя скучающей буфетчицы сгорбленную спину Урсоловича за дальним столиком у окна. Маша решительно завернула в буфет и направилась прямо к профессору.

— Извините, — сказала она, подойдя к столу. — Нигде не могла вас найти.

Урсолович повернулся к ней оттянутой бутербродом щекой. Сказал: «Озьми себе чау» — и отвернулся.

Маша послушно взяла чай и булочку и пришла обратно, с тоской думая, что за нарушение трапезы Урсолович сейчас «приговорит» ее, как еще одного студента, взятого в «дипломники». Студент тогда вышел из кабинета весь белый, с трясущимися руками и, роняя листки, все исчирканные красным, почти бегом удалился по коридору.

— Не могу есть, когда рядом кто-то просто сидит и смотрит, — сказал ей Урсолович, когда она приземлилась на соседний стул.

Залез в потертый портфель, достал знакомую до боли Машину папку с текстом диплома. И, кое-как вытерев руку бумажной салфеткой, стал листать страницы. Маша обхватила побелевшими пальцами чашку с чаем, как будто ей срочно потребовалось отогреться. Поля были девственно чисты.

— Хорошая работа, Каравай, — сказал он наконец, подняв на Машу близорукие глаза почти без ресниц. — Тянет, при нужной обработке, на кандидатскую. Но ведь в науку ты идти не собираешься, так?

Маша, не отпуская чашки, отрицательно помотала головой.

— Но, видишь ли... — Урсолович откинулся на стуле. — Тема весьма нетривиальная, я бы сказал, специфическая.

Урсолович все так же не спускал с Маши внимательных глаз, и Маше внезапно стало не по себе, а он продолжил:

— Ты знаешь о... кхм, предмете исследования больше, чем знаю о нем я. Да что там: больше, чем кто-либо, думаю, в этом заведении. Такие знания, — и он постучал по папке, — нельзя добыть за год подготовки. И за два нельзя. Можно, если заниматься этим минимум лет пять. Я повторяю — минимум. Это значит, что тема уже была в твоей головке при поступлении на юридический. А теперь скажи мне, дева моя, что в ней такого привлекательного для юной особы двадцати трех лет?

Маша почувствовала, как жаром обдало щеки. А Урсолович вдруг перегнулся через стол и тихо сказал:

— Не поверила, значит?

Маша впервые подняла на Урсоловича глаза, и тот внезапно вспомнил, какого цвета они были у Федора: вот такого же, светло-светло-зеленого, редкого и очень холодного. Она вообще была ужасно на него похожа: те же высокие скулы, крупный, красиво очерченный рот. И взгляд, тоже — «караваевский»: будто глядящий вовнутрь, а не вовне, отслеживающий беспрестанную работу ума.

— Послушай, — зашептал он, хотя рядом никого не было. — Кто бы это ни был, отойди! Не трать свою жизнь на то, чтобы понять! Это знание ничего тебе не даст, а главное — Федора не вернет!

Маша вздрогнула, а Урсолович как оборвал связку взглядами, закрыл папку и сказал совсем другим тоном:

— Остался у меня по работе ряд вопросов и претензий, скорее по структуре. Найдешь их на листке, прикрепленном к библиографии. Все, можешь идти.

Маша кивнула, пролепетала что-то невнятное, вроде «спасибо», забрала со стола папку и сунула в сумку. Урсолович уже не смотрел на нее, и Маша почти бегом направилась к выходу.

— Где у тебя практика? — нагнал ее голос Урсоловича уже в дверном проеме.

Маша затормозила, замерла спиной.

— Петровка, — негромко сказала она.

Урсолович что-то хмыкнул и отвернулся. «Все бесполезно, — подумал он. — Она не отступится — отцовский характер! И кто мог бы себе представить, что за этим невинным взглядом, за этим гладким лбом, русой прядью, по-ученически заправленной за розовое ушко, скрываются чудовища навроде гойевских капричос?»

* * *

Маша шла по коридору, глядя прямо перед собой, упрямо выставив подбородок, всеми силами пытаясь не допустить «лишней влаги» — как называл это отец. Влага готова была излиться из чувства беспомощности и детской злости. Злости на себя саму: ну как, как можно было так глупо себя «рассекретить»? Как тайна, которую она не доверяла ни подругам, ни девичьему дневнику, ни, само собой, матери, могла открыться вот так, против ее воли, почти первому встречному? Почему, почему она не написала диплом по любой другой, более невинной теме? Например, по... И тут Маша на секунду сбилась с шага, потому что придумать другую тему так, с наскока, было невозможно. Тема у нее была одна.

Пять лет минимум, сказал Урсолович. Пять? А десять не хотите ли? Тема оформилась в ее сознании к двенадцати годам, когда девочки окончательно забрасывают кукол. Забрасывают кукол, чтобы заняться...

АНДРЕЙ

Если бы Андрею сказали, что он страдает типичными комплексами провинциала, более того, бедного провинциала, он бы плюнул тому в лицо. Во-первых, в Москве считать себя провинциалом смешно — к этой категории принадлежит девяносто процентов населения. А те десять, которые твердят о своей старомосковской родословной, — присмотритесь-ка к ним поближе и нароете ту же тетку в Саранске и дядьку в Приуралье. А Москву — Москву он считал своей, потому как знал ее как свои пять пальцев, и это знание много стоило.

Первые месяцы «пристоличной» жизни он все выходные колымажил на своем стареньком «Форде» с целью подзаработать и хорошенько узнать город. Андрей привык жить без выходных и не очень знал, что делать со свободным временем: читал он редко, «ящик» презирал, в филармонии ходить был не приучен. Так что свободные часы для него — сплошная маета. Андрей был человеком «прикладным» и в образовавшееся «окно» в работе начинал убирать снятую дачку, рубил дрова для печки или устраивал стирку. Данные занятия его несильно прельщали, потому он и радовался, когда работы было невпроворот.

Андрей смутно понимал, что ему очень повезло принадлежать к тому небольшому проценту населения земного шара, что получает удовольствие от ежедневного труда, оплачиваемого в конце каждого месяца. Удовольствие такое же сильное, какое его отец получал от выпивки по выходным, например. А мать — от выяснения отношений с отцом и от многочасовых телефонных разговоров. Потому для Андрея дорога от дачки на Петровку была тайной радостью.

А комплексы? Ну вот только что он «подрезал» спортивную «БМВ», в которой сидела соплячка лет двадцати. И на кой таким спортивный двигатель? А в Андреевой машине он был совсем нелишним, и отдельный кайф он получал от вытянувшихся от удивления рож владельцев дорогих тачек, которых с независимым лицом «делал» на перекрестках. «Папа и машинку купил, и права купил, а мозги забыл? — почти с нежностью спросил он мысленно у девочки из «бээмвухи», оставшейся позади. — Ай-ай-ай! Как же так!» — пожурил он неизвестного папу, выглядевшего в его воображении как мистер Твистер, бывший министр — миллионер.

Ловко развернувшись, Андрей въехал на свое обычное место на парковке. В кармане запищал телефон, и бас непосредственного Андреева начальника, полковника Анютина, кратко приказал: явиться. В его кабинет. Через пять минут. Андрей чертыхнулся — он был еще не готов докладывать, но жесткий приказ обжалованию, как водится, не подлежал, и Андрей толкнул дверь начальницкого кабинета ровнехонько через пять минут.

Однако докладывать не потребовалось — потому как в кабинете сидела посторонняя девица. Из тех, что он давеча подрезал в спортивном «БМВ».

— Каравай, Мария,— представил неприятную девицу полковник, краснощекий и жизнерадостный как никогда. — Выпускница юрфака МГУ.

«Ну, конечно, — подумал с растущим раздражением Андрей, — чай, не ПТУ в Мухосранске».

Девица встала и протянула узкую ладонь. Андрей ладонь проигнорировал и только склонил голову:

— Андрей Яковлев.

— Андрей — прекрасный сыщик, — расщедрился на комплимент Анютин медовым тоном.

«А не съесть ли вам лимону, гражданин начальник?»— задал начальнику вопрос Андрей. Не вслух, конечно. С ним-то полковник разговаривал завсегда рубленой солдатской прозой, и обычно — с целью «секир-башки».

— Я дам вас ему в тандем, — продолжал разливаться соловьем Анютин. — Он многому сможет вас научить.

«Да кто ж она такая?» — зло подумал Андрей.

А Анютин повернулся к Андрею:

— Мария идет на красный диплом...

«Очевидно, папа купил», — закончил про себя Андрей.

— По интереснейшей тематике, — продолжил Анютин. — Серийные убийства, выдаваемые за несчастные случаи. Будет вам отличной помощницей!

Андрей заставил себя снова посмотреть на девицу: пишет диплом по «серийникам»? Да она просто больна на голову. Последняя мысль столь явственно отразилась на Андреевой физиономии, что Анютин вежливо попросил девицу выйти, и она, сжимая какую-то папку (не иначе как со своим бессмертным творением), кивнула и вышла.

Как только дверь за ней затворилась, Анютин резко повернулся к Андрею, мгновенно сменив отеческое «выраженье на лице» на начальническое...

МАША

Маша стояла, подперев стенку в коридоре за дверью, и прислушивалась к анютинскому раздраженному басу, без труда представляя себе, что происходит сейчас внутри кабинета. Полковник объясняет на пальцах этому неприятному мужику в дешевых турецких джинсах, что она — блатная (как будто тот этого еще не понял!) и поэтому пусть блатная «попомогает». А неприятный тип — понаставляет ее, как может. Шансов на нормальную работу после такого «силового» вживления Маши в коллектив — ноль.

Хуже всего, что она и правда была блатной и могла предугадать, что получится из ее желания стажироваться на Петровке. Но без блата ей было сюда не попасть, а попасть хотелось — только сюда. И теперь, думала Маша с тоской, джинсовый тип будет ее тихо ненавидеть, расскажет о ней своим коллегам — мужественным сыщикам, и Маша станет белой вороной, которой никто не доверит ничего дельного. А все будут смотреть на нее с холодной иронией и ждать, пока она наконец освободит их от своего тягостного присутствия...

«Лучше бы пошла, как все, на практику в суд, делать копии и варить кофе начальству». На этой мрачной мысли дверь распахнулась, и из нее вылетел Андрей с лицом еще более перекошенным, чем ожидалось.

— Идите за мной, — сказал он. И повел длинными коридорами к дверям другого кабинета, за которыми имелось окно с почившим в бозе кактусом, несколько столов, заваленных папками с документами, и человек десять народу, не обративших на Машу никакого внимания.

Маша обрадовалась: она уже представляла себя тет-а-тет с неприятным следователем, в ледяном молчании сидящим на противоположном конце стола. Присутствие третьих лиц давало призрачную надежду, что раздражение типа рассеется, а она, Маша, вольется в команду, которая, бог даст, будет к ней более снисходительна, чем этот бука.

Андрей тем временем сдвинул папки и бумаги в сторону и указал рукой на освободившуюся часть стола.

— Ваше рабочее место, — сказал он сухо, сделав ударение на «рабочее» и давая понять, что всем и так ясно: работать она тут будет в последнюю очередь.

Так, блатные штаны просиживать.

АНДРЕЙ

«Все-таки вся эта история крайне неприятна, — думал Андрей, изредка скашивая глаз на незваную соседку.— Не вовремя Серый ушел на больничный. Не будь тот на больняке, отвратная молокососка досталась бы кому-нибудь другому».

Говорят, есть любовь с первого взгляда. Такой напасти у Андрея сроду не бывало. Но вот, пожалуйста, случилось с ним чуйство с точностью до наоборот. Сидит эта Маша, как ее — Каравай? Фамилия-то тоже какая дурацкая! Сидит — вроде всё на месте. Высокая, как сейчас модно (Андрею высокие девушки не нравились по определению. «Определением» в данном случае выступал собственный рост), волосы — прямые, глаза — непонятно какого цвета, светлые, нос тоже не вполлица. Сидит — и бесит Андрея сверх мочи, аж работать тяжело. Бесит лицо без макияжа, руки с обстриженными коротко ногтями и без единого кольца, черная футболка, закрытая, под горло, черные же джинсы, мокасины. Сидит, смотрит на него. Ждет. Чего, интересно?

— Вы меня простите, — говорит девица, а голос у нее тихий, змеиный. — Я понимаю, что вас раздражаю... — На этом месте Андрей покраснел и дернул кадыком. — Но... вы не могли бы мне дать какое-нибудь задание?

«Детский сад! Задание он ей должен давать! Ладно».

Андрей улыбнулся — как ему показалось, значительно.

— Вы меня вовсе не раздражаете, стажер Каравай. А задание... задание должно соответствовать теме ваших научных изысканий. Э... — И он оскалился еще шире, что твой крокодил. — Займитесь-ка, к примеру, сбором информации по статистическому отчету об убийствах, выдаваемых за несчастные случаи за последние два года...

Девица растерянно моргнула...

Андрей был очень доволен своей фразой, особенно пассажем про научные изыскания.

— Вам действительно нужен отчет? — спросила девица.

Андрей вздохнул. Снова фальшиво улыбнулся — уже без значения, а с откровенным раздражением.

— В нашей работе, стажер Каравай, — сказал он, — все может пригодиться. Воды напиться.

И в этот момент зазвонил телефон — срочный вызов. Найден труп. В центре. Выловлен в Москве-реке, чуть ли не прямо под стенами Кремля.

— Еду! — кратко ответил Андрей, с грохотом отодвинул стул, схватил джинсовую куртку с вешалки в углу.

Девица бросила на него взгляд, полный надежды. Очевидно, уже представляла себе, как будет выезжать на задание. Героическая эмгэушная дипломница. И Андрей сделал вид, что взгляда не заметил.

* * *

Ему пришлось припарковаться вдали от места преступления и потом еще долго пробираться сквозь толпу зевак. Место было оцеплено, эксперты начали свою работу, и уже приехала труповозка. Ждали только его, чтобы забрать тело. Андрей тело оглядел, отметив, что убитый — мужчина средних лет — при жизни явно занимался спортом. С интересом рассмотрел наколки на накачанных руках: перстень со змеей.

— Отсидел уже, за убийство, — подтвердил немудреные выводы Андрея молоденький эксперт.

Андрей сделал пару фотографий на свой мобильник — для себя: руки, обезображенное предсмертной гримасой лицо... И кивнул покуривавшим в сторонке товарищам — можсте забирать. Когда тело заносили в машину, голова мужчины внезапно откинулась в сторону — и на затылке стала видна цифра «14».

— Стой! — Андрей подбежал и сфотографировал затылок. И тут только заметил двух подростков лет четырнадцати: девчонка уткнулась мальчишке в плечо, а у парня у самого вид — бледнее некуда. «Свидетели. Бедолаги, — вздохнул Андрей. — У ребят небось первая любовь, романтическое свидание, а тут на тебе — утопленничек. Хорошие воспоминания».

Потом вспомнил свои — о первой-то любви — и развеселился: он бы предпочел покойника. Подошел к парочке:

— Вы нашли?

Мальчишка кивнул.

— Видели что-нибудь?

— Ничего, — ответил мальчик.

Что и следовало ожидать. Андрей ободряюще — как ему показалось, улыбнулся: эдакий молодой комиссар Мегрэ, записал телефончики на всякий случай и отпустил молодняк. Посмотрел вслед, как мальчик трогательно поддерживает девочку за талию, хмыкнул и пошел обратно к экспертам.

— Ну как, есть что? — спросил он с тоской, хотя интуиция уже вовсю дула в свою дуду — ничего там нет, и не надейся. Если что и оставил убийца, то смыло Москвой-рекой.

Обкатало труп, как гладкий, без следов морской камешек.

МАША

Маша сравнительно быстро разжилась архивными папками с делами по убийствам за последние два года — все остальные в кабинете относились к ней без особенного интереса, но и без явного антагонизма, как тот джинсовый следователь. И за что он ее невзлюбил? Она так явно чувствовала его неприятие, что даже голос потеряла, когда спросила про задание. Хорошо еще, что хватило ума не просить взять ее с собой на «выезд на место преступления» — понятно же, никаких тебе выездов, ничего, кроме никому не нужного статистического отчета!

Почему это она себе представляла, что будет в гуще событий — если уж не бежать с пистолетом наперевес за преступником, то уж всяко значимо стоять среди экспертов, следователей Петровки и натренированных овчарок и подавать блестящие догадки. И эксперты будут переглядываться с овчарками — мол, такая молодая, а уже такая... умная! Конечно, Маша понимала, что теоретические знания несопоставимы по значимости с «практическим багажом», но хоть какой-то толк от лучшей студентки в выпуске Маши Каравай мог бы быть, нет? Маша выдохнула и сама не заметила, как по-отцовски упрямо выдвинула вперед подбородок: ну и черт с ним! И она с удвоенным мрачным упорством стала читать заключения следователей, паталогоанатомов, просматривать снимки с мест преступлений...

Пока не наткнулась внезапно на некую странность, а именно: отчет по убийству на Берсеневской набережной. По отчету выходило, что в подвале старой электростанции, ныне — трамвайном депо, были убиты трое. Из них — двое мужчин, одна женщина. Маша внимательно посмотрела фотографии и даже, воровато оглянувшись — на нее все так же никто не обращал внимания, — вытащила лупу из стаканчика на столе у Андрея. Так и есть, лупа подтвердила — на футболках цифры. Черт разберет эти черно-белые снимки: чем сделаны надписи? Кровью? Кровью покрыты футболки, кровью залиты рты и подбородки. Маша на секунду отвела взгляд. Все ж таки неплохо, что снимки черно-белые. Перешла к протоколам допросов: основной свидетель, нашедший тела, сторож — Игнатьев И.Н.

Маша переписала фамилию в тетрадку и вернулась к фото: лупа один за другим выхватывала детали из мутного фотопространства — связанные ноги, крупные витые серьги на женщине, стулья, поставленные полукругом, и футболки — огромные, балахонистые, безразмерные. Явно не из гардероба жертв. Нет, их принес убийца.

И только с одной целью — на белой большой футболке лучше видны выведенные кровью арабские цифры: 1, 2, 3.

АНДРЕЙ

Хорошо дружить с патологоанатомом, сказал себе Андрей и усмехнулся — тоже про себя. Кому-то данное утверждение может показаться весьма спорным.

Обладатели специфической профессии подразделяются на два основных подвида. Первый — мимикрирующий. Человек, который весь день возится с трупами, сам начинает походить на своих «клиентов». Вкратце — становится бледен и мрачен. Вторая вариация на тему патологоанатомов — «от противного». Что на поверку означает человека румяного, хорошего здоровья, оптимиста со специфическим чувством юмора. Роднит два типажа только склонность к горячительным напиткам, но тут Андрей, не увлекаясь, мог поддержать любую компанию... И ради дела даже такую: он, патологоанатом и трупы, трупы, трупы....

Патологоанатом Паша относился ко второй категории. У парня имелось трое детей и очень деловая жена с собственным бизнесом в сфере туризма. Она ненавязчиво содержала все семейство и откровенно обожала своего мужа: развеселого любителя покопаться в чужих, уже остывших, телах.

Андрей забежал сейчас в морг с одной только целью — узнать от Паши хотя бы что-нибудь, что могло бы пройти под названием «предварительное заключение». Однако у того выдался тяжелый день, плюс концерт у «средненькой в средненькой школе», а детская самодеятельность, парень, — сам поймешь, когда станешь многодетным отцом, — это тебе не шутки!

Поэтому от Андрея Паша просто отмахнулся, бросив только:

— Причина смерти — удушье. Причем под водой. Это раз. Далее — труп обморожен. Возможно, парень скончался вовсе не пару дней назад, как можно было бы судить по состоянию тканей. Это два.

— Постой! — Андрей схватил Пашу за рукав уже надеваемого плаща. — Что значит — обморожен? Лето ж!

— Отстань, — вырвался из захвата Паша и пропел фальшивым фальцетом уже убегая: — Завтра, завтра не сегодня — все лентяи говорят!

И оставил Андрея одного стоять в коридоре морга, в растерянности потирая переносицу...

МАША

Маша отсматривала папки до одиннадцати вечера, пока за окном не стало совсем темно, а в кабинете — пусто. Маша устала: и от документов, и от страшных фотографий, и от неопределимого чувства неловкости, неясности, что ли. Что-то она уже видела в этих папках, связанное с цифрами, что-то там уже промелькнуло... Но что? Будто какая-то тень стояла у нее за спиной. Стоит только оглянуться — и она увидит или поймет что-то. Нечто очень важное. Но тень ускользала, глаза уже устали, и восприятие «замылилось». Сидеть дальше представлялось бессмысленным.

Маша скопировала часть документов и положила в сумку. Пора было уходить — она бросила взгляд на заваленный папками и бумагами стол Андрея. Куда делся? Наверное, сегодня уже не появится. И вышла.

Пройдя через пропускной пункт, она увидела на крыльце знакомую до боли спину в старом плаще.

— Ник Ник! — позвала Маша.

Ник Ник обернулся и широко улыбнулся, обнажив плохо сделанную искусственную челюсть.

Маше впервые пришло в голову, что Ник Ник постарел: он уже не выглядел как папин однокурсник, и Маша с грустью подумала, что папа тоже изменился бы за прошедшие годы — ведь Ник Ник всегда был намного папы спортивнее, занимался единоборствами, играл в теннис, изредка уговаривал отца на совместные походы на лыжах. Так что если уж он сдал, то каким бы сейчас был отец? «Разве это важно? — спросила себя Маша. — Каким бы был, таким и был». И это сделало бы ее жизнь такой счастливой и такой... другой, что и представить нельзя.

Маша с нежностью поцеловала папиного товарища в щеку. Кустистые брови Ник Ника полезли вверх.

— Эй! — Он чуть-чуть от нее отстранился. — А как же конспирация? Забыли, девушка, где находитесь? Я тут для всех уже давно Николай Николаевич. И никаких поцелуев, мало ли кто увидит?

Маша сейчас же оглянулась — и точно: по закону подлости из машины вышел ее новый начальник и, старательно не глядя в их сторону, быстро зашел в здание.

— Черт! — чуть не плача, сказала Маша. — Ты прав!

— Что, рассекретили? — Голос Ник Ника перешел на конспиративный шепот.

— Не смешно.— Маша вздохнула. — Хотя все и так поняли, что я — блатная. Просто не знали, откуда ветер дует. А теперь он будет в курсе, чья я протеже.

— Неприятный тип?

— Ужасно, — призналась Маша.

— Ничего, он еще к тебе приглядится и поймет: есть порох в твоих пороховницах!

— Ну да, — вздохнула Маша. — Как же!..

— Брось. — Ник Ник улыбнулся и с независимым видом задал следующий, извечный свой вопрос: — Ну, а как мама?

АНДРЕЙ

Однако! — мстительно подумал Андрей. Понятно, на какой «верх» намекал Анютин, многозначительно тыча толстым пальцем в потолок. Сам Катышев. Герр прокурор. Незапятнанная репутация, лучший из лучших, народный мститель. Он, Андрей, к нему не осмелился бы даже подойти сигаретку стрельнуть! А наша краснодипломница с ним вась-вась: по-родственному. Целуст в щсчку. Андрей от раздражения даже по лестнице стал подниматься, вместо того чтобы сесть в лифт.

И только уже в кабинете, за рабочим столом, чуть-чуть отошел. Включил электрический чайник, открыл форточку, достал сигарету, затянулся. Пока курил, засыпал растворимый кофе, врубил компьютер. Зашел на «потеряшек» и забил в параметрах — полгода, мужчины. На экране мелькали лица — много народу пропадает за шесть месяцев в Москве и Московской области. Стоп! Андрей нащупал мобильник, хотя и так знал ответ. Найденный сегодня утопленник, несмотря на искажающую облик предсмертную гримасу, и Ельник И.А., 1970 года рождения, пропавший в феврале месяце, — одно и то же, не слишком приятное лицо. «Хорошо-хорошо», — прошептал Андрей, обжигая горло горячим кофе, а пальцы уже чуть дрожали — он чувствовал, только что дело тронулось с мертвой точки.

Это первое движение, пусть на миллиметр, было самым важным. Андрей представлял себе новое дело как валун на вершине, который он раскачивает потихоньку, пока наконец махина не двинется с места. Итак, следующий шаг — кто же ты, дорогой друг Ельник? И база данных на «уже привлекавшихся» не подвела — экран заполнился текстом и фотографиями в фас и профиль, где Ельник был явно много моложе, чем сегодня утром на берегу Москвы-реки. Андрей довольно потер переносицу...

«Дорогой друг Ельник». Убийца.

МАША

В машине Маша пыталась отделаться от неприятного чувства — ей было очень обидно, что в первый же день, когда она еще не успела показать, на что способна, этот Яковлев уже связал ее с Катышевым и теперь уж точно будет смотреть на нее через «катышевскую» призму. Почему-то она была уверена, что, несмотря на всеобщее, почти религиозное восхищение однокашником ее отца, лично ее рейтинг в глазах «джинсового» общение с премудрым прокурором не поднимет. «Впрочем, — возразила она себе самой, аккуратно тормозя около забора вокруг старой электростанции, — возможно, и не потребуется никому ничего показывать. Вряд ли на Петровке сидят люди легко впечатлительные. А уж этот-то Яковлев — и подавно».

Время было позднее — трамвайное депо уже опустело, только на проходной скучал дюжий детина, почитывая журнал. При виде Маши он положил его на стойку, и она смогла прочитать надпись — «СуперАвто».

— Кого надо? — Охранник явно был не из вежливых.

— Мне нужен Игнатьев И.В., — сказала она совершенно официальным тоном. И потому была неприятно поражена, когда тот развязно осклабился:

— Из журналистов, что ли?

Маша осторожно кивнула.

— Ну не западло вам сюда шляться? Уже два года прошло! А Игнатьева твоего уволили еще тогда. За то, что не уследил. — Казалось, охранник весьма доволен такой судьбой коллеги. И Маша почти сразу поняла почему. — Пятьсот рублей за вход, а порасскажу я не хуже Игорька.

— Сейчас. — Маша порылась в сумочке и собрала сотенными нужную сумму. «Завтра и послезавтра пообедаю яблоком», — подумала она. Перспектива завтрашнего разыгравшегося аппетита под мрачными сводами электростанции казалась малореальной.

Охранник пропустил ее вовнутрь, долго вел узкими коридорами, чтобы вывести на лестницу в один пролет, в конце которой находилась железная дверь.

— После убийства поставили, — пояснил он, открыв дверь ключом из тяжелой связки, вынутой из кармана. Он зажег свет, и подвал осветился холодным серо-голубым, типичным для офисных помещений, галогенным светом, мгновенно убившим всю связку «старый подвал — загадочное убийство».

Подвал был девственно пуст и похож на все подвалы казенных помещений разом, и Маша спросила себя, зачем она, собственно, сюда пришла? Да еще и без обеда осталась... А охранник, уже сжившийся со второй профессией — мрачноватого чичероне, — стал показывать на место по центру, где стояли три стула. Все в рассказе подпадало под описание в деле, копия которого находилась тут же, в Машиной сумке.

— И значит, — голос охранника перешел на театральный шепот, — у всех убитых языки повырезали. Но, понимаешь, в разной степени: у одного кончик только, у бабы — половину, а у третьего — прямо с корнем... Следак говорил, что они смогли бы развязаться и спастись, если бы сумели объясниться между собой. Узел был так хитро завязан, типа морской. Но видно тем трем было не до беседы... Кровищи-то вокруг напрудили море.

— А цифры? — спросила Маша.— Цифры на футболках?

— Нет, — пожал плечами охранник, — никаких цифер не помню.

* * *

Маша рано легла спать — болела голова, перед глазами мутным негативом стояла фотография подвала с тремя убитыми: залитые кровью подбородки, связанные одной веревкой руки за спиной. В полусне она услышала, как мама тихо вошла в комнату. По звуку Маша угадала: вот она повесила на плечики брошенный свитер, а вот что-то прошелестело. Это мама подняла с пола фотографии из досье, которое Маша насобирала за сегодняшний день. Она расстроилась: маме вряд ли понравятся фотографии мертвых людей.

Мама переживала за нее, хотела, чтобы дочка занималась чем-нибудь другим, пошла по стопам матери, а не отца: в медицину, а не в юриспруденцию, от которой, как показал их грустный семейный опыт, больше крови, больше смерти, меньше надежды на выздоровление... Но все получилось как получилось: лучшая физико-математическая школа Москвы (куда Маша попала, выиграв парочку городских олимпиад по математике), по словам папы, должна была «организовать девочке голову, научить логично мыслить». В результате в голове у девочки, как ни парадоксален такой замес, сроднилась «царица всех наук» и хаос так никогда и не раскрытого убийства. Убийства того, кто самим своим существованием до Машиных двенадцати лет был «мерой всех вещей», единственной твердой почвой, обещавшей, что вокруг, в этой расчудесной многоцветной жизни, тоже не сплошная болотистая местность. Однако — рррраз! — и почва ушла из-под ног, подобно легендарной Атлантиде, и замены ей — хоть частичной — не случилось.

Не случилось у мамы стать опорой для маленькой Маши. Мама сама была как старшая папина дочка, хоть и младше его всего на год. Мама работала ординатором у профессора Рябцева на кафедре пропедевтики внутренних болезней, и профессор Рябцев — царь и бог — возлагал на маму какие-то надежды. Все до того момента, как папа не выпросил у мамы ребеночка. Когда мама сообщила о своей беременности Рябцеву, тот пожевал губами и сказал, что маме нужно искать себе другую работу, ведь беременная женщина и молодая мать не могут заниматься наукой: они думают «о другом» по определению. Мама уверяла профессора, что нет, с ней все будет иначе, она сможет «и о высоком», но Рябцев только вяло улыбнулся, похлопал ее по плечу и рассеянно порекомендовал беречь себя.

Мама вернулась домой в слезах и закатила папе истерику: что с ней теперь будет, неужели она станет одной из тех клуш, которые могут говорить только о пеленках?! Нет, это немыслимо, невозможно, она отказывается, еще не поздно пойти к врачу, и... Папа тогда дал ей пощечину — первую и последнюю в жизни. А потом обнял и стал нежным шепотом обещать, что она еще станет второй Бехтеревой, что надо чуть-чуть потерпеть, что Рябцев сам себе противоречит: берет на кафедру таких красавиц, как его Наташа, и не хочет, чтобы те обзаводились семьей... А у них родится чудесная девочка, такая же красавица, как и ее мама...

— Мальчик, — поправила его, всхлипывая, мама. — У нас будет мальчик.

Ничего не вышло, оба родителя бесславно ошиблись: во-первых, родилась Маша. Во-вторых, она не унаследовала материнской красоты. И вообще, мало чего взяла материнского. Но Федору Караваю было все равно — едва придя с работы, он бросался к колыбели, замирая с маленькой Машей на руках, и только счастливо улыбался на грозный оклик жены:

— Ты хоть руки помыл, прежде чем хватать ребенка?!

Наталья потом жаловалась друзьям:

— И прямо с порога — к малышке. Какая уж там гигиена!

Все вокруг восхищались: какая прелестная Наталья с белопенно-кружевным свертком, какой трепетный отец и милейший младенец...

Но Маша с самого раннего детства была в курсе того, что она своим рождением сделала маму несчастной. Пострадала мамина фигура: тончайшая талия раздалась, грудь после кормления обвисла, живот пошел складками. Наталья жаловалась, что спина у нее стала как у гренадера, нога увеличилась на размер, из-за чего вся немалая коллекция обуви была отнесена в комиссионку. Мама часто рыдала, глядясь в зеркало и не узнавая себя, нынешнюю. Изменения после родов пришлись на первые признаки старения — это был двойной удар... Ни уговоры мужа, ни подарки, ни попытки «выйти в свет», оставив маленькую Машу бабушкам и дедушкам, не могли развеять постоянной хандры. Наташа ушла в депрессию.

Отец заходил с работы в супермаркет и готовил ужин для Маши, затем ужин для себя с Наташей, читал Маше книжку перед сном, а потом до полуночи сидел над бумагами. У папы, в отличие от мамы, никогда не болела голова, он ни разу не отмахнулся от Маши, когда та задавала какой-нибудь из тысячи положенных по возрасту вопросов. Однажды Наташа при Маше закатила истерику вокруг собственной ничтожности и профессиональной невостребованности, и Федор быстро увел дочь в ее комнату, но Маша по каким-то вторично-флюидным признакам поняла: истерика ненастоящая. Мама сама не верит в те сентенции, что выкрикивает с надрывом, и в глубине души прекрасно понимает, что место рядом с Рябцевым было ей зарезервировано в счет молодости и красоты, а не в пользу схожести дарования с Бехтеревой. Но чувство вины у мужа должно было вырабатываться константно, как гормоны, как рост бороды поутру: Федор был виновен в том, что она уже не красавица и уже не будет доктором наук.

Тут-то в их доме и стал часто появляться Ник Ник: они с папой когда-то на какое-то время охладели друг к другу, охлаждение было вызвано логикой выбора профессий. Один стал прокурором, другой — адвокатом. Даже десять лет спустя друзья могли вести долгие споры на кухне — Катышев, горячась, говорил о том, что все прогнило, вся правовая база безнадежно устарела, все следственные органы коррумпированы, но, несмотря на это, вину преступников надо все равно доказывать. На что отец спокойно отвечал, что в нашей стране всегда найдется кому сажать. А вот найдется ли кому защищать... Это еще вопрос.

В разгар дискуссий на кухню входила мама, по-юношески садилась папе на колени, обвивала его шею руками и просила побеседовать о чем-нибудь, не связанном с профессией. И Катышев покорно стихал, начинал говорить о «не связанном».

Только уже взрослой Маша поняла, что Ник Ник был и, возможно, до сих пор влюблен в ее мать.

Он ходил к ним часто — тогда, когда отца дома не было и быть не могло. Он играл с Машей (своих детей у Ник Ника не было), пытался помочь маме на кухне — та всегда заливисто смеялась, но с кухни не прогоняла. Маша порой задавалась вопросом: понимал ли это папа? И сама себе отвечала: конечно, понимал. Эта игра была извечной, с правилами, знакомыми даже деревенскому идиоту. А уж кто-кто, а Федор Каравай деревенским идиотом не был. Но мама так ожила от безмолвного обожания Ник Ника — снова надела яркие платья, начала краситься и улыбаться. Она, наконец, стала лучшей матерью: встала у плиты, водила Машу на кружки гимнастики и керамики (Маша не блистала ни на одном из поприщ), вывозила гулять-просвещаться в Коломенское и в Пушкинский музей. Наталья была женщиной вполне прилично образованной, она много разговаривала с Машей, много рассказывала... Маша же все равно тосковала по папе, чувствуя, что Ник Ник, при всех его достоинствах, не более чем суррогат. А папа в последние годы жизни работал совсем много и находил для Маши все меньше времени...

Зато когда находил, оно было только их: они вдвоем бродили по московским бульварам, вместе ездили на рыбалку, ходили в бассейн и на каток. А то, что в это время к маме в гости приходил Ник Ник, так отец доверял обоим и обоих — жалел. Катышева — за то, что, по его мнению, тот выбрал не ту специальность и не ту жену и что у него нет детей, а значит, нет такого счастья в жизни, как Маня. А Наталья... Что ж, Наталья пусть пококетничает. И доверял — не зря.

После его гибели Маша страшилась и тайно желала, чтобы Ник Ник женился на маме: такая кромешная чернота была вокруг, что хотелось видеть рядом родное лицо. Однако со смертью отца — вот загадка! — визиты Ник Ника стали все более редкими, а потом и вовсе сошли на нет.

И еще: Маше казалось, что последние процессы, которые вел Федор Каравай, «вскапывающие» пласты уже не только личностной несправедливости, но уже несправедливости социумной и далее — несправедливости, замешенной на низости бытия, как таковых, очень выматывали отца, хотя они ни разу об этом не разговаривали. Но Маша помнила, как пару раз, зайдя в квартиру, отец застывал перед картинкой: перспектива из темного коридора в ярко освещенную кухню, где мама, сидя напротив Ник Ника, запрокинула голову и хохочет — беззаботно, как дитя. Лицо у Федора в эти моменты было не любующимся уже, а уставшим. Видно, иметь девочку-жену очень мило до некоего момента. А потом хочется иметь жену-соратницу, с которой можно поговорить тогда, когда сказки на ночь детям прочитаны и дверь в детскую плотно заперта.

Однако невозможно трансформировать фею-Дюймовочку в аналог Надежды Константиновны. В конце концов, он же и сформировал вокруг Наташи мир, в котором она могла оставаться любимым дитятей и никогда не взрослеть. Что ж, сам виноват. Возможно, если бы отец был жив, Маша с годами органично заняла бы место сподвижницы, отдав навсегда Наталье роль балованной девочки.

Но не случилось: отец погиб, исчез взлелеянный им волшебный сад вокруг двух его любимых женщин, и мать с его исчезновением как бы выпрыгнула из привычного имиджа. Потому что из двух девочек — Натальи и Маши — Наталья была все ж таки старшей.

* * *

Утром Маша проснулась от оптимистических джазовых ритмов будильника и запаха кофе. На всякий случай прислушавшись и, не уловив подозрительных шорохов за стенкой, спрыгнула с постели и пошла под душ, взяв с собой в ванную сразу то, в чем собиралась уйти на работу. Ей все еще было неловко появляться перед отчимом в халате, поэтому через двадцать минут она уже гасила свет в ванной, одетая в привычную свою униформу: черные брюки, свежая черная футболка, темно-синий свитер под горло, волосы забраны в гладкий хвост.

— Я всегда ненавидела эту тетрадку, — услышала она материн голос из кухни и замерла. — Нельзя, чтобы мысли ребенка с двенадцати лет были постоянно заняты убийствами, преступлениями, маньяками! Я не хочу, чтобы это стало ее профессией!

— Боюсь, Наташенька, — голос отчима звучал, как хорошо поставленный лекторский, — что тут ты ничего поделать не можешь. Маша уже выбрала себе дело и...

— Да, я согласилась, чтобы она пошла на юридический! Я думала, что там ей привьют вкус к чему-нибудь еще, кроме как к психопатам! Что дочь станет нотариусом, откроет адвокатскую контору, наконец! И вместо этого очередные трупы, теперь уже — с Петровки! Я позвоню Катышеву, чтобы он отменил ей практику!

— Натусенька, посмотри на это с другой стороны, — примирительно начал отчим. — Ребенок занимается делом, которое ему безумно нравится, есть все шансы, что она достигнет в нем больших успехов.

— А я не хочу... — перебила его мать.

Маша уже толкнула дверь на кухню:

— Доброе утро!

— Доброе, — кашлянув, поздоровался отчим, а мать только кивнула, стоя к ней спиной.

Когда она повернулась, Маша заметила, что глаза у нее красные. Маше стало стыдно, и она произнесла чрезмерно энергичным тоном:

— Ну-с, что у нас на завтрак?

Мать положила на тарелку пару оладий и с той же целью — чтоб уж наверняка сменить тему — сказала:

— Опять в черном?

Обсуждения Машиного гардероба были одной из самых часто возникающих тем по утрам, вроде сводки погоды. Маша привычно отбрехивалась на материны: «А что, других цветов не существует в природе?»

Да, отвечала она. Но их надо сочетать между собой, а с черным эта проблема вкуса и потери времени отпадает. Да, но черный стройнит и оттеняет. Да, но у нее послеподростковый синдром — она носит только черное, и этот цвет соответствует ее утреннему настрою. Да, да, да...

И про себя: «Нет, мамочка, это не траур, растянувшийся более чем на десять лет! Нет, мамочка, это не признак депрессии, нет, я никого не хочу подсознательно оттолкнуть от себя...» Отчим все это время мудро сохранял нейтралитет, а мать в результате вздохнула и предложила Маше ключи от своей машины.

— Не нужно, — сказала Маша, целуя перед уходом мать в щеку. — Я сегодня на метро. Так быстрее.

Уходя, она увидела, как Наталья абсолютно материнским жестом поправила отчиму галстук, и грустно усмехнулась: как меняет женщину внутри и снаружи мужчина, находящийся в данный момент времени рядом... И еще подумалось: а ведь с Ник Ником она могла снова стать девочкой-феей. Но не захотела играть в ту же игру ни с кем другим, кроме папы...

Маше повезло: удалось сесть в метро, и она сразу же вынула свою тетрадку. На чистом развороте начала делать набросок — ей всегда было понятнее «с картинкой». Итак, трое. Маша схематично изобразила стулья, поставленные полукругом, три фигуры: две мужские, одна женская.

Молодой человек рядом косил на Машу заинтересованным взглядом: он, видно, был из редких эстетов и оценил Машин профиль, Машины тонкие пальцы, Машины ненакрашенные губы.

1. «Узел», — написала рядом с картинкой Маша.

2. «Цифры».

3. (подчеркнула) «Почему по-разному вырваны языки?».

Эстет, заглядывающий через плечо в поисках нетривиальной завязки для беседы, отшатнулся, прочитав последний вопрос. Маша улыбнулась стороной рта, противоположной юноше (нечего подглядывать), спокойно убрала тетрадь в сумку и пошла к выходу.

Маша уже по крайней мере час сидела на рабочем месте, когда в кабинет вошел Андрей. И она не могла не отметить с некой долей иронии и жалости, что одет он был так же, как вчера. Те же джинсы. Та же джинсовая потертая куртка. И еще — или это ей уже кажется в силу отвращения к персонажу? — от него слегка попахивало псиной. Он поздоровался со всеми купно, не глядя ни на кого в отдельности, тем более — на Машу. Тем лучше, — подумала про себя Маша, опасавшаяся ироничного разбора вчерашней ее встречи с Ник Ником. А Андрей тем временем бросил джинсовую куртку на спинку стула и потянулся к телефону:

— Шагин? Привет. Яковлсв Андрей. Слушай, вопрос как специалисту по блатняку: у кого из уголовников в последнсс врсмя появилась манера брить фигурно затылок. Как фигурно? Да так, фантазейно, с выстриженным номером...

У Маши внутри все замерло. Номер?

— Да ты что? Ну, значит, совсем новая тенденция, ага. Запиши там себе в исследование воровского фольклора. Кстати, цифра четырнадцать. Семь и семь? Двойной символ счастья? Да ты что?! Никогда бы не подумал. Спасибо, нумеролог, пока. — И повесил трубку, невольно столкнувшись взглядом с Машей.

«Нумерология! — Машино сердце отчаянно забилось. — Символика цифр!»— Она снова перебрала дела на столе. «1, 2, 3» — первые жертвы на Берсеневской набережной. «4» — на руке у почившего пьяницы, оставленного ночью год назад в Кутафьей башне. 6 — на руке, обнаруженной отдельно от тела на Красной площади полгода назад. И теперь — «14». Может ли это быть один человек, или она уже тихо сходит с ума со своими маньяками? Но если даже представить себе, что цифры 1, 2, 3, 4 и 6 объединены какими-то странными способами расправляться с жертвами... Она вскинула глаза на Яковлева и рискнула:

— Простите, пожалуйста!

Андрей недовольно поднял взгляд от бумаг.

— У вас нет заключения патологоанатома по смерти на берегу Москвы-реки?

Андрей поднял бровь — бровь явно намекала, что стажер Каравай лсзст нс в свое дело.

— Я имею в виду, — заторопилась Маша, краснея, — есть ли в этой смерти что-нибудь странное?

Брови Андрея взлетели на почти физиологически неприличную высоту.

— А что вы подразумеваете под словом «странный»? — спросил он холодно.

Маша беспомощно пожала плечами, собираясь с мыслями. За это время Андрей успел вновь углубиться в бумаги.

Хам! — Маша аж вся кипела от возмущения. Он даже не сделал вид, что его может заинтересовать то, что она ответит. А уж об ответе на Машин вопрос и вовсе не было речи. «О'кей, — сказала себе она, сдвинув собственные брови на манер, который ее мать называла «а вот сейчас ты хмуришься, как Федор». — Ладно. Черт с ними, с цифрами. Попробуем с другого боку. Вот странно вырванные языки. Вот еще одно дело — о чудном пьянице, пришедшем помирать с раздутым горлом в Кутафью. Вот рука с картиной Шагала. Что у нас есть еще?» Она не отрываясь читала старые дела за прошедшие два года. И нашла, нашла еще странное — как же она не вспомнила? — тот ужасный случай, о котором писали все газеты: жена тюменского губернатора, женщина, вошедшая в десятку самых богатых леди планеты, обогнав создательницу итальянской марки «Бенеттон» и создательницу английского мальчика Гарри Поттера... обнаружена четвертованной. Тело, аккуратно завернутое в газеты, найдено на лавочке в Коломенском...

Машу передернуло. Губернаторшу многие не любили — огромное количество людей в той или иной степени зависело от ее многочисленных бизнесов... Людям приходилось давать взятки, пресмыкаться, ублажать всесильную правительницу края... Людмила Турина правила железной рукой — бизнесы развивались, деньги текли на счет в швейцарском банке, в Лондоне достраивался особняк, про который тоже долго писали газеты, мол, стыдно так уж... Ну, уж так уж... избегая прямых глаголов и даже синонимов — тех, кто позволял себе подобное, Людмила засуживала и пускала по миру.

Кто смог сделать такое с постоянно охраняемой губернаторшей? Кто мог совершить такое и не быть пойманным, — вот вопрос, думала Маша. Дадут ли ей поглядеть на дело — хотя бы на первичный «сбор», сделанный экспертами? В свое время на распутывание убийства были брошены лучшие силы, но все как-то поутихло, после того как супруг Туриной сам сбежал в один прекрасный момент в Туманный Альбион.

Маша написала в сделанной от руки таблице (все линии в которой, несмотря на отсутствие линейки, были идеально прямыми): Турина Людмила, дата смерти, место — Коломенское.

И опять погрузилась в бумаги. Где-то она еще видела вчера... Что-то зацепило ее внимание, но тогда она отмахнулась, еще не знала, что ищет. А ищет она странность, и казалось Маше, что странность там — величиной со слона. Через полчаса Маша опять замерла: вот оно! Конструктор и архитектор Баграт Гебелаи умер в своей шикарной квартире на улице Ленивке от сильнейшего нервного и физического истощения. Бросилось в глаза несоответствие слов «шикарной» и «физическое истощение». Кроме того, Маше показалось, что и фамилию Гебелаи она встречала в прессе. Маша заполнила следующую графу в таблице: Баграт Гебелаи, Ленивка, восемь месяцев назад, и откинулась на стуле. Получается немало странностей, объединенных и еще одним фактором — местом нахождения трупов: кроме Коломенского, чуть на отшибе, все остальные — в центре города.

Маша попросила разрешения у сидящего рядом оперативника, объявившего всем, что пора бы на перекур, занять его компьютер. Оперативник махнул рукой и вышел, за ним потянулись остальные.

В первую очередь Маша нашла подробную карту Москвы и, вставив в принтер в коридоре большой лист формата А3, распечатала цветной план центра города. В конце коридора она мельком увидела Андрея, с сигаретой в руках иронично выслушивающего того самого следователя, который уступил ей компьютер.

«Кажется, его зовут Володей», — вспомнила Маша и рывком бросилась обратно в кабинет. Рискнула занести в Интернет несколько цифр плюс слово «нумерология». Гугл не обманул ожиданий: число «один», прочитала Маша, — это символ славы и могущества, действия и честолюбия. Человек с числом дня рождения «1» должен следовать ему, никогда не меняя свой курс и не пытаясь прыгнуть далеко вперед раньше времени. И далее: число «2» символизирует равновесие в настроении, действиях, мягкость и тактичность характера... «4» означает уравновешенную, трудолюбивую натуру... «6» — предвещает успех в предприятиях, если только удается завоевать доверие у окружающих, привлечь не только клиентов, но и последователей.

Маша с досадой закрыла «окно» и села опять за свой стол. Получается, что тот, которому вырвали язык наполовину, должен следовать судьбе, а барышня, идущая под цифрой «2», сохранять равновесие, несмотря на обильное кровотечение изо рта. А пьяница, чье число обозначает трудолюбивую натуру... Неизвестно, как сложилась судьба хозяина руки, найденной на Красной площади, но Маша уже поняла, что слишком все просто, чтобы быть правдой. И не ясно даже, есть ли на самом деле связь, или она ее только что придумала.

— Андрей Леонидович! — Она встала и положила перед шефом листок.

Шеф на «Леонидовича» вздрогнул, но лицо держал и взял бумагу. — Что это?

— Это смерти, которые я выделила, они показались мне странными.

— Опять странности?

— Да, опять, — упрямо подтвердила Маша.

— Я ведь, кажется, попросил вас заниматься убийствами, выданными за несчастные случаи и суициды?

Маша молчала. Андрей вздохнул:

— Я вас слушаю, стажер Каравай.

— Вам же все равно, — тихо сказала Маша, — чем я буду заниматься. Разве нет? А так я не буду маячить у вас перед глазами.

— Это аргумент, — усмехнулся, помолчав, Андрей. — Валяйте, расследуйте ваши странности.

Маша быстро кивнула и почти бегом выбежала из кабинета.

— Чего ты на девку-то так окрысился? — услышала она, закрывая за собой дверь.

И порадовалась, что не дождалась ответа.

АНДРЕЙ

Паша наконец отзвонился, и Андрей побежал, как подстегнутый, в морг. На душе скребли кошки — не сильно скребли, но все же. Он почувствовал в голосе холодную злость, когда отвечал студентке, а она этого не заслужила. Работала с самого утра, и работала на совесть — Андрей пару раз с интересом отмечал выражение предельной сосредоточенности на широком скуластом лице. Отличница... Но должен был себе признаться, с материалом она работать умеет. Не ясно, что за странность она там накопала, но если это ей поможет в написании «практической части» диплома, так и бог с ней. Пусть бегает, задает вопросы. Где-то ее пошлют, и неласково, а где-то расскажут все, что нужно. Пусть учится работать не только с бумажками, но и с людьми.

На этой педагогической ноте он вошел к Паше и пожал его огромную лапищу, прежде чем тот натянул латексные перчатки.

— Чудные дела, — начал Павел и показал разрезанный живот покойника.

Андрей поморщился и заглянул вовнутрь. Там было пусто.

— У него вынуты внутренние органы, — кивнул Павел. — Иными словами, мужика освежевали, как куриную тушку. Внутри я нашел только это. — И Павел протянул Андрею прозрачный пакет.

— Деньги? — вгляделся в содержимое пакета Андрей.

— Так точно. А именно — советские копейки. Однушки.

— Сколько? Четырнадцать. Ага. — Ошарашенный, Андрей сел.

— И на голове у него... — начал Паша, но Андрей его перебил:

— Знаю, сам видел.

— Но и это еще не все. — Видно было, что Паша не на шутку возбужден.— Смотри! — И он протянул к Андрею синюшную руку трупа.— Под ногтями я нашел лед. Но не из морозильника, а с микрочастицами, выявляющими его натуральное происхождение.

— Что ты хочешь сказать?

— Да только то, что у нас сейчас середина июля. Последний раз лед на реке имелся в феврале, в крайнем случае — в марте. Хоть легких у него нет, но я тебе сразу сказал: парня топили. Где-нибудь в проруби.

— Да. А еще ты сказал, что его заморозили...

— А я от слов своих не отказываюсь. Заморозили, верно. И пару дней назад снова сбросили в реку.

— Бред. — Андрей потер лоб.

— Сам знаю, — устало сказал Павел.

— Получается, — Андрей заставил себя посмотреть в застывшее в предсмертной асфикции лицо, — мужик умер, его утопили в полынье, из которой он пытался вылезти...

— И не только вылезти. Андрей, он весь в ранах и царапинах. Посмотри! — Павел повернул голову трупа, чтобы было нагляднее.

— Ага, значит, парень честно сопротивлялся убийце, что утопил его в проруби. Потом душегуб его достал. Ждал полгода, чтобы подпустить к нам уже мертвую рыбку. Ему что, было важно напутать со временем убийства?

— Слушай, если убийца не полный идиот, он мог спрогнозировать факт судебно-медицинской экспертизы глубоко отмороженных тканей. Хотя, может, он убил его не полгода назад, а, положим, три года назад. При хорошей заморозке сохранность тела могла бы быть той же.

— Нет, Паша. — Андрей еще раз взглянул в широко распахнутые глаза жертвы. — Не могло быть такого, ибо Ельник пропал зимой.

— Этот, что ли, Ельник? — Паша задвинул труп в холодильник.

— Он, — подтвердил Андрей. — Вчера нашел его по картотеке — наколка помогла. И если убийца не мог нас оболванить со временем, тогда в чем тут цимес, как говорила бабушка моего одноклассника?

— Место? — предположил Павел, снимая перчатки.

НИКОЛЬСКАЯ УЛИЦА. КАТЯ

Для начала она позвонила в дверь. Шансов на то, что Наталья Сергеевна окажется на месте, немного, но лучше уж перестраховаться, чем... А потом Катя открыла дверь своим ключом, глубоко вздохнула и с блаженной улыбкой на губах, сразу узнавая и принимая запахи этого дома, переступила порог. Когда снимала сапоги, ей почудился шорох на кухне, и она так и замерла с сапогом в руке.

— Наталья Сергеевна? — крикнула она в глубину квартиры. Но нет, ничего. Только тикают ходики на кухне и мерно прокручивается барабан стиральной машины в ванной.

Катя на секунду остановилась у зеркала в прихожей: ей нравилось на себя смотреть в этом зеркале. Будто она здесь — хозяйка. Так естественно. Мягкий золотистый свет абажура обладал тем же магическим эффектом, как в детстве. Она снова — принцесса, а не пастушка, расступитесь все. Легким шагом Катя прошла по квартире — как пометила каждую комнату. В гостиной на диване появился новый плед. Она подошла и провела по нему рукой — мягкий. Наверное, кашемир. В ванной на полочке стоял новый крем. Крем был явно Натальин, Машка всегда мазалась тем, что под руку попадется. Но крем Катя оставила «на потом».

В Машиной комнате все застыло, как во времена их детства. Летнее солнце било в окно.

— Душновато, — сказала себе вслух Катя и открыла окно — проветрить. У Натальи в комнате и в гардеробной пробыла чуть дольше: отметила — туфли открытые, на среднем каблуке, шоколадного, вкусного цвета, костюм строгий, в тонкую полоску с безумной леопардовой подкладкой... Втянула носом воздух: Наталья опять сменила парфюм. Машина мать не придерживалась одного, а постоянно экспериментировала. Кате это нравилось. Она играла с Натальиными парфюмами в игру — «какой из них мне больше подходит» — и выходило, что, в принципе, все годились. Зашла на кухню и заглянула в холодильник. Холодильник был запретной зоной и портил всё удовольствие — с ним нельзя было поиграть в хозяйку — настоящая хозяйка могла заметить исчезновение половины головки голландского сыра (Катя обожала такой сыр, он стоил бешеных денег) или грозди винограда... Вряд ли, конечно. Но малая вероятность имелась, поэтому содержание огромного холодильника Катя пожирала исключительно глазами, как бедный провинциал — роскошные фламандские натюрморты в Эрмитаже.

Кате ужасно хотелось принять ванну, но она не рискнула: все-таки объяснить свое присутствие в ванной, полной пены и ароматических масел, не то же самое, чем если тебя застукают в душе, — на этот случай у Кати имелось всегда объяснение: ой, Наталья Сергеевна, попала в лужу, облили из окна, забрызгал проезжающий «Мерседес»... Позволила себе, так сказать, воспользоваться вашим гостеприимством. Катя знала — позволит. И даже напоит чаем постфактум, выспрашивая про Машиных поклонников. Вот про поклонников Наталье было особенно интересно — Машка-то ее рассказами про личную жизнь не баловала. По каким-то вторичным признакам (робкие неудачные попытки макияжа, перекошенное лицо Иннокентия) мать догадывалась, что у дочери кто-то появился, и она даже однажды отправила Катю на разведку («Ты уж не обессудь, но на тебя единственная надежда!»).

Катя с заданием справилась — узнала: «кто-то» учится с Машей на одном курсе, зовут Петей, мальчик положительный, сын богатых родителей, ездит на «Порше». Катя как «Порш» увидела, так аж затряслась вся, а Машка-дурында тогда сказала, что выпендрежу много, а из-за многочисленных джипов в спортивной машине на дороге ничего не видно. Да Катя на такой машине и с закрытыми глазами бы поездила! Что тот Петя в Машке нашел — не ясно. По Кате, так в подруге ничего не было. Густые волосы, разве что, заключала она после многочасовых размышлений, да глаза... Может быть. Однажды она даже сказала об этом самой Машке — не в плане, конечно, что «это только у тебя и есть», а типа как комплимент сделала. Маша тогда засмеялась и процитировала кого-то из французов, что, мол, у женщины замечают глаза и волосы, когда сама женщина не красавица. Катя тогда удивилась — казалось, Машку позабавил тот факт, что она — дурнушка. Еще Маша была умная, но для мужиков это скорее дефект. Ну и на что запал мальчик Петя? Получается, на звонкое и в профессии известное имя — Каравай. Погибший адвокат. Вот и все.

Господи, как после его гибели все вокруг Маши прыгали, в том числе ее собственная мать, — нашла, кого жалеть! Бедный ребенок, так рано потеряла отца, так трагично! Катя тогда первый раз себя выдала — не удержалась. Сказала своей матери: «А меня ты пожалеть не хочешь? Которую отец бросил, когда я у тебя еще в брюхе находилась? Вот где рано и трагично, разве нет?»

Мать правда ее пожалела — погладила по голове и сказала, что, мол, нельзя завидовать, нехорошо это. Но Катя не могла не завидовать. Ей казалось, что она уже родилась с этим чувством внутри: когда смотрела из окон первого этажа на девочку в яркой курточке, сидящую на плечах у смеющегося папы, слышала пересуды бабок на лавочках — какой, мол, хороший отец Федор Каравай, и человек большой. Когда видела этого самого Федора рядом с Натальей, тогда еще молодой и одетой в такие тряпки, которых ее мать в жизни не видела! Или еще на фото в газетной статье, посвященной какому-нибудь громкому процессу. Она очень хотела дружить с девочкой Машей и одновременно — расцарапать ей лицо. Это было странное, тревожное, мучительное чувство, обозначенное ее матерью только десять лет спустя.

В год, когда обеим девочкам исполнилось лет по тринадцать, матери предложили за их однокомнатную в центре большие деньги: можно было купить аж трешку в менее престижном районе. Мать была счастлива — покупатель квартиры все организовывал сам, даже переезд, и она была ему благодарна: сама мать не справилась и не решилась бы ни на что. Она с придыханием говорила Кате, что у них теперь будут не только отдельные комнаты (ведь еще пару лет — и ты станешь совсем барышней!), но и еще одна — так сказать, гостиная (и, возможно, Катенька, однажды она станет детской!).

— Не станет, — отрезала Катя. Она была уверена, что у нее будет состоятельный муж.

Отношение же Кати к переезду было однозначно положительным: с одной стороны — отдельная комната, немалый в подростковом возрасте фактор, кроме того, она наконец не будет видеть Машкину физиономию. Только по прошествии месяца Катя поняла, что умирает от тоски в их спальном районе. Жизнь без Маши стала скучной: будто вынули из нее некий перпетуум-мобиле, основное чувство, держащее эмоциональный градус в напряжении. Кроме того, Катя не была идиоткой и понимала, что так поговорить со своими нынешними дворовыми приятельницами, как с Машей, она не сможет — разговоры крутились вокруг парней, косметики и тряпок. Это были три темы, которые они с Машей ни разу не обсуждали...

В первое время она искренне получала удовольствие от рассматривания засаленного журнала «Вог». А потом заскучала, вспомнила, как приходили мальчики из физматшколы, в которой училась Маша, и говорили о не всегда понятном. Но эти мальчики были намного интереснее, чем те, о ком сплетничали с пеной у рта ее новые дворовые подружки. Именно за такого физматмальчика Катя хотела в будущем выйти замуж — при условии, конечно, что тот разбогатеет, а не станет научным сотрудником, вроде ее матери.

Поэтому Катя приняла решение с Машей отношения восстановить, снова задружить, несмотря на расстояние в десять станций метро, их разделяющее. Нутром, всей сущностью, завистью, выдержанной за последние десять лет как хорошее вино и указывающей ей, как компас, правильный путь, Катя знала: Маша летает в высоких сферах и Кате туда — тоже нужно.

Катя набрала после годового перерыва телефон, внутренне вся сжавшись: Маша была удивлена, но, слава богу, приятно удивлена. И пригласила в гости. И чуть Катя вышла из метро на Большой Полянке и вдохнула загазованный воздух, ей уже показалось, что она вернулась домой. А в Машиной квартире ощущение еще больше усилилось: она ничего не могла с собой поделать. Именно эта квартира ее грез, квартира, где она проводила половину своего времени в детстве, и была ее настоящим домом. Она села напротив Маши за стол на кухне, и слезы подступили к горлу.

— Ты чего? — обеспокоенно спросила Маша.

— Соскучилась по тебе, — ответила Катя и совсем не соврала. Собираясь сюда, она хотела впечатлить подругу детства и тщательно наложила макияж. Но теперь, глядя на чисто промытое Машино лицо, полное смущения (ведь она, Маша, по Кате вот так — до слез — не скучала), Катя поняла: она опять проиграла. Просто потому, что Маша играет совсем в другие игры.

Неприятная тишина установилась за столом. Маша и Катя пили быстро чай, чтобы сделать вид, что не поняли главного: общих тем для бесед у них не было.

Катя была в отчаянии: никак иначе, чем через дружбу с Машей, она не могла остаться в этом доме. В ее родном доме. Была бы Катя постарше, она, возможно, смогла бы завести непринужденную беседу. Но они были девочками-подростками, и светскости в них не было ни на грош.

— А ко мне клеится парень на «Харлее», представляешь? — чувствуя, что тонет, сказала она.

— Харлей? — переспросила Маша в замешательстве.

— Мотоцикл такой, супермотоцикл! А парень уже отсидел за мелкое ограбление, представляешь? Он мне сказал, что я выгляжу на все шестнадцать. А я ему говорю: так мне шестнадцать и есть! А он мне — не выдумывай, молокососка, — затарахтела Катя, глядя, не отрываясь, в Машины глаза, распахивающиеся все шире по мере продвижения истории.

С парня на «Харлее» Катя перешла на Светку из соседнего подъезда, которую мать бьет смертным боем за накрашенные глаза и губы, а ей уже пятнадцать, представляешь? И далее: про «великий шелковый путь» через их двор лоточников с соседнего дешевого рынка. Про парня, вернувшегося из Чечни больным на голову и отсиживающегося в кустах, пока за ним не придет мамаша и не скажет, что все ушли, засады нет, можно идти домой ужинать.

У Кати открылся поразительный дар рассказчицы: она изображала поочередно то испуганного парня, выглядывающего из кустов, то самодовольного придурка на «Харлее», то Светкину мать, поносящую Светку на чем свет стоит из окна на весь двор. Маша смеялась до слез, утирала глаза и, когда вернулась с работы Наталья Сергеевна, уговорила и ее сесть послушать. Катя исполнила «на бис» особенно удачные моменты, оттачивая их по ходу дела, а внутри было уже совсем покойно и хорошо — она выиграла! У нее все получилось.

Так и продолжалось потом многие годы — Катя стала для Маши вроде как Петросяном на дому. С другими Маша вела умные бсссды, а с Катей расслаблялась и даже сплетничала иногда. Катю это не обижало. Не обижали и косыс взгляды Машиных друзей из школы и потом из института: мол, ты кто, где учишься? А... в этом. Да, конечно, они сразу видели в ней человека не их круга. Но Катя и сама это знала и не жаловалась, играла в девочку «без претензий». Маша ее представляла как самую давнюю подругу детства. Подруга детства — это почти титул. А до их круга она когда-нибудь допрыгнет. И даст бог, и перепрыгнет. Ей не к спеху, дайте сначала адаптироваться... Так думала Катя.

Пока не встретила Иннокентия. Да. Пока не встретила Иннокентия.

МАША

— Тебе привет, — сказала она и спрятала телефон обратно в сумку.

— Подружка-соседка? — Иннокентий пригубил из стакана с белым вином. — Зря отказалась от вина: очень легкое и подходит к спарже.

— Выпендрежник! — беззлобно высказалась Маша, поддевая спаржу вилкой. — Между прочим, она все так же в тебя влюблена.

— Угу. — Иннокентий поморщился: — И все так же тебе завидует.

Маша хмыкнула, повела плечами.:

— Было бы чему! Знал бы ты, как меня игнорирует новый начальник! Вчера увидел с Ник Ником... Думает, я безмозглая блатная девица.

— А ты мозговитая, — улыбнулся Кеша.

— Нет, — горестно вздохнула Маша. — Последнее время — нет. Хожу вокруг да около. А вокруг да около ЧЕГО — не знаю. Понимаешь, странные смерти. Но таких всегда можно накопать. Нет. Странные смерти в странных местах. Вот смотри! — Маша полезла в сумку и достала распечатку плана Москвы.

— Дай-ка. — Иннокентий положил карту справа от тарелки и некоторое время рассеянно на нее глядел, приканчивая тем временем спаржу.

Маша смотрела на него с надеждой, пила воду и боялась слово молвить — Иннокентий априори ничего не понимал в убийствах, но оба привыкли доверять умственным способностям друг друга: и если у Маши в мозгах царила логика, то Иннокентий брал эрудицией.

— Ну как?! — не выдержала наконец Маша.

— Глупости. — Иннокентий отодвинул карту. — Ничего не приходит в голову.

Маша послушно убрала карту.

— Вот и у меня — простой, — мрачно сказала она, подзывая кивком официанта.

— Съешь десерт — утешишься! — Иннокентий подмигнул ей и настоял на самом большом торте из витрины: монстре во фруктах и взбитых сливках. — А я иконку замечательную откопал, — сказал он, когда они оба принялись за сладкое. — Староверческую, шестнадцатый век. У меня уже есть на нее клиент — могу на месяц взять каникулы и, если хочешь...

— Этот Ельник из них тоже! — прервала Кешу Маша, почти ткнув в него ложечкой с тортом.

— Что? — застыл Иннокентий.

Маша снова достала карту, попросила ручку.

Иннокентий послушно вынул ручку из внутреннего кармана бархатного вишневого пиджака. Маша раздраженно расписала золотое перо на салфетке, а потом поставила аккуратную звездочку рядом с Красной площадью.

— Подожди. — Иннокентий снова забрал карту, еще раз посмотрел на точки. — Я могу ее оставить на пару дней у себя? Подумаю и, если что надумаю, перезвоню тебе.

— Бери-бери. Я могу сделать копию. — Маша довольно заулыбалась. Она любила, когда Иннокентий брался за ее загадки. Это было похоже на детскую конспирацию, хотя Кеша давно вырос и превратился в холеного денди, «собирателя древностей», как он себя называл: владельца маленькой частной антикварной галереи в центре. И судя по «золотым» перьям, дорогой обуви и платиновым запонкам на сшитых на заказ рубашках с элегантным вензелем — АИ, «Алексеев Иннокентий», Кешина лавка приносила пусть не стабильный ежемесячный, но вполне высокий доход. Да, Кеша был юношей весьма утонченным, и Маша, не вылезавшая никогда из своего бессменного черного цвета, часто задавалась вопросом: как они, такие разные, такие оба «вещи в себе», могли так долго хранить детскую дружбу? И понимала: это целиком его заслуга.

— Что же мне эта карта напоминает? — задумчиво сказал Иннокентий, отправляя в рот последний кусочек торта. — Нет, так на сытый желудок и не вспомнить...

АНДРЕЙ

Там, где обедал Андрей, не играл джаз. Не подавали спаржу и хорошего шабли. Не сидели люди в рубашках с вензелями. Там, где обедал Андрей, было накурено и душно, но посетители и за едой не расставались с куртками и плащами. Ели за пластиковыми столиками подозрительного вида сэндвичи. Пили пиво. Андрей сидел напротив Архипа. Архип на самом деле был не

Архип, а Архипов. А оригинальное имя от средней оригинальности фамилии ему досталось в клички. Он состоял у Андрея в осведомителях. Архип к Андрею относился хорошо и честно выполнял свою часть контракта. Со своей стороны Андрей Архипа не сажал, но теплыми чувствами, несмотря на сливаемую ценную информацию, не проникся — от покрытого угрями, узкого, как нож, Архипова лица Андрея воротило физически. К тому же Архип имел манеру говорить, доверительно приближая физиономию к собеседнику, и дышать вчерашним ужином.

— Ельник давно завязал! — шептал Архип, отпивая глоток пенного дешевого пива. — После последнего процесса никто ему уже ничего не заказывал. Жил в деревне. Ни с кем из прежних приятелей не тусил — типа отстаньте от меня, дайте на старости побыть хорошим человеком. Как же, держи карман шире! Турка говорил, что к нему ездили разные военные...

— Что за военные? — спросил Андрей, вгрызаясь в получерствый сэндвич, — хоть Архип и не вызывал аппетита, но закинуть в себя хоть что-то в обеденный перерыв было необходимо.

— А я знаю? Вроде не мелкие сошки, хотя приезжали на тачках ниже среднего и в штатском.

— Как же твой Турка понял, что они военные? — усмехнулся Андрей.

— Да ты че?! — Архип аж поперхнулся от возмущения. — Во-первых, выправка. Во-вторых, походон, как на плацу, и морда такая — кирпичом. С выраженьицем — типа чего не рапортуешь. Ясно, не ниже полковника.

Андрей задумался, отпил из кружки теплого пойла, выдаваемого тут за кофе, и скривился:

— Слушай, а с кем Ельник сидел в последний раз?

— Могу узнать.

— Валяй. Сбросишь потом на мобильник.

— Ладно. — Архип обтер губы. — Побежал я.

Андрей только кивнул.

Новости были непростые — Ельник завязал. И тут-то его убили. Где логика? Убили за то, что завязал? Какие-то старые счеты? И военные — почему военные?! Он вспомнил искаженное предсмертной гримасой лицо. Полое тело. Ржавые медные монеты копеечного достоинства. Мистика какая-то, бред. Надо ехать к Ельнику в деревню, решил он и пошел к стойке — расплатиться за себя и за Архипа.

* * *

В коридоре он столкнулся со стажеркой — столкнулся в буквальном смысле, выруливая из-за угла на свойственной ему холерической скорости. Они ударились друг о друга, как два теннисных мячика: девица ойкнула и присела. Андрей сначала испугался, что от боли, но потом понял: рассыпала от неожиданности все бумажки — какие-то копии с фотографий.

Он неловко присел рядом и стал подбирать документы. Сначала быстро, потом все медленнее. Цифры на убитых на Берсеневской набережной, черные на черно-белой копии, но он помнил, что это — кровь. Крупно — бицепс с татуировкой — «4». Память услужливо сама подобрала картинку — «14». На затылке у Ельника. Он поднялся с корточек одновременно с девицей: она была красная как рак.

— Значит, занимаетесь исследованиями?

Маша быстро кивнула.

— Очень хорошо, — неожиданно для себя сказал Андрей, внезапно осознав, что глаза стажерки Каравай находятся аккурат напротив его глаз. И глаза эти — светло-зеленые, в темных, будто влажных, ресницах — были очень выразительны: с одной стороны, смущение, с другой — вызов. Бледные губы, только что крепко сжатые, в ответ на его «очень хорошо» изобразили кривую улыбку.

— Рада стараться, — сказала Маша, развернулась и пошла себе за угол.

«Дылда!» — беззлобно и впервые без раздражения подумал Андрей.

Пора было собираться в Точиновку, деревню, где жил, удалившись от дел, киллер Ельник.

МАША

Маша сидела на скамеечке рядом со зданием районного отделения полиции и делала вид, что внимательно слушает молодого участкового Диму Сафронова. Участковый покуривал при фифе, пришедшей с Петровки, дорогие сигареты и думал, не рискнуть ли ему пригласить ее в кино. Понятное дело, после кино надо будет вывести фифу и в кабак... Но что-то ему подсказывало, что в дешевые заведения она не ходит.

Параллельно данным размышлениям Дима рассказывал о Коляне. Хотя что о нем рассказывать? Выпивоха, каких много. Беззлобный. Не вороватый — такой, из «везунчиков», что свою дозу всегда где-нибудь откопают. Остатки хорошего воспитания выражались в том, что не мочился где ни попадя. Да и не шлялся где ни попадя — по большому счету, прогулочный Колькин маршрут ограничивался их кварталом. И как оказался в Кутафьей башне? Пришел туда, чтобы помереть рядом с прекрасным? Так там же нашего брата полицейского видимо-невидимо, спокойно бутылку не оприходовать! А у него квартира была для этих дел — зачем так далеко ехать? Это потом, когда попался дотошный патологоанатом, выснилось, что Колян помер не из-за сердечных каких дел, вроде инфаркта или там резко оторвавшегося, под напором сильного алкоголя, тромба, а от удушья. Какой-то должен быть серьезный агрегат, чтобы постепенно поступавшая жидкость попадала в горло, и оно распухло.

— Жидкость какого рода? — пробудилась Маша, все прокручивающая в бесконечном комиксе, как она сталкивается с Андреем, несчастная идиотка!

— Так водка! Я читал отчет — если капать по капле, получается просто пытка какая-то средневековая. В Китае вроде так пытали.

— Не только в Китае, — нахмурилась Маша, будто стараясь ухватить опять тень за спиной. В этот момент взгляд девицы с Петровки стал настолько далеким, что Дима Сафронов окончательно отказался от идеи пригласить ее в кино.

— А в квартире его, — сказал он напоследок, — не оказалось ни одного отпечатка пальцев ни на кухне, ни в коридоре, ни в комнате. С одной стороны — убийство, и к бабке не ходи. С другой стороны, ну кто с таким возиться будет? Зачем убивать беззлобного пьяницу? Хотя, может, он видал чего?

— Может, — согласилась Маша. Этот дельный и единственно все объясняющий мотив ей совершенно не нравился.

Дима отбросил сигарету и поднялся. Они официально пожали друг другу руки.

— Спасибо, что уделили мне время, — светски сказала Маша.

— Пожалуйста, — смутился от такой светскости Дима. — Будут еще вопросы, обращайтесь.

— Обязательно. — Маша осторожно вытащила из чуть затянувшегося рукопожатия ладонь. Она уже шла к машине, когда вспомнила — и обернулась на крыльцо, где еще стоял, провожая ее взглядом, Дима.

— Татуировка на руке! — крикнула Маша. — Цифра «четыре». Вы ее раньше видели?

— Нет. Точно не было! — крикнул ей в ответ Дима. — Он по полгода в майке ходил — я б заметил.

Маша удовлетворенно кивнула, помахала рукой и вернулась к машине.

АНДРЕЙ

Точиновка оказалась деревней, достойной передачи о вымирающем российском селе. Больше половины домов стояли заколоченными, а те, что еще были обитаемы, казались не в сотне, но в тысячах километров от столицы мирового гламура. В то время, когда в Москве «золотая» молодежь обменивалась видео по мобильникам на лекциях, училась правильно есть устриц, отправленных напрямую из Бретани, и вкалывала ботокс в челюсти, чтобы ночами от стресса не скрипеть зубами (и следовательно, не стачивать их неземную дорогостоящую белизну), в это же самое время рядом с каждой избой таились туалеты в виде выгребных ям, как в Средневековье, вода носилась из неближнего колодца и грелась с помощью газового баллона. Между двумя действительностями притаились века. Люди говорили на одном языке, но не поняли бы друг друга: в Точиновке не нашлось бы ни одного обитателя, знающего, что такое устрицы, ботокс и ММС. Единственный, кто знал о мире, о парадоксах двадцать первого века, был Ельник, засланный казачок. Но и его убили.

Андрей сидел, курил, размышляя уже без возмущения или горечи об удивительном у русского человека качестве — полном презрении к каждодневному пристойному существованию. Неуважению власти на протяжении уже четырех поколений к своим людям. Совершенной покорности этих людей, которых обеспечили социализмом и электрификацией всей страны, как обязательной основой коммунизма, но не обеспечили горячей водой и канализацией. И ничего — будто так и надо: по нужде зимой по снегу в будочку, где на гвозде — рваные газетки, и вода течет из ржавого рукомойника.

И все-таки, что же искал в здешнем быте Ельник? Он же был мужиком достаточно обеспеченным — мог позволить себе и после отсидки теплый нужник. Дверь в дом Ельника была закрыта — Андрей поискал ключ в обыкновенных местах: под половиком перед дверью, пошарил вокруг закрытых наглухо ставнями окон. Несколько минут просто осматривал окрестности — участок был не очень большим, но очень ухоженным: Ельник-то оказался склонным к земле. Зеленые грядки, картофельное польце, даже теплица. Андрей направился к ней: внутри его ожидало запустение — неожиданная на фоне вполне благополучного сада. Впрочем, немудрено: хозяин пропал зимой... В теплице было жарко и душно, но без ожидаемого огуречно-помидорного запаха: пахло гниением, разложением даже. Андрей вздрогнул — на земле лежала мертвая птица, белели тонкие косточки, чернели свалявшиеся перья. «Видно, залетела зимой и не смогла выбраться», — подумал Андрей. Убивший Ельника убил и птицу — в отсутствие хозяина птице было не отворить, пусть хлипкую, дверь парника. Андрей поискал и под пустым ведром в теплице, но понял, что Ельник был человеком явно не с деревенской логикой, а значит, искать припрятанный ключик бесполезно.

«Отчего люди не птицы? — спросил себя Андрей, стоя в задумчивости перед крыльцом и перекатывая в кармане мелочь. — М-да. Оттого, что люди умеют отворять двери». Он высыпал мелочь из кармана в ладонь. Среди монет оказалась, специально для таких нужд, скрепочка. Андрей воровато огляделся: ни души. «Ты прости меня, Ельник, всё дворовое детство, неблагополучная семья, плохие примеры перед глазами, — приговаривал он про себя, насвистывая и выпрямляя скрепочку. — Чему только не научишься от безделья-то?» Андрей сходил к машине, открыл багажник, удовлетворенно хмыкнул, найдя гаечный ключ. Мягким пружинистым шагом вернулся к двери. Еще раз оглянулся по сторонам: тишина. Вставил в нижнюю часть замочной скважины гаечный ключ, сверху — скрепочку, кончиком вверх. Дальше проще: начал медленно поворачивать, считая контакты: раз, два... пять. Тихие щелчки слышались за каждым поворотом скрепки. Андрей мечтательно взглянул в летнее, все в веселых белых облаках, небо. Мягко надавил на дверь...

— Ты ж моя хорошая, — сказал он вслух, когда та без скрипа отворилась.

Андрей поаукал для видимости: есть кто живой? Мол, я вовсе не вламываюсь, дорогой товарищ Ельник. Но хозяина в живых давно не было, тут уж Андрей лицемерил. И дом ответил абсолютным молчанием и кромешной темнотой — что не удивительно при закрытых-то ставнях.

Андрей на ощупь нашел выключатель. С легким щелчком зажглась под потолком большая люстра, совершенно не соответствующая стилистике деревни Точиновка. Андрей присвистнул: деревне Точиновка не соответствовало ничего — люстра из ярко-оранжевого муранского стекла висела высоко. Андрей не сразу понял, что потолок и второй этаж не существовали: глазу открывалось внезапно большое пространство, ограниченное только балками перекрытия, крашенными в темно-шоколадный цвет.

Холл был квадратным — на входе благородно поблескивал дубовый паркет, чуть дальше расстилался туркменский ковер. На ковре стоял диван белой кожи, пара футуристических кресел и низкий журнальный столик. В глубине посверкивала хромом кухня: из тех, что очень любят фотографировать в глянцевых журналах — знаменитости на них демонстрируют свои кулинарные таланты. Бежевые шторы закрывали окна.

Андрей заставил себя выглянуть наружу: там так и оставалась Точиновка, нищая и серая. Сюрреализм, — покачал головой Андрей и зашел в пару комнат — одна спальня (белый минимализм, шкаф во всю стену, полный дорогой одежды: от итальянских джинсов до английских костюмов), другая — явно гостевая — в том же стиле. Плюс ванная с душевой кабинкой в бежевом пористом камне и туалет. Андрей недоверчиво покрутил краны — вода шла волшебной теплой температуры и отличного напора. Ельник провел себе все блага цивилизации. Не на Рублевку, нет. В Точиновку. Чтобы не выделяться из пьяных мужичков и полуслепых старух? Андрей задумался. Если бывший киллер не убивал, значит, зарабатывал себе деньги — и, судя по дому, немаленькие — другим способом. Но не выращивая же картошку!

Андрей с завистью взглянул на камин: тот будто бы завис в полуметре от пола. У киллера Ельника был вкус. Даже если он взял себе дизайнера — это должен быть хороший дизайнер. И как он, интересно, очертил тому задачу: сделайте мне внутри избушки на курьих ножках дворец? Да так, чтобы снаружи избушка так и оставалась с ножками? Найти дизайнера не составит труда — в этом Андрей был уверен. Но зачем? Вряд ли тот знает, откуда брал деньги его эксцентричный клиент.

Андрей вышел на улицу, сел на крылечко и закурил. Он был в полной растерянности. Отправляясь в Точиновку, он почти уверил себя, что завязавший с убойным бизнесом Ельник попал под чью-то старую разборку. Но в этом доме пахло новыми деньгами, новыми веяниями, если так можно было выразиться.

Телефон в кармане куртки звякнул, сообщив о приеме смс. «Цитман — кликуха Доктор», — то был верный Архип. «Доктор», военные, новый бизнес, убийство через потопление, пребывание в холодильнике в течение полугода, тело, лишенное внутренностей, снова выброшенное в Москву-реку...

— Здрасьте, — услышал Андрей и резко повернул голову.

У калитки стоял мужичок с синдромом Дауна, лет двадцати. Мужичок смущенно улыбался и смотрел маленькими глазками доверчиво и ласково.

— Привет, — ответил Андрей.

— Ты новый хозяин? — Мужичок стал бочком подбираться к крыльцу.

— Нет, — честно сказал Андрей, чуть отодвинувшись и дав ему присесть рядом.

— Андрейка я, — сказал мужичок и сразу быстро добавил: — Курево будет?

— Будет, тезка. — Андрей протянул новому знакомцу пачку. Мужичок схватил сразу несколько и заправил за большие оттопыренные уши. Пару минут они тихо покурили.

— Не вернется Игорек, — вдруг высоким, бабьим голосом сказал даун. — Ой, не вернется!

— Ты отчего так решил? — опешил Андрей от неожиданного голосового кульбита.

— Уехал! Друг за ним пришел, хороший человек. На синей машине.

— Да ну?! — Андрей напрягся, как перед прыжком. — На какой машине?

— На синей. — Андрейка взглянул на Яковлева, как на идиота. — Сказал: иди, Андрейка, помощь твоя больше не нужна — я ему зимой снег убирать помогал, ага. Друг, говорит, ко мне приехал, важный человек, я ему по гроб жизни благодарен. Пора, сказал, долги отдавать.

— Как выглядел человек?

— Мужчина такой. Такой... видный.

— А глаза какие, волосы, не запомнил?

— Темный такой, куртка черная, темный. А машина — синяя.

Андрей уже понял, что большего ему не добиться, но отказывался уехать, уцепив за хвост такую важную и одновременно куцую информацию.

Он обошел еще несколько изб: но старухи не видели «темного человека». И синей машины тоже не припоминали. Андрей покружил еще вокруг дома и огорода под добродушным, с частым перемигиванием, взглядом тезки. И поехал себе восвояси, пообещав послать на дом Ельнику экспертов, но имелось у него такое подозрение, что самое важное про мужика на машине, таинственного спасителя Ельника, он уже узнал.

И ничего интереснее и существеннее эксперты уже не добавят.

ИННОКЕНТИЙ

Иннокентий сидел и рассеянно смотрел в Машин план с крестиками. Слава богу, у Мани хватило такта не рассказывать за обедом в деталях, что кроется за каждым из них. Аппетит таким образом не пострадал, но любопытство — страшный грех и движущий мотор любого историка — было уже взбудоражено: он помнил, что где-то уже видел карту с похожими крестиками. Исходя из его озабоченности профессией карта могла быть только старой. Скорее всего — века семнадцатого.

Он не поленился и полез за атласом. Где ж тут? А, вот... Иннокентий задумчиво погладил переплет: старые карты, так же как старые, коричневой сепии фото и, пожалуй, малые голланцы, были преисполнены для него необыкновенной прелести. В каждой из категорий преобладали детали, приглашающие разглядывать их бесконечно. Маленькие конькобежцы, запечатленные с высоты птичьего полета где-нибудь на задниках картины Брейгеля, кусочек улицы у де Хооха, выражение лиц и костюмы купеческой семьи на фотокарточках второй половины девятнадцатого века и эти огороды в центре Стрелецкой слободы на карте — все они обладали одним общим качеством. Ее величеством — деталью.

Деталью, обладающей силой реальности. Следуя за ней, как за нитью Ариадны в темном лабиринте времени, можно было дотронуться до другой действительности. А ведь, по большому счету, разве не для этого он выбрал профессию историка? Разве это не способ проникнуть в иные миры? Или отдалиться от того мира, куда забросила тебя судьба? Он не удержался — вновь пробежал глазами «экспликацию» Сигизмундова плана. Полная неточностей, она отражала взгляд на Московию иностранца, стороннего наблюдателя. Иннокентий усмехнулся, читая этот комментарий: кто они, живущие ныне в Москве, как не сторонние наблюдатели в веке семнадцатом? Чужаки, не знающие, что Москва, ныне зажатая в классификации между Дели и Сеулом и далеко отставшая от Шанхая и Сан-Паулу, эта Москва была причислена четвертой к крупнейшим городам Европы: за Константинополем, Парижем и Лиссабоном.

«И где тот Константинополь? — отстраненно думал Кентий. — Где Лиссабон, прогибающийся под тяжестью золота с новых Америк, пронизанный океанским сквозняком эпохи великих открытий? Где Париж, разграбленный революциями и бароном Османом? А тем временем всадник мог объехать московскую крепость «за три полных часа»: время, которое современный москвич проводит ежедневно в пробках».

Иннокентий смаковал текст, который знал уже почти наизусть: «Городские же храмы частью из кирпича, большая часть — деревянные, дома все деревянные. Никому нельзя строить из камня или щебня, кроме немногих из знати, и первейшим купцам можно строить у себя в жилищах хранилища — маленькие и низкие, в которые прячут самое ценное во время пожара. Англичане и голландцы и купцы из Ганзейских городов здесь преимущественно складывают свои товары, распродавая ткани, шелковые изделия и благовония...»

Он усмехнулся, читая следующую фразу: «Местные купцы весьма сведущи и склонны к торговым сделкам, весьма жуликоваты, однако несколько приличнее и цивилизованнее других жителей этой страны...»

МАША

Маша сидела в коридоре прокуратуры и послушно ждала. Анна Евгеньевна, крупная дама за сорок, следователь по делу Баграта Гебелаи, с кем-то долго ругалась по телефону. Наконец она впустила Машу в кабинет, предложив куцый, покрытый кожзаменителем стул напротив массивного стола.

Стол был девственно чист, чего нельзя было сказать про Анну Евгеньевну: черный свитер, растянутый на массивной груди, украшала явно кошачья шерсть; волосы, убранные в тяжелый шиньон, растрепаны и плохо выкрашены, маникюр на внезапно изящных руках с миндалевидными ногтями — облуплен.

— Значит, Гебелаи? — сказала она, постучав ногтями по столешнице. Затем быстро оттолкнулась от стола, подкатила на кресле к шкафу, безошибочно вытащив нужное дело, и подъехала обратно к столу. Открыла, секунду посмотрела на бумажки, потом перевела взгляд на Машу: — А тебе, девуля, зачем?

Маша решила сказать полуправду: мол, пишу дипломную работу по странным смертям, выдаваемым за несчастные случаи...

— Да... — Анна Евгеньевна, крякнув, полезла за сигаретами и закурила. — Смерть странная, спорить не буду. Гебелаи был архитектором-конструктором. Проектировал несколько новых станций метро, с «козырьками». В час пик, в самый дождь, два года назад, когда под козырьки собралась, спасаясь от дождя, толпа народа, те внезапно обломились. Погибли сотни людей. — Следовательница вздохнула и стряхнула пепел — частично в пепельницу, частично на черный свитер. — Ужасная история. Много женщин, детей погибло. Ты, наверное, помнишь. — Маша молча кивнула. — Его с подрядчиками тогда судили и признали виновным. Станции метро рухнули из-за конструктивных ошибок в проектировании: неправильно выбраны материалы, неверно рассчитаны нагрузки... Но пришла президентская амнистия, и Гебелаи отпустили. Ну вот. А через пару месяцев его нашли мертвым в квартире на Ленивке: весь в земле, под ногтями тоже черно, голый, исхудавший... Врачи сказали: сердце не выдержало физических нагрузок. Но какие нагрузки у этой сволочи? Он ведь, понимаешь, заслуженный архитектор, лауреат конкурсов, орденоносец даже, кстати, этот орденок у него был пришпилен прямо на кожу. — Анна Евгеньевна протянула Маше две фотографии. Общий вид, чуть сверху, квартиры, впечатляющей вульгарной роскошью; и еще одна — сам Баграт Гебелаи, скорчился в позе эмбриона на полу, к поросшей темным волосом груди пристегнута медаль.

— Что это? — спросила Маша.

— Это орден третьей степени «Ахьдз-апша», — ответила устало старший следователь. — Им награждаются граждане Республики Абхазия за большие заслуги в области науки, культуры и искусства. Наш герой получил его еще за несколько лет до трагических событий в Москве.

— Но ведь это была не единственная его награда?

— Да нет, еще медаль «За заслуги» и всяческие звания вроде «Заслуженного архитектора Российской Федерации» и «Заслуженного деятеля искусств». Он ведь понастроил множество церквей по новым кварталам. Пока, слава богу, стоят.

Маша поднесла к глазам фотографию: орден представлял собой круг, из-за которого расходились прямые и волнообразные лучи. Маша попросила сделать копии с нескольких фотографий, на что Анна Евгеньевна милостиво согласилась — улыбнулась и встала со стула.

— Большое спасибо за то, что потратили на меня время.

— Ничего, ничего, пиши диплом, грызи гранит, будут вопросы — обращайся! — Следовательница с шумом встала из-за стола и прошла в глубь кабинета.

Выходя, Маша заметила, как та включила электрический чайник.

Маша шла по коридору к выходу и рассеянно думала, что доброжелательная Анна Евгеньевна на самом деле ничего нового из тайн следствия так ей и не поведала. Вот только орден — про орден ничего в документах дела не говорилось. Маше представился острый кончик иглы на медали, пристегнутой к синюшной коже. Ее передернуло...

«Надо заняться спортом, — решила она, помотав головой, отгоняя страшную картинку. — Доставлю радость матери — схожу в спорт-клуб». Наталья еще полгода назад купила дочери абонемент в попытке заставить ее выпрямить спину, поднять тонус и — забыть о маньяках, в конце концов! Вот она и поработает над этим.

* * *

Маша спорт ненавидела и входила в холл вполне гламурного заведения на Новослободской, как иные приходят к зубному. Она бегала под бодрую музыку по никуда не ведущей дорожке уже по крайней мере с полчаса, как вдруг сбилась с ритма и, с большим трудом удержав равновесие, нажала на красную кнопку... Стоп! Орден! Что-то было не так с этим чертовым орденом! И Маша, отбросив полотенце, побежала в раздевалку. Все еще тяжело дыша, она открыла свой шкафчик, вынула папку с собранными документами, опустилась на деревянную скамью в центре раздевалки...

Капля пота упала на копию фотографии: орден крупным планом на волосатой груди Гебелаи. Маша сглотнула, подняла невидящий взгляд от папки. Вокруг ходили полуобнаженные спортивные девушки: кто в купальнике, кто в тренировочном костюме, кто обмотанный полотенцем и расслабленно-распаренный после душа. Маша, сидящая с деловой папкой на коленях и сосредоточенно глядящая в пространство, вызывала явное недоумение клубной публики. «Орден, — шептала Маша, считая лучи. — Один, два, три, четыре, пять... Пять...» — тихо повторила она, а вокруг девушки передавали друг другу крем для тела, красили ресницы, шумел фен. «Нет, бред!» — думала Маша, но уже не могла остановиться. Она пошарила в папке и нашла визитку, сунутую давеча Анной Евгеньевной, набрала номер.

— Слушаю, — раздался басовитый голос следовательницы.

— Добрый вечер. Еще раз. Это вас беспокоит Мария Каравай.

— А, стажерка. Привет. — Голос устало «съехал» вниз еще на октаву. Маша услышала, как на той стороне следовательница прикурила сигарету. — Что, созрели еще вопросы?

— Да, — смущенно сказала Маша. — Понимаете, я присмотрелась к фотографии, и мне показалось, что лучей на ордене было больше... Это, наверное, совсем не важно, — заторопилась она, резко устыдившись того, что побеспокоила следовательницу без повода.

— Ты, девуля, молодца. — Маша скорее почувствовала, чем услышала, как следовательница с удовольствием выдохнула сигаретный дым. — Въедливость в нашем дерьмовом ремесле — качество важное. Их было восемь, стажер.

— А стало пять, — сказала Маша. И тут же снова задала вопрос: — Может, они просто отломились?

— Просто! — хмыкнула следовательница. — Просто только кошки родят. Не дурнее тебя. Отпилены они, девуля, и все дела. А зачем, почему, сама уже голову ломать устала.

— Спасибо, — медленно сказала Маша и, попрощавшись, нажала «отбой».

— Пять, — тихо повторила себе она и сама испугалась собственного безумия: все на самом деле складывалось в кровавый пазл или это подсознание услужливо подбрасывало ей кусочки, подходящие под схему? Схему, начатую цифрами «1», «2», «3» на майках несчастных на Берсеневской набережной. Что теперь привела к заслуженному архитектору, найденному в роскошной квартире на улице Ленивке и измученному до сердечного приступа непривычным физическим трудом? Она вздрогнула, когда телефон зазвонил снова. Это был Иннокентий.

— Маша, — сказал он, — у меня, кажется, что-то есть по твоим точкам. Но я не уверен. Хочу, чтобы ты познакомилась с одним человеком. Если можешь, сегодня. — И он продиктовал адрес...

* * *

Уже смеркалось, когда они встретились с Иннокентием, как и было оговорено, у входа в больничный парк. Охрана не сразу пропустила Машину машину — видно, созванивалась с приемной. Они тихо катили по широкой аллее из старых кленов в глубь парка. Звуки города постепенно смолкли, и, когда Иннокентий галантно подал Маше руку, чтобы она смогла выйти из автомобиля, Маша услышала, как поют вечерние невидимые птицы: казалось, они за городом. Они поднялись по пологим ступеням на крыльцо в палладиевом стиле: белые колонны полукругом, и Иннокентий толкнул тяжелую, отполированную тысячами ладоней дверь. Секундой после того, как Маша успела прочитать надпись на табличке на входе: ПСИХИАТРИЧЕСКАЯ КЛИНИКА ИМ. ПАВЛОВА.

Внутри их ждали уже много более современные двери из толстого стекла. Девушка в приемной, увидев парочку, кивнула: двери раздвинулись.

— Добрый день, — сказал Иннокентий. — Мы к профессору Глузману.

Маше показалось, что речь идет о лечащем враче, но миловидная медсестра столь ласково улыбнулась, сказав, что Илья Яковлевич отлично себя чувствует и сможет их принять, что в душу закрались сомнения.

— Что это значит? — тихо спросила Маша, пока они шли по коридору, устланному ковровой дорожкой, в глубь больницы.

— Илья Яковлевич — мой любимый учитель, — тихо пояснял Кеша, сжимая Машину, ставшую внезапно холодной, ладонь. — Я тебе о нем рассказывал — сто лет назад! Ты уже, конечно, не помнишь! Он доктор наук, специалист по русскому Средневековью. Пожалуйста, не пугайся факта больницы — у профессора сейчас «хороший» период. Глузман пишет книги, дает консультации, еще совсем недавно сам разъезжал по всему миру с лекциями.

Маше все равно было не по себе — ни одного звука не доносилось из-за дверей по обе стороны коридора. Только тихая, почти неслышная музыка классического репертуара призвана была успокоить нервы. Кого? Посетителей? Медперсонала? Медсестра тем временем встала перед одной из одинаковых дверей и тихо позвонила — на пороге оказалась другая, похожая на первую, как близняшка: та же радостная улыбка при их появлении, то же приятное лицо.

— Так ведь это же Инносенцио! — пророкотал голос в глубине комнаты, и медсестра, кивнув, отступила в сторону. Пожилой мужчина лет шестидесяти, с полным мягким лицом, покрытым модной полуседой щетиной и почти таким же коротким ежиком на яйцеобразной голове, был одет скорее как преподаватель Оксфорда, чем как пациент психбольницы: темно-зеленый пиджак с кожаными заплатками на локтях, тонкий шерстяной свитер под горло, вельветовые брюки. Он развернулся к ним на электрическом инвалидном кресле, пожал руку Иннокентию. Затем хитро улыбнулся Маше:

— Глузман Илья Яковлевич к вашим услугам. — И поднес Машину кисть к губам, так и не поцеловав, но выразив джентльменское намерение.

— Маша, — представилась чуть оторопевшая девушка.

— Спасибо, Иннокентий, что привел к старому отшельнику такую красоту! — Глузман некоторое время смотрел на нее, как любопытная птица, склонив голову набок. — Хоть полюбуюсь на старости лет!

И откатился обратно, показав медсестре, куда ставить приготовленный уже чайник: на низкий столик, идеально приспособленный под инвалидное кресло.

На столике уже красовалась фарфоровая вазочка с шоколадными конфетами и еще одна — хрустальная, в которой в художественном беспорядке соседствовали темная, почти черная черешня с блестящим восковым налетом и клубника: мелкая, пахнущая зовущим ягодным духом. Маша почувствовала, как после спортивных экзерсисов и рабочего дня рот наполняется слюной.

— Садитесь, садитесь, мадемуазель! — Хозяин ловко придвинул к ней чашку, налил янтарного цвета заварки, а затем кипятка, подцепил на малюсеньком блюдце почти прозрачный срез лимона: — Будете? — И подвинул серебряную сахарницу с колотым сахаром. — Современные девушки, наверное, пьют чай без сахара?

— Дурак!! — раздался внезапно старческий голос почти под самым ухом.

Маша подпрыгнула от неожиданности и обернулась: за ее спиной висела огромная клетка с огромным же попугаем.

— Дурак! — повторил попугай.

— Без тебя знаю! — беззлобно парировал Глузман.

Маша засмеялась — напряжение, вызванное долгим переходом по коридорам пусть весьма роскошной, но все же психбольницы, спало: Глузман был инвалидом, но никаких признаков безумия в нем не наблюдалось. Напротив: взгляд карих глаз был въедлив, крупный рот морщился в ироничной усмешке.

— Не правда ли, моя дорогая Мари, мой попугай похож на меня, пошлый бездельник?

Маша кивнула и отпила из тонкостенной чашки. Чай был отличным.

— Не признаю этих их зеленых и красных чаев, с цветами, бутонами, лепестками и мелкой соломой, пахнущих всем чем угодно, кроме чая! Полных потогонных, нервоуспокаивающих и прочих полезных свойств. Для моих нервишек, к примеру, нужны лекарства помощнее. — Порхание рук над чашкой Иннокентия закончилось, и Глузман откинулся на кресле, явно довольный собой. — Ну-с, мои юные друзья, что же привело вас в мою скромную обитель?

— Илья Яковлевич, — Иннокентий наклонился и извлек из портфеля Машину вчерашнюю карту, — нам нужна ваша консультация. Точнее, подтверждение моей догадки. — И он протянул профессору листок.

Глузман вынул из кармана круглые очки с сильными линзами и водрузил на мясистый нос. Не меняя выражения лица, лишь склоняя голову то в одну, то в другую сторону, он внимательно оглядел карту.

— Видите ли, профессор, мне в этих точках представляется некая закономерность... — Иннокентий начал нервничать и даже чуть привстал со стула.

— Возможно, просто совпадение, но...— Глузман повернулся к Маше, снял очки и улыбнулся — зубы у старика были неестественно белого цвета: — Инносенцио увидел то же, что и я. Это золотой мальчик, мадемуазель, не упустите его.

Маша улыбнулась в ответ:

— Не упущу, — сказала она. — Я его с восьми лет держу!

Глузман кивнул и повернулся к порозовевшему Кеше:

— Никогда не надо бояться собственных выводов, мальчик! Надо доверять своему внутреннему слуху, а он формируется на основе знаний — прежде всего! И еще вот именно этого доверия к собственным ощущениям. А оно приходит с опытом.

— Небесный Иерусалим, — тихо сказал Кеша.

— Небесный Иерусалим, — повторил эхом Глузман. — Он самый.

Маша растерянно переводила взгляд с одного на другого.

— Мария, судя по обескураженному выражению ваших прекрасных глаз, вы не знакомы с концептом Небесного Иерусалима? — Глузман усмехнулся и проехал на кресле к книжным полкам, занимающим все стены комнаты. — Вот, к примеру, для начала, — вынул он книгу в кожаном переплете, — Священное Писание. Читали?

Маша почувствовала, что краснеет.

— Конечно, читали, — не дождавшись ответа, сказал Глузман. — Но кто помнит о таких книгах? Лишь старые маразматики вроде меня. Сейчас, сейчас я найду... — Зашелестели страницы. — Вот, слушайте, из Апокалипсиса: «И я, Иоанн, увидел святый город Иерусалим, новый, сходящий от Бога с неба, приготовленный как невеста, украшенная для мужа своего». — Глузман снял очки, поднял взгляд на Машу:— Видите ли, Машенька — вы же позволите мне так себя называть? — в религиозной традиции город Иерусалим только потому и считался первым среди городов и «пупом» земли, что был прообразом Града Небесного. А Иерусалим Небесный, в свою очередь, не что иное, как царство святых на небе. — Глузман улыбнулся: — Если верить Иоанну, город необыкновенной красы: весь сверкает, созданный из светоносных материалов. Ворота — из жемчуга, основания стен — из драгоценных камней: ясписа, сапфира, халкидона, смарагда, топаза, хризопраза, аметиста; улицы — из золота... И это описание было не просто данью вкуса рассказчика, его представлением о красоте. Нет!

Глузман посмотрел на Иннокентия, и любимый ученик не подкачал:

— Камни символизировали в ту пору источник сакральной энергии, они вечны и, как вечность, — совершенны, в отличие от смертного мира человека, животного или растения...

Глузман вдохновенно перебил его:

— Небесный Иерусалим — проекция церкви, святой город, где совершается общение человека с Богом. Только в нем возможно всеобщее единство в добродетели, неудавшееся при строительстве Вавилонской башни. Но он, как ни странно для синонима церкви, обозначает еще и духовную свободу... Свободу, Маша, это очень важно!

Маша почувствовала себя полной идиоткой, что Глузман не преминул отметить:

— Впрочем, я совсем задурил вам голову! Просто возьмите на заметку, что, несмотря на глубокую символичность, есть в описании Небесного Града та четкость и основательность, которые и позволили переносить его бессчетное количество раз из небесных сфер да на земную твердь. — Глузман вновь открыл книгу. — Только послушайте, какая почти архитектурно доскональная детализация, и за каждой деталью — свой символ. — Профессор поднял сухой палец: — Итак: Небесный Иерусалим в плане квадратный. Его стены ориентированы на стороны света, на каждой из них по трое ворот, являющих всем сторонам света образ Троицы.

Маша кинула на Иннокентия беспомощный взгляд. Тот подмигнул.

— Закройте глаза, Маша! И представьте себе этот город! Он имеет большую и высокую стену, — начал читать нараспев Глузман, — двенадцать ворот и на них двенадцать ангелов...

И Маша, внимавшая до того, склонив голову, на двенадцати ангелах сломалась:

— Илья Яковлевич, я все-таки не понимаю, какое отношение это все...

— Подождите, дитя мое, сейчас мы дойдем до сути. Не будьте торопливы, торопливость — удел профанов, а вы еще так молоды. Избавляйтесь от привычки приобретения знаний наскоком. О чем мы? Да о том, что слова Писания в Средневековье, не чуждом символики, воспринимались часто как руководство к действию. У средневековых архитекторов было две точки опоры — Небесный Иерусалим и Иерусалим земной, хорошо нам известный... Так сказать, Образ и Прообраз. Вспомните о Золотых Воротах в Киеве и Владимире, воспроизводящих Золотые Ворота в Иерусалиме, а позже в Константинополе?

Маша нервно кивнула.

— Маша, символика земного Иерусалима использовалась много реже и только в стольных городах, — заметил Иннокентий. — А вот городами со структурой и композицией Небесного Иерусалима были Киев, Псков, Кашин, Белоозеро, Калуга... И, конечно, Москва.

— Странно, — сказала неуверенно Маша, — а я всегда считала, что средневековое градостроительство было хаотичным... Узкие улочки, ведущие в никуда, результаты импровизационных застроек после многочисленных пожаров...

— Распространенное, но абсолютно ложное мнение! — вспылил Глузман. — Как и это представление о «мраке Средневековья». Фу! Тяжелая, но и прекрасная эпоха, давшая всему миру гениальную архитектуру, живопись, скульптуру, литературу, наконец! Да что такого создали люди прекраснее стремительно уходящих в небо стрел готических храмов? Или благородной простоты церкви Покрова на Нерли, чтобы так гордиться последующими столетиями?! Можно подумать, что в Москве в восемнадцатом-девятнадцатом веках было меньше нищих, сирот, калек! Меньше грязи, питейных заведений и публичных домов на душу населения! А вот идеи — высокой религиозной идеи, которая вела и одухотворяла тогда жизнь даже самого юного подмастерья, — уже не было!

Глузман вновь откатился к полкам с книгами и вытащил еще пару потертых томов.

— Это сейчас, в благословенном двадцать первом веке, строят абы как... А тогда ни один камень не клался необдуманно. Церкви, бывало, воздвигали на протяжении трех, пяти поколений. Это вам не проект Гебелаи!

Маша вздрогнула.

— Только задумайтесь, Маша! Люди — их дети, внуки, правнуки — рождались, женились, старели и умирали рядом с поднимающимся ввысь храмом. И нельзя было исполнить такой труд без глубинного понимания, без основной идеи, вокруг которой, как плоть наращивается на кости, формировалась жизнь во всех ее проявлениях...

Иннокентий переглянулся с Машей: мол, отличная импровизационная лекция. Он явно наслаждался беседой.

— Теперь перейдем к Москве. — Глузман чуть успокоился и поправил отточенным жестом опытного докладчика очки на крупном носу. — Видите ли, Маша, часто говорят о Москве как о третьем Риме. А ведь это идея больше светская, политическая... Имперская, если хотите. Идея властного управления, весьма конъюнктурная. Куда глубже и древнее идея Москвы как второго Иерусалима, глубоко укоренившаяся в русском православии. Москва же, если помните, наследница Византии. Константинополь пал в 1453 году. Вот и получается: у нас есть религиозно-мистическая концепция — создать прообраз Небесного Града на земле. И на нее накладываются вполне реальные события: 29 мая 1453 года Константинополь взят османским султаном Мехмедом II, и в бою погибает последний византийский император Константин XI. Дальше: турки переименовывают Константинополь в Стамбул и делают его столицей Османской империи. Так пала Византия, основа мирового православия. С точки зрения «православной бюрократии» это дает нам вот что: правители Великого княжества Московского переориентировались с Константинопольского на Иерусалимский патриархат. Теперь идея Нового Иерусалима на Московской земле стала более чем возможной.

Сегодня мы, обеспокоенные каждый своими мелкими бедами, и вообразить не можем, какой силой в молодом государстве, где не существовало ни телевидения, ни радио, ни — для большинства — даже письменного обмена информацией, обладала идея превращения Москвы в Град Божий. И Иван III, и Иван Грозный внесли в воплощение ее свою лепту. Да что там государи! Все и каждый, от царя до последнего смерда, работали на утверждение страны в качестве Нового Иерусалима. Только представьте! Это как если бы в наше время слились в мечтах и помыслах олигарх и бомж! Все было четко и ясно в средневековых головах наших предков: если Москва станет Новым Иерусалимом, значит, получит первенство в обретении Царства Небесного. И как следствие — все населяющие ее христиане становятся первыми в очереди на вхождение в рай, и во главе их — государь. Вот почему в Москву свозились со всего мира святыни и реликвии: дело было не в личном царском благочестии, нет! А в государственной политике, объединяющей всю страну: чем больше святынь соберет город, тем более «святым» становится сам.

Глузман осторожно отодвинул чашку и сахарницу, чтобы освободить достаточно места для старой, начала девятнадцатого века издания, книги. Полистав страницы, все в желтых пятнах, открыл нужную.

— Это знаменитая карта из книги Сигизмунда Герберштейна «Записки о московитских делах». Современники называли его Колумбом России. Герберштейн бывал в Москве в 1517 и 1526 годах, а сам план датируется 1556 годом. А вот еще один — план из Атласа Блеу, 1613 года.

Иннокентий и Маша склонились над картой.

— Смотрите! Старая Москва вписывается в круг, символ вечности. В частности — вечного Царства Небесного. Теперь заглянем в Апокалипсис Иоанна Богослова. — Глузман, за неимением места, открыл Библию на коленях. — Итак: «Град святой Иерусалим нов... имущ стену велику и высоку, имущ врат дванадесять... от востока врата троя и от севера врата троя, от юга врата троя и от запада врата троя». Сравним: московские стены Скородома, древнего оборонительного пояса столицы, полностью отвечают этому описанию не только по числу ворот, но и по распределению их по четырем группам дорог, соответствующим сторонам света. Так же были расположены ворота и в еще более раннем, Белом — Царевом —городе: по трое ворот на четыре стороны света. — Глузман поднял глаза на Машу, чтобы увериться в том, что она внимательно его слушает. — Что у нас получается, мадемуазель? А получается, что Москва дважды окольцовывалась «двенадцативоротными стенами Небесного Града», сначала каменной, затем деревянной. Продолжим: «И Град на четыре углы стоит, и долгота его толика есть, елика же и широта». Вспомним: длина оси крепости Скородома север — юг — 4 километра 800 метров, а длина оси восток — запад — 4 километра 700 метров — практически равносторонний крест, мысленный квадрат... Согласитесь, это не может быть случайностью. А высота стен? В Горнем Иерусалиме она «во сто сорок четыре локтя, мерою человеческою, какова мера и Ангела». Если берем за локоть с небольшими допущениями полметра и умножаем на сто сорок, получаем семьдесят метров —

такая стена была слишком высока для средневековой Москвы. Но Спасскую башню построили именно высотой в 144 локтя... Это по структуре, контуру, так сказать. А цвет? Давайте разберемся и с ним. Яспис из Небесного Иерусалима, зеленый камень, символизирует вечно живущую жизнь святых, синий (помните сапфир в Небесном Граде, Машенька?) — небеса, а золото — праведность. Московские купола могли быть только трех цветов: золотые, синие или зеленые!

— В семнадцатом веке, — подхватил Иннокентий, — все церкви были покрыты узорами: не только резьбой по камню и яркими изразцами, дошедшими до наших дней, но и росписью из цветов и трав... Теперь свидетельства о них можно найти во фрагментах изразцовых стен церкви Святого Успения в Гончарах, где они были высвобождены из-под поздних слоев штукатурки, и...

— Кентий, — тихо сказала Маша. — Переходи к делу.

— Так мы вам, Машенька, о нем и толкуем! — победно улыбнулся Глузман. — Ваши крестики на карте — они все имеют объяснение. И самое конкретное!

АНДРЕЙ

Андрей сидел с телефонной трубкой в руке — в трубке уже несколько секунд как звучали короткие гудки. Заключенный по прозвищу Доктор, в миру Цитман Олег Львович, после своего досрочного освобождения за примерное поведение уехал в Израиль. Удивительно, как ему это удалось? Андрею всегда казалось, что для получения вида на жительство или даже визы факт отсидки был известным препятствием.

Следующая новость была еще интереснее: добрый доктор Айболит зарабатывал тем, что ездил по городам и весям российской, а иногда молдавской, украинской и прочих бывшесоюзных глубинок и закупал в них нечто, что свободной купле-продаже не подлежит, — внутренние органы людей. От нищеты и бедноты люди продавали органы, которых у них имелось по паре: чаще всего наиболее востребованное — почки; для них, как и для жителей Бангладеш, вырученные пятнадцать-двадцать тысяч в валюте были огромными деньгами. Бывшие колхозники, брошенные государством на произвол судьбы, радовались, ремонтировали дома, покупали корову, а доктор Цитман, пока врачи и юристы всего мира пытались решить — легализовать или нет продажу донорских органов, тихо богател. Однако мировая и российская общественность так и не договорилась, и доброго доктора поймали и осудили под стоны молдавских крестьян, у которых почек еще было по две, а вот денег уже больше не предвиделось.

И что получается? Цитман сидел с Ельником и не мог не рассказать тому, как и за что оказался в камере. Какой мог сделать вывод Ельник? Да тот же, какой делал сейчас Андрей: продажа внутренних органов — выгодное дело. Но Ельник — не врач. Оперировать не умел. И если применял нож, то только с одной целью — убийства. Цитман и Ельник объединились? Один убивал, другой забирал органы?

Надо будет узнать, когда Цитман приезжал последний раз в Россию, а также, если возможно, когда разговаривал последний раз с Ельником.

Он сделал звонок в службу безопасности каждой из крупных компаний, обслуживавших Москву и область. Распечатки полугодовой давности пришли еще полчаса спустя по факсу.

Сначала Андрей пробежал глазами список в поисках кода Израиля. Код 972 нигде не фигурировал. Это было бы слишком просто — сам по себе номер телефона и распечатка ничего не значили. У Ельника могло быть энное количество номеров на чужие фамилии, он мог звонить из телефонной будки, да мало ли откуда еще! Но почти одновременно ему перезвонили из посольства в Израиле: нет, господин Цитман не пересекал с момента получения нового гражданства границу России.

Дверь, столь изящно отворившаяся перед Андреем, с лязгом захлопнулась: Цитман не мог участвовать в делах Ельника, по крайней мере по пересадке органов. Донорские органы нужно перевозить с предельной осторожностью и быстротой — если Айболита не было на месте, сам Ельник с задачей никак не справился бы. Но выпотрошенный живот Ельника подтверждал догадку о возможной связи между убийством бывшего киллера и продажей человеческих органов... Андрей попридержал дверь ногой: но если не Цитман, тогда, может быть, кто-нибудь другой?

И он снова взял в руки осточертевшие листки. Уставшие глаза отказывались видеть что-либо в бесконечных строчках цифр. Когда не знаешь, что искать, — ищи не типичное. Другую страну, далекий регион, слишком долгие звонки, слишком частые звонки и проверяй, проверяй, проверяй...

Андрей искал — и нашел. Несколько телефонных звонков, с промежутком примерно в месяц, длиной десять секунд. Андрей подчеркнул их красным — звонки были на городской номер. Андрей снова повернулся к компьютеру, чтобы пробить базу данных: есть! Номер принадлежал государственной конторе при Министерстве обороны. Андрей откинулся на спинку кресла: что-то начало срастаться... Военные, наносящие визиты Ельнику еще до того, как тот оказался в своей деревне... Он нисколько не сомневался, что нужный телефон стоит где-нибудь в приемной и получить звонок от Ельника, а также позвонить ему мог почти любой. Почти. И его можно вычислить.

Ельник, ставший «герр Доктором», и — военные. Андрей хмыкнул, а между тем у Министерства обороны и Министерства здравоохранения были коренным образом различные задачи: одни посылали на смерть, другие — от смерти спасали. Но это была уже софистика, а к софистике Андрей не был склонен.

На Москву спустилась ночь, ужасно хотелось спать и есть, и надо было еще не забыть заехать купить специальной еды бессовестному Раневской. Вроде мерзких шариков под названием «Педигри», которые показывают по телевизору как панацею от приставучих голодных псов.

Закрывая дверь в кабинет, Андрей бросил последний взгляд на стол, где сидела днем Маша, и внезапно подумал — уже без привычного разлива желчи, — что блатная стажерка, наверное, уже видит десятый сон.

МАША

Сон у Маши был совсем не десятый, а первый...

В машине по дороге обратно они ехали молча: Маша переваривала полученную информацию, совершенно безумную, фантастическую, невозможную. Но невозможное и фантастическое ложилось четко, как лекало, на сделанный Машей же чертеж — на все убийства. И сами убийства впервые послушно выстраивались в цепочку, где была безумная же, но логика. А Маша слишком долго жила в тесном общении — через книги, документы и аналитические статьи — с маньяками, чтобы знать: логика — их конек. Без логического объяснения и оправдания самому себе серийный убийца и с места не сдвинется... «Влезть в его шкуру, — думала Маша, глядя на пролетающее мимо Садовое кольцо. — Кто же ты, почитатель Небесного Града?» Мчались дорогие машины — о город, который никогда не спит! Мелькали рестораны, переливались огни дорогих стриптиз-клубов, мимо проплыл последний троллейбус, выглядящий доисторическим травоядным ящером на фоне хищных оскалов «БМВ» и «Ягуаров». В троллейбусе тоже были люди — впрочем, уже с совсем другими лицами, чем в остановившемся рядом на светофоре открытом «Порше». Маша поморщилась на самодовольную физиономию водителя.

— Вряд ли ему по карману «Порше», — сказал, будто расслышал ее мысли, Иннокентий. — Скорее всего, он ездит в троллейбусах... И если его до сих пор не обнаружили, значит, он не просто хорошо образован. Он еще и очень умен.

Маша зябко повела плечами — ей вспомнился лежащий эмбрионом архитектор с медалью, наколотой прямо на кожу. «И кроме того, очень жесток, — подумала она. — Наверное, вокруг него стоит блестящей громадой сверкающий чистотой Небесный Иерусалим. Он слышит райское пение и не слышит стонов своих жертв, он холоден и неприступен, как тот самый смарагд и яспис»...

Иннокентий поставил ее машину, которую она делила с мамой, в гараж и проводил до двери.

— Спокойной ночи, — сказал он ласково, глядя на нее с жалостью.

Маша улыбнулась, чмокнула его в щеку и обняла: ей ужасно не хотелось спать сегодня одной. Не одной, но и не с Кентием же!

* * *

Маша зашла в темную квартиру и разделась, не включая света в коридоре, чтобы не потревожить мать с отчимом. Их мерное, спокойное дыхание слышалось из дальней комнаты, и Маша впервые обрадовалась, что в доме есть мужчина. Она легла в постель и долго согревалась, свернувшись клубком, грея ступни по очереди ладонями и отгоняя страшные картинки. А сон, когда он наконец пришел, оказался вдруг ужасно красивым.

Ей приснилась средневековая Москва, где церкви стояли на каждом перекрестке. Стены были расписаны травами, цветами и птицами, и, задрав голову, Маша смотрела на горящие на солнце купола. Она шла по деревянной мостовой, жадно оглядываясь по сторонам, — везде цвели сады, слышались петушиные крики, мычанье коров и птичье пение, пахло свежескошенной травой. Куда бы ни поворачивалась Маша, отовсюду был виден изгиб коричнево-красных зубцов Кремля, раскинувшегося над покрытыми сочной зеленью берегами Москвы-реки. Во сне Маша с легкостью переносилась с Боровицкого холма на низину Замоскворечья, потом на Швивую горку. И все, открывающееся глазу, было красиво и ново, свежо, как в начале мира, где не было еще человека, но были уже сады и храмы, с возносящимися над ними бессчетными куполами. И все казалось логичным и правильным — все улицы сходились к воротам Кремля; башни Китай-города, Белого города и Скородома, чем ближе к Кремлю, становились все выше и многочисленнее; а когда Маша внезапно обнаружила себя сидящей прямо на звоннице колокольни Ивана Великого, то оттуда как на ладони открылся уж совсем захватывающий вид на хороводы древних монастырей. Первый, узкий, состоял из Алексеевского, Крестовоздвиженского, Никитского, Георгиевского, Златоустовского и Ивановского. За ними, уже шире, раздольнее, на высоких склонах Неглинной, стояли Высоко-Петровский, Рождественский, Сретенский... А дальше, теряясь в утренней дымке, виднелись, уже в полях, монастыри-сторожи: Новодевичий, Ново-Спасский, Симонов, Андронников, Данилов, Донской.

Маша проснулась с чувством благодати, которое не испытывала с детства. Когда просыпаешься утром и знаешь, что под елкой — подарки и вокруг кольцо из тепла и родительской вечной любви. И только под душем его несколько растеряла, смущенно подумав, что такую вот сусальную Русь несут в себе все идейные националисты. Там у них тоже — небо, златые купола, румяные ребятишки, девки-красавицы в кокошниках. Но, одернула она себя, по крайней мере, в ее сне, где так красиво, хорошо и глубоко дышалось, так смотрелось вдаль, все было честно. Там не было человека.

Она уже вылезала из душа, когда задалась вопросом: интересно, а как оно устроено в голове у убийцы? Неужели приторный, растекающийся патокой вариант? И сама себе ответила с какой-то внутренней уверенностью — нет. Нет там сусальностей. Он не идиот, ее убийца. Он все знает про человека. Но не прощает, а убивает.

Маша вышла из ванной и села за стол. Отчим подмигнул ей за чашкой кофе, а мама усиленно гремела, стоя к ней спиной у плиты. И чем только нашла греметь поутру? В кастрюлях вроде ничего не варилось. Маша улыбнулась — повышенный звуковой фон, вызванный кухонной утварью, был способом дать понять: Наталья тоже хочет, как нормальные матери, иметь какую-никакую информацию о личной жизни дочери! То, что Маша пришла домой заполночь, могло говорить в понимании матери только о романтическом свидании... «Ах, мама, — думала Маша, отпивая сваренный отчимом, как всегда отличный, кофе. — Знала бы ты, *что* за свидание... Знала бы ты, *что* за беседы...»

Она могла легко оправдаться и поведать за семейным столом, что романтики — не было. Но тогда бы пришлось что-нибудь рассказывать и завтра, и послезавтра, и так каждый день. А Маша про себя рассказывать не любила: папа называл ее «девочка в себе», а мама характеризовала ее нелюбовь к доверительным беседам, как «проклятую отцовскую скрытность».

— Ты замечательно выглядишь, мамочка! — сказала Маша, вставая из-за стола и чмокая мать в отлично прокрашенный затылок.

— Да? — Мать обернулась и кокетливо улыбнулась.

— И я тебе то же самое говорю! — услышала Маша уже в коридоре голос отчима.

— А она вообще лицо-то мое видела за завтраком или только спину? — донеслось до нее задумчивое материно.

Но Маша уже проскочила за дверь.

АНДРЕЙ

Андрей постигал ответы на основные вопросы мироздания там же, где и подавляющее большинство человечества, — в сортире. Он думал о том, что у того же Ельника, пусть даже в еще более забытой богом деревне, чем его вполне цивильный дачный поселок, унитаз с настоящим сливным бачком и полом под мрамор. А у него под ногами проваливающиеся половицы, а уж про бачок не стоит и заикаться... Даже у среднестатистических дачников, наставительно сказал себе Андрей, есть биоагрегат. А у него? Какая-то чистота совдеповского стиля: вон, даже газетки на гвоздике! Фу, гадость! Кстати, о газетках: Андрей открыл дверь сортирного домика и рассмотрел страницу. Так и есть — вездесущий «МК»!

Иногда, когда Андрей добирался до места жительства на электричке, он покупал ее у проходящих коробейников для расслабления мозгов. Вот, например, криминальная хроника... Что-то звякнуло в памяти: будто монетка покатилась под диван, ты о ней забыл, но она еще там, в царстве пыли. Что-то он уже читал — но не в аналитических справках и не в художественной литературе... Что-то про мать солдата, что получила домой тело сына, а оно оказалось удивительно легким. И немудрено — в теле недосчитались сердца, почек, печени... По официальной версии, солдатик покончил жизнь самоубийством. Монетки, монетки — четырнадцать штук в полом теле у Ельника.

Андрей побежал в дом, где его ждал Раневская с такой наглой мордой, как будто вчера не ухайдакал плюс к хваленому «Педигри» еще с пяток купленных Андреем сосисок.

— Ты пес?! — спросил наглую морду Андрей, натягивая джинсы, ботинки и рубашку, одновременно запивая процесс одевания полуостывшим кофе. — Нет, Раневская, ты сволочь! На улицу выгоню помирать у ларька, понял? — Андрей ругал пса, но чувствовал сам, что он ругает, а тому не страшно. Кроме того, усмехнулся он, запрыгивая в машину, даже интонации у него стали, как в старой супружеской паре: ругайся не ругайся, никуда ему уже от своей Раневской не деться.

Залетев после бесконечного стояния в пробках в кабинет, он принципиально не заметил полного скрытой значительности лица своей стажерки и бросился к компьютеру, набрал «МК». Специалисты по маркетингу сказали бы, что содержание и стилистика газеты нашли свое идеальное — идеально безвкусное — воплощение на интернет-страницах. Но Андрею было не до вкуса — ему нужна была сплетня двухгодичной примерно давности, и он стал искать через поисковик, печатая поочередно: органы+самоубийство+солдат, военные+украли+органы и далее в том же духе. И нашел! Нет, положительно, дело сдвинулось с мертвой точки! Итак: та-та-та, самоубийство рядового Д., тело привезли в родную деревню, та-та-та... Вот: генерал Овчаров опровергает слухи о якобы украденных органах. Он называет их гнусной провокацией... так, дальше уже не интересно. Но есть фамилия. Андрей записал в блокноте фамилию генерала и фамилию журналиста, написавшего материал.

На столе грянул телефон: Андрей и Маша вздрогнули. Анютин вызывал к себе на доклад... Андрей сегодня мог быть собой весьма доволен. Так доволен, что даже предложил Маше пойти с ним: пусть поглядит, поучится, как работают настоящие профессионалы, ребята, не стесняющиеся носом землю рыть, — не чета припевочкам из столичных вузов.

— Мне необходимо с вами переговорить, — сказала припевочка в лифте.

— После, — ответил сухо Андрей. Держался в образе сурового парня-победителя. Припевочка прикусила язык. Но когда они, постучавшись, зашли к полковнику, прикусывать язык пришлось Андрею.

Анютин был не один. Рядом на стуле сидел Катышев. «Какого черта?!» — успел подумать Андрей, прежде чем Анютин с видом гостеприимного хозяина посадил Машу по правую руку от всесильного прокурора, предложив Андрею стул подальше слева.

— Ну, как вам работается в команде? — спросил Анютин, а Катышев чуть ли не подмигнул блатной девице.

Андрей почувствовал, как в нем снова тугой волной поднимается раздражение. Особенно после того, как девица, осклабившись, отрапортовала:

— Прекрасно!

— А вы, капитан, как оцениваете вклад стажера Каравай?

— На «отлично»! — отрапортовал, в свою очередь, Андрей, и издевки в его голосе не услыхал бы только глухой. — Это крайне удачно, что Николай Николаевич сейчас у вас. Я как раз хотел сам к нему обратиться.

— Я слушаю, — склонил седеющую голову прокурор.

— Дело в том, что я сейчас расследую дело некоего Ельника. Не знаю, помните ли вы: он был обвинен в убийстве и оправдан по делу Нунгатова. Вы были обвинителем.

— Да, припоминаю, — кивнул Катышев.— Очень неприятная история. Следствием были собраны весьма скудные улики, а адвокат, Тишин, если мне не изменяет память, повернул их еще таким образом, что не ясно стало под конец, кто кого убил. Ельнику дали всего пару лет за «несодействие». А что?

Андрей приосанился:

— Я расследую сейчас убийство Ельника. И вот что интересно: после процесса и мягкой краткой отсидки Ельник остепенился. Со старыми друзьями завязал, уехал в далекую деревню Точиновка, где занимался якобы исключительно разведением кур и картошки. Однако дачная его усадьба, выглядящая снаружи как убогая избушка, внутри представляет собой эталон комфорта...

— Ордер на обыск был? — быстро встрял Анютин.

— Дверь была открыта. Почти, — почти же не соврал Андрей. — Но вот что любопытно. В камере, в последнюю отсидку, Ельник сидел с неким Цитманом по прозвищу Доктор. Доктор был известен тем, что находил в экономически отсталых регионах доноров, готовых продать, к примеру, свою почку. Практически за копейки по мировым стандартам. Цитман вышел из тюрьмы и уехал в Израиль. А от моего частного источника я знаю, что несколько раз к Ельнику приходили какие-то военные. Более того, в распечатке его телефонных номеров фигурируют краткие, на несколько секунд, звонки в учреждение при Министерстве обороны... — Андрей обвел присутствующих взглядом — все внимательно слушали. — Тем временем пару лет назад в отдаленные села начали приходить тела молодых солдат, лишенные внутренних органов.

Мое мнение такое: Ельник, вдохновленный Цитманом, решает поступить проще. Вместо одной почки — сразу две, плюс сердце, плюс печень — в общем, все, что может пойти на продажу. С одного молодого здорового солдата сумма получается немаленькая, даже если делиться с медиками и военными. Если помните, киллер Ельник был как раз и известен тем, что убивал, имитируя самоубийства. Военные на местах, видимо, намечали парня — сироту или из бедной, неполной семьи, что исключало возможность скандала, и давали информацию Ельнику... Для Ельника риска было меньше, заработок — больше... Однако он с кем-то что-то не поделил, и его убрали: отсюда и вытащенные внутренности — решили заработать напоследок и на «поставщике».

— «С кем-то что-то», — передразнил его Анютин. — Плаваете в мутной воде, капитан.

Впрочем, по лучащейся физиономии было ясно: шеф доволен. И особливо доволен, что сам Катышев слышал, как его люди на ходу подметки рвут.

— Товарищ полковник, — улыбнулся Андрей. — Эти «кто-то» должны быть не так многочисленны. У меня уже есть имя одного генерала, есть и имя журналиста, написавшего пару лет назад статью. Раскрутить историю будет не так сложно.

— То есть, если я правильно понимаю, — покачал ногой Катышев, — убийство никак не связано с давним моим процессом по делу Ельника... Я ведь всполошился даже, сам пришел. Выходит, совершенно обособленное преступление?

— Простите, но я так не думаю, — раздался чистый голос.

О нет! — Андрей повернулся к Маше: та смотрела в пол, умудряясь при этом иметь весьма упрямое «выражение на лице».

— Что вы имеете в виду, стажер Каравай? — подчеркнуто официально спросил Катышев, а Андрей чувствовал, глядя на прядь светлых волос, упавшую на побледневшее лицо стажерки, что сейчас просто взорвется от злости. Она, видите ли, так не думает! Эта козявка, мелочь пузатая с книжными мозгами, набитыми маньяками...

— У меня пока только сырая версия... — начала Маша. — Но мне кажется, что это серия. И серия уже давняя: с первого убийства на старой теплоэлектростанции прошло почти два года...

— Ах вот как! Давайте подробнее, — вступил Анютин.

— Извините, — Маша наконец подняла глаза, — но я еще не готова дать полный анализ...

Нет, ну это полный финиш! Андрей даже развеселился, до какой степени выступление не лезло ни в какие ворота. Тут уже прямо не знаешь, что и сказать. Анютин, видно, тоже лишился дара речи. Будь это не блатная девица, а любой другой сотрудник... Да что уж там! Андрей крякнул, по-военному коротко и сухо попрощался с Катышевым, и вышел. Прощаясь, он заметил, какими глазами Катышев смотрел на стажерку. Взгляд был внимательный, оценивающий. Но... в нем было что-то еще.

Что-то, определим уж сразу, чтобы не раздражать себя неопределенностью, капитан Яковлев. В нем было восхищение.

МАША

Маша догнала его в коридоре. Весь красный как рак, он, как она и догадалась, решил спуститься по лестнице, чтобы, не дай бог, не пересечься с ней в лифте.

— Андрей! — крикнула Маша и сама испугалась: она впервые назвала его по имени. Он повернул к ней сердитое и по-детски обиженное лицо. — Простите меня, я пыталась вам сказать, но вы...

— Я еще не готова дать полный анализ?! — заорал капитан, и Маше на секунду показалось, что он ее ударит. — Да вы в курсе, что у нас тут не институт благородных девиц?! Это Петровка, это дисциплина! Если вам есть что сказать — говорите, но и аргументируйте, подтверждайте фактами!

— Я готова, — тихо сказала Маша.

— Я вас слушаю!

— Я бы хотела привлечь к нашей беседе специалиста. Вы не против вместе пообедать?

Последний вопрос она задала таким светским тоном, что у капитана явно свело челюсти, как от кислого.

— С удовольствием, — улыбнулся он достаточно фальшиво и, с откровенной издевкой по-гусарски щелкнув каблуками, легко, с неожиданным изяществом, поклонился. И пошел себе по коридору.

Маша подождала, пока он скроется за углом, вынула мобильный и набрала номер Иннокентия:

— Кентий, умоляю — выручай! — жарко прошептала она в трубку. — Мне нужна твоя моральная поддержка, иначе мой джинсовый крокодил меня съест.

— И в чем должна заключаться поддержка, бедная моя Медея? — спросила трубка. Впрочем, быстро устыдившись своей иронии, Кентий добавил уже сочувствующе: — Совсем допек?

— А, — отмахнулась Маша, — сама виновата. Начала высказывать свои мысли вышестоящему начальству, прежде чем донесла их до него самого. Мне теперь нужно, чтобы ты держался авторитетно, аки без пяти минут доктор исторических наук, и подтвердил все то, что мы вчера обсудили с Глузманом.

— Да без проблем, тем более что я почти такой и есть, — похвастался Иннокентий. — Я рядом с твоей работой знаю чудесное местечко...

— Только недорогое, — предупредила Маша. — Джинсовый начальник явно не купается в деньгах.

— Ну, исходя из места его работы, — протянул Иннокентий, — это скорее хорошо его характеризует.

Они распрощались, и через десять минут Кентий уже выслал ей СМС с адресом заведения. Когда Маша огласила название Андрею, тот, не отрываясь от бумаг, только коротко кивнул. Маша чувствовала себя прескверно: она смотрела на коротко стриженный затылок и корила себя за несдержанность. Но неслыханная, совершенно безумная ее теория просто не могла уместиться внутри: она жгла губы и просилась на волю. Какое же Ельник — одиночное убийство? Неужели он ничего не видит?! Она с трудом досидела до обеденного времени, еще раз проверяя и перепроверяя в голове все точки, связанные с убийствами.

Во время обеденного перерыва, чувствуя взаимную неловкость, оба спустились по лестнице и молча пошли по улице. Пытаясь попасть в шаг, Маша с удивлением заметила, что на ее джинсового начальника смотрят девушки, и в недоумении объяснила себе данный факт демографическим кризисом в стране.

* * *

Место Кентий выбрал, как всегда, идеальное — тихо, столики стоят далеко друг от друга — и, судя по декору и присутствующим уже посетителям, не пафосное.

Когда Иннокентий встал из-за стола, чтобы их поприветствовать, Маша заметила, как помрачнел Андрей: высокий, косая сажень в плечах, в дорогом пиджаке, Кентий делал бедного капитана почти несуществующим. Маша понимала, как они оба должны его раздражать — его, явно провинциального, небогатого, невысокого мальчика. «Ну и черт с ним! — подумала Маша. — Я не золотой червонец, чтобы всем приходиться по вкусу. Я не виновата, что папа мой — адвокат, а не грузчик, а мама — врач и глава частной клиники... Я как будто все время оправдываюсь перед ним, а почему, собственно? Я не народница, революция уже попыталась всех приравнять — не вышло! Так что пусть смотрит и видит, что мы — другие!»

И, сев за стол, она нарочито медленным, мягким жестом убрала прядь волос за ухо, четко продиктовала свой заказ официанту и царственно повернулась к капитану:

— Андрей, что вы будете заказывать?

Андрей хмуро заказал первое, что попалось в меню. И они начали ждать Иннокентия, который, после долгих размышлений, взял то же, что и Маша. Протянув руку, чтобы вручить меню официанту, Иннокентий неумышленно продемонстрировал им мушкетерский — двойной — манжет своей рубашки. Искрой блеснула запонка.

Маша усмехнулась и достала из сумки досье по убийствам.

АНДРЕЙ

— Мне все же хотелось бы, чтобы мы перешли ближе к фактам, — сказал Андрей. Его и правда раздражал хлыщ в запонках и в неуемных рассуждениях о средневековом строительстве.

— Вы прямо как Маня, — сказал Иннокентий, покачав головой. — Я просто пытаюсь объяснить, что за всем этим стоит реальная система.

— Сейчас я покажу факты, — вступила Маша.— Смотрите. — Ее коротко остриженный ноготь уткнулся прямиком в квадратик Красной площади. — Вам не показалось странным это сгущение убийств вокруг одного из самых охраняемых в стране архитектурных памятников? Точнее, так: не убийств, а именно тел. Кто-то хотел оставить изуродованные трупы своих жертв именно на площади. Глядите, этот крестик — Лобное место перед Покровским собором — рука, найденная прошлой зимой. А вот Кутафья башня, где обнаружили пьяницу Николая Сорыгина. Здесь, под Кремлевской стеной, совсем недавно выловлено тело Ельника.

— И что? — упрямо спросил Андрей. — Про руку вообще ничего не известно. Тела-то так и не нашли.

— Вы допускаете, что ее хозяин — жив? — В голосе Иннокентия явно слышался сарказм. — Поймите же, Андрей, основой, центром градостроительной идеи Нового Иерусалима являлся Кремль, — продолжил он негромко. — А точнее: Красная площадь с храмом Покрова на Рву. Современники Ивана Грозного так и называли эту церковь: «Иерусалим». У Иоанна Богослова сказано, что в Небесном Иерусалиме нет храма, а «есть только Престол Его». Красная площадь и есть такой храм. Во время больших церковных праздников вся площадь заполнялась народом, а сам Покровский собор становился алтарем огромного храма под открытым небом.

— Андрей, — Маша посмотрела на него почти умоляюще, так ей хотелось, чтобы он поверил в ее версию. — Лобное место — аналог Голгофы в Иерусалиме;

Кутафья башня — храма Гроба Господня, Москва-река, где выловили Ельника, — символ реки Жизни, или Иордана.

Андрей хмыкнул и ткнул на другой берег реки, где стояли три звездочки.

— Это трое убитых на Берсеневской набережной, — пояснила Маша.

— Район Замоскворечья, — вступил Иннокентий, — в семнадцатом веке здесь устроили 144 фонтана — прообраз 144 тысяч праведников из Откровения Иоанна Богослова. «И показа ми чисту реку воды животныя... И по обаполы реки Древо Животное, иже творит плодов двоенадесяте, на кайждо месяц воздая плод свой», — процитировал он, прикрыв глаза, а Андрей поморщился. — «По обаполы реки» — символ Древа Животна в виде террасных садов Кремля и Большого Государева сада, или Царицына луга, — разливался соловьем Иннокентий, сев на своего конька. — В иконописи он был представлен знаменитой иконой кисти Никиты Павловца...

Иннокентий вдруг резко замолчал и попытался незаметно помассировать ударенную под столом ногу. Маша же улыбнулась и продолжила как ни в чем не бывало:

— Помните нашумевшее убийство жены тюменского губернатора? Четвертованный женский торс?

— Помню. Ее нашли в парке в Коломенском.

— Именно, — кивнула Маша. — В реальном Иерусалиме, на восток от Гефсимании, на одной оси с Золотыми Воротами, находится часовня восьмигранной формы, построенная на месте Вознесения Господня.

Иннокентий кивнул и продолжил:

— А в Москве ось от Спасских — Золотых — ворот на Царицын луг («Гефсиманию») обращена не на восток, а на юг. Но если ее продолжить, то она окажется направленной на церковь Вознесения в Коломенском!

— Что построена также в виде восьмигранного шатрового храма. И хоть расстояния Москвы с Иерусалимом не совпадают, в свое время церковь Коломенского была прекрасно видна из Кремля.

Им принесли горячее — Андрей заказал что-то вроде макарон и мгновенно съел все, что было на тарелке. Иннокентий пытался пару раз завести светскую беседу, но ни Маша, ни активно двигающий челюстями капитан его реплик не поддержали. Когда принесли кофе, Андрей повернулся к Маше и спросил:

— Это все?

— Нет, — заторопилась Маша. — Еще есть архитектор. Погиб странно, но оставлен в своей квартире на улице Ленивке.

— Ну, и что это? Только давайте кратко.

— Рядом, — быстро заговорила Маша, — находится Пушкинский музей. При наложении карт двух городов на его месте оказываются Яффские ворота Иерусалима.

— Еще?

— Пока все. Но я уверена, что еще не все нашла! Есть еще странные убийства, их просто надо соотнести...

— Стажер Каравай, — усмехнулся Андрей. — Вы придумали версию и подбиваете под нее действительность. Вы же специалистка по маньякам? Неровно к ним дышите? Вот и видите их где ни попадя. Не реальность надо подтасовывать под теорию, а наоборот. Ваша теория должна исходить из реальности. Давайте я задам вам элементарный вопрос... Почему именно эти люди? Если это маньяк, то по какому принципу он выбирает своих жертв: жену губернатора, пьяницу, архитектора, профессионального киллера? Кроме того, как специалистке по маньякам вам следовало бы знать основы, а именно — у маньяков существует почерк, сигнатура, так называемый modus operandi. Ну, и где он тут у вас?

За столом установилось молчание.

— Казни, — нарушил его Иннокентий. — Их всех убивали, как казнили в Средневековье: четвертование губернаторши, сбрасывание под лед Ельника, пытка каплями пьяницы, вырванные языки...

— Сыро, — не удостоил его взглядом Андрей.

Капитан встал, забрал свою вечную джинсовую куртку со спинки стула, вынул пару купюр, небрежно бросил на стол.

— И последнее, стажер Каравай: если это серия, то и цифры не случайны. Так что, черт возьми, они означают? — Подождал пару секунд ответа, иронично глядя на парочку, кивнул: — Всего хорошего. — И вышел из ресторана.

У Андрея было отличное настроение: неплохо он их припечатал! В конце концов, не удавшийся эффектный выход все-таки случился, пусть чуть позже и уже не в кабинете у Анютина. Портили красивый уход пара-тройка обстоятельств: первое — в этой бредовой теории что-то было. Второе — широкий жест с купюрами будет стоить ему с Раневской недели воздержания.

И третье — Маша Каравай удивительно гармонично сочеталась с этим пижонистым красавчиком. И это почему-то было неприятно.

МАША

— Я уверена, что мы правы! — горячо говорила Маша, пока Иннокентий задумчиво передвигал вправо-влево по столу опустошенную уже чашечку кофе. — Вот до этого разговора еще сомневалась, а сейчас — нет! Это все неспроста. Не может быть таких совпадений, понимаешь?!

— Маш, наличие совпадений на данный момент — самый серьезный аргумент в нашей с тобой теории. Теория слишком замысловата, а совпадения... всего лишь совпадения при отсутствии конкретных фактов. Он прав, твой джинсовый следователь. Мы накопали интересную версию, но пока она литературна, потому что не ясен мотив. Действительно, почему именно эти люди?

— И цифры... — вздохнула Маша. — Есть еще эти чертовы цифры! И все равно совершенно понятно, убийца — типичный маньяк-миссионер! Мне, например, и мотив ясен в общих чертах: он убивает в местах, символично связанных с Небесным Иерусалимом, чтобы показать нам, как мы погрязли в грехе, разве нет?!

— Расскажи мне, — попросил вдруг Иннокентий, — про маньяков-миссионеров, потому что, скорее всего, это и правда наш вариант.

— Господи, тебе-то зачем?

— Это нужно не мне, хотя мне тоже будет интересно послушать, — это нужно тебе. Постарайся быть краткой: не нужно примеров, мне надо, чтобы ты построила систему, с каждым пунктом которой ты будешь потом сверять «своих» жертв, понимаешь?

Маша усмехнулась:

— Обычно у нас все происходит с точностью до наоборот: это ты мне вечно рассказываешь про своих любимых раскольников. Ну да ладно. Только закажи еще кофе.

Иннокентий подозвал официанта. Пока он принимал заказ, Маша, опустив глаза, казалось, разглядывала узоры на скатерти, но, как только тот отошел, она подняла их на Иннокентия и начала говорить практически без пауз:

— Маньяк-миссионер не слышит голосов — будь то божеских или дьявольских — и не имеет видений, которые твердили бы ему убить кого-то и подталкивали к насилию. Миссионер выходит на охоту для уничтожения определенной группы людей, дабы очистить лицо планеты от грязи. Грязь понимается разнообразно. Это могут быть проститутки, геи, негры.

— Но ведь существует, так сказать, единство мотива, нет? — показал свою осведомленность Иннокентий.

Маша кивнула:

— Единство мотива — один из главных признаков любого серийника. Но только миссионер искренне считает свою работу святой обязанностью. Если взять четыре основные причины, толкающие человека на серийные убийства: манипуляцию, доминирование, контролирование и сексуальную агрессию, то миссионер полностью лишен четвертой — сексуального «подтекста», а первые три будут распределяться в зависимости от личности преступника. Судя по нашему варианту, — Маша подняла потемневшие глаза на внимательно ее слушающего Иннокентия, — и исходя из сложнейшей исторической и религиозной теории для миссианства и из факта перемещения в пространстве тел, думаю, контролирование преобладает. Мне также кажется, что, несмотря на изощренные способы ликвидации своих жертв, он, как и большинство миссионеров, совершает так называемые «молниеносные убийства».

— Поясни, — прервал ее Иннокентий, а с ним — официант, выставивший перед ними две чашки крепкого кофе.

Маша медленно опустила в чашку два кусочка сахара, перемешала.

— Понимаешь, молниеносные убийства совершают серийники, которые не получают удовольствия от «самого процесса». Конечно, четвертовать человека, подозреваю, не очень простое и быстрое дело, но это для него только способ убить грешника, а не растянуть кайф. Есть же еще так называемые «неторопливые убийства». Там все происходит медленно только потому, что серийник наслаждается страданиями жертвы. Это «гедонисты», к примеру. Одни из них наживаются на убийствах, другие испытывают сексуальное возбуждение и получают оргазм во время совершения преступления. Мы обязаны об этом говорить?

— Нет. — Иннокентий тоже не притронулся к кофе. — Просто, похоже, из всех вариантов маньяков — наш самый приятный, разве нет? Над жертвой не издевается, не насилует, убивает практически против желания, просто потому, что так надо... Вырисовывается образ почти честного вояки.

Маша мрачно усмехнулась:

— А их, вояк, кстати, среди миссионеров очень много. Сказывается привычка принимать решения и четко приводить их в исполнение. Голова, настроенная на каждодневную, выверенную, правильную жизнь казармы, отказывается принимать распущенность внешнего мира. А ценность человеческой жизни у военных, по-моему, все же чуть-чуть, да сдвинута. В общем, они готовы принести жертвы, чтобы очистить мир от скверны...

— Да, но заметь: у тебя на него — и не только у тебя, у всех следователей, ведших дела по его убийствам, — ничего нет. Он должен быть не просто умен. Он должен понимать там что-то в вашей кухне, чтобы не оставлять следов. Я не прав? Что ты молчишь? Составь мне — как это у вас, сыщиков, называется? Modus operandi.

Маша грустно улыбнулась:

— Все-таки я с тобой переобщалась, Кентий! Ты уже и с такой лексикой знаком... — И, сосредоточенно нахмурившись, заправила прядь за ухо: — Понимаешь, у нас для этого слишком мало данных. Как, к примеру, они встречаются — преступник и жертвы? Использовал ли преступник молниеносную атаку, устроив засаду, или заманил жертву так называемым словесным методом? Перемещает ли он или уносит с собой какой-нибудь предмет с места преступления? И потом. Modus operandi может быть и словесный: в использовании ненормативной лексики, составлении текстов, чтобы жертва повторяла их вслед за преступником. Этот ритуал — так называемая сигнатура — может развиваться, становиться все более изощренным. А мы знаем только то, что он пользуется средневековыми методами убийства. Но они разнообразны, эти методы, Кентий! А мы не только не можем додуматься, почему именно эти люди, мы даже не в курсе — как он их находит, понимаешь?

Иннокентий молчал. А Маша продолжала:

— К примеру, Сливко — если мы возьмем исключительно российский «разрез» маньяков — убил семь мальчиков в возрасте до шестнадцати лет. Был членом КПСС, заслуженным учителем РСФСР, ударником коммунистического труда, и — руководителем детско-юношеского туристического клуба. Среди членов этого клуба он и находил своих жертв. Чикатило искал своих — на автобусных остановках и вокзалах, Пичушкин — в лесопарке... Все это были дети или женщины, часто легкого поведения. Дело — проще не бывает. А попробуй проделать то же с женой губернатора края, одной из богатейших женщин мира? Или с известнейшим архитектором? Или подойди незаметно к профессиональному киллеру... Нет, Кентий, за нашим миссионером стоит не только ум и знание криминалистики, а многоступенчатая организация каждого из преступлений. Кентий, мне страшно, я уже ничего не понимаю...

Иннокентий сжал Машину ладонь:

— Ты все поймешь. Я в тебя верю. Давай по порядку. Если я правильно понял, единственная пока сигнатура — это средневековые казни. Может быть, если мы сможем схематизировать их, мы что-нибудь поймем?

— Ты много понимаешь в казнях? — Маша наконец отхлебнула кофе и сморщилась: тот был уже совсем холодный.

Иннокентий пожал плечами:

— Сам вопрос, как ты догадываешься, никогда особо меня не интересовал. Но если наш миссионер так сориентирован на православную идею, то, может быть, и в плане казней он ищет аналогии тоже в российской истории? А тут я более-менее подкован.

Маша вся подалась к Иннокентию. «Какое счастье, что он у меня есть!» — подумала она внезапно. И легонько сжала его ладонь: мол, говори, говори же! Иннокентий улыбнулся:

— Есть документ, регулировавший отношения государства Российского с преступниками. Называется, как ты помнишь, Соборное уложение...

— Что-то смутно. Но это неважно, продолжай.

— Появился данный документ как раз таки в интересующую нас эпоху — в 1649 году. Уложение очень подробно описывало, кого и за какие преступления следует предавать тем или иным наказаниям. Наказания — и это, мне кажется, может быть важным тебе для понимания нашего маньяка — считались аналогом адских мук: вот почему их часто производили публично. Не только для развлечения и устрашения самим фактом. Нет, важно было дать понять каждому правоверному, что его может ждать в аду. Важна была символика — клеветника казнили так же, как могли бы казнить оклеветанного им честного человека. Уродуя человека— вырывая ноздри, глаза, отрезая губы, — они не давали ему потом слиться с массой: так вор, например, никогда больше не мог выдать себя за добропорядочного гражданина.

В пику нашей демократической эпохе, в Средние века за одно и то же преступление разных людей следовало наказывать по-разному. К примеру, дьяка могли за проволочку дела избить батогами — это, если ты не в курсе, что-то вроде палки или толстых прутьев. А подьячего, соотносящегося с дьяком, как нынешний начальник департамента в министерстве и просто чиновник, били кнутом. А от кнута, так, на секундочку, умирали даже самые крепкие люди! Достаточно было пятидесяти ударов. Вообще, если я правильно помню, в феодальной России смертная казнь предполагалась в шестидесяти случаях, в том числе за курение табака.

— Ничего себе, — вздохнула Маша. — Сейчас дай бог наберется пять.

— Это какие? — с интересом спросил Иннокентий.

— Ну, — начала перечислять Маша, — убийство, посягательство на жизнь государственного или общественного деятеля, посягательство на жизнь лица, осуществляющего правосудие или предварительное расследование, посягательство на жизнь сотрудника правоохранительного органа и геноцид.

— Что ж, полезно знать. Я же тебе все шестьдесят провинностей не перечислю, скажу только, что сами казни делились на «простую» — когда без особенных приготовлений отсекали голову или вешали, и «квалифицированную», вроде четвертования, сожжения, залития горла металлом...

Мимо прошла молодая пара и уселась за соседним столиком.

— Может, пойдем в другое место? — спросил Иннокентий. — Неприлично говорить о таких неаппетитных вещах в ресторане.

— До другого места долго добираться — везде пробки, — зашипела Маша. — Нет уж, давай дорасскажи хоть вкратце.— И она придвинулась поближе.

— Вешать, — зашептал ей на ухо почти интимно Кеша, — было способом самым дешевым и сердитым. Так, к примеру, достойных людей не казнили нигде — ни у нас, ни в Европе. Вроде моветона. Мол, коли хочешь человека сословного лишить жизни — потраться хоть на заточку топора и работу хорошего профессионала...

АНДРЕЙ

Андрей засек, когда Маша зашла на проходную, и поймал ее уже на подходе к лестнице.

— Маша! — позвал он и увидел, как чуть напряглись ее плечи. «Ну и как мне тебя называть? Стажерка Каравай?» — зло подумал он, мгновенно отреагировав на тот факт, что стажерка Каравай его чуток... побаивается.

Раньше — до сегодняшнего обеда, когда она так царственно поправила у себя прядь, — это открытие его бы не то что порадовало, но принесло бы некоторое удовлетворение: мол, все идет в этом мире, как и положено. Стажерки, хоть и блатные, стремаются своего начальства. А вот после сегодняшнего обеда он вдруг — почти — обиделся. Что же я тебе такого сделал, что ты меня так боишься? Ну, да и черт с тобой.

Маша повернула голову и неловко улыбнулась:

— Да, Андрей...

И раздражение внезапно улетучилось:

— Я хотел вам сказать, что, несмотря на мою, как мне кажется, объективную критику, у вас хорошая версия. Хорошая, но тяжелая, понимаете? Дело не только в среденевековых закидонах. Если это все-таки маньяк, значит, надо брать шире — создавать группу. А для этого аргументы у нас должны быть железобетонными. Иначе ни людей, ни техники дополнительной нам не дадут.

— Я как раз хотела вам сказать. — И Маша вновь, но уже деловито, без той внезапной томительной грации, как в ресторане, заправила за ухо русую прядь. Андрей машинально проследил за рукой — маленькое ухо было не проколото, только чуть выше мочки крапинкой притаилась родинка. — Хорошо бы еще раз опросить свидетелей по этим делам — мне кажется, это самый простой способ понять, где и по какому принципу их мог «зацепить» маньяк.

— Дело весьма трудоемкое. — Андрей отвел взгляд от уха: Маша смотрела прямо на него. Глаза у стажера Каравай были светло-зеленые, спокойно-выжидающие.

— Я бы могла многое успеть, если бы вы позволили Иннокентию работать со мной в команде, — сказала нерешительно она.

Андрею идея не понравилась. Он посмотрел вниз, на свои потрепанные кроссовки, вспомнил узкие элегантные ботинки хлыща из ресторана. Спросил:

— У него нет других занятий?

— Он историк, антиквар, специалист по иконам семнадцатого века, — быстро сказала Маша. — Это я в том смысле, что ему не надо каждый день ходить на работу...

— Ладно, работайте, — сухо сказал Андрей, повернулся и, не попрощавшись, вышел.

Он знал, что ведет себя, как вахлак. Андрею и самому было непонятно, почему ему хотелось вести себя именно так, а не иначе. Потому ли, что, как бы он ни старался, он знал: никогда ему, простолюдину, не достигнуть высот обходительности этого специалиста по иконам. Семнадцатого века, понимаешь. А раз соревнование проиграно изначально, то зачем и напрягаться? «Какое соревнование, болван? — спросил он себя, открывая дверь потрепанного своего «Форда». — Может, ты просто хочешь позлить Каравай, как школьник, желающий вызвать у объекта своей страсти хоть чем-то окрашенные эмоции?»

МАША

Маша ошарашенно смотрела Андрею вслед: все-таки странный тип. Только ей начало казаться, что в нем проклюнулось хоть что-то человеческое, как вот, пожалуйста, повернулся к ней спиной и утопал в одному ему известном направлении без элементарного «до свидания». Хам! И все-таки... Маша поднималась по лестнице, и настроение улучшалось с каждой ступенькой вверх. Андрей Яковлев только что ей сделал первый комплимент — сказав, что в ее теории что-то есть. Значит, я не просто блатная, дорогой мой капитан, я еще соображаю головой! И тебе пришлось это признать. Он даже согласился взять Кентия в тандем к ней — совсем уж чудо!

Осталось только позвонить последнему и порадовать его: ближайшие дни вместо оценок икон, разъездов по антикварным ярмаркам и общения с коллекционерами он будет допрашивать с десяток свидетелей по делам на Берсеневской набережной, убийству в Кутафьей башне, Коломенском... Она набрала его номер:

— Кентий, — жалобно сказала она в трубку, только услышав его барственное «Слушаю». — Выручай! Мне нужно допросить кучу людей, а у меня не хватит на всех времени.— В трубке установилось гулкое молчание. — Я знаю, что использую без зазрения совести лучшего друга, — покаянно произнесла Маша. — Но больше без зазрения совести мне использовать некого... Это только три-четыре дня.

— Я согласен, — раздался насмешливый голос. — Я посмотрел, смогу ли отменить назначенные на эту неделю встречи.

— Ой, замечательно, — засмеялась Маша. — Нам нужно выяснить, Кентий, основные прегрешения наших жертв. Понять, почему. Я куплю нам по диктофону.

— У меня есть, Маша. Покупай только себе. Завтра я за тобой заеду. Сейчас не могу долго разговаривать, у меня посетители.

— Прости, до завтра. — И Маша со счастливой улыбкой нажала на «отбой». У нее началась настоящая работа, настоящее дело, и его можно будет делать рядом с Кентием, вдали от неприятного начальства — ну не радость ли?

* * *

Назавтра Кентий приехал в положенное время. Маша ждала его на скамеечке у подъезда, обзванивая номера по списку.

— Привет. — Она помахала Кентию рукой и снова стала говорить по телефону. Он присел рядом. — Смотри, — сказала Маша, распрощавшись с последним собеседником. — У меня получилось организовать несколько встреч. Я решила, логичнее начать с первых загадочных цифр. К примеру, у меня будет номер один — я прямо сейчас встречаюсь с девушкой того парня, который был меньше всего изуродован в подвале Берсеневской набережной. Тот, у которого на футболке цифра «1». Слава Овечкин. Тебе достанется спортсмен, пловец, поедешь в Олимпийскую деревню. Он может рассказать о третьем — Солянко Александре, они были коллегами и даже соперниками. Дальше у меня лучшая подруга — родители жертвы оказались на даче — Юлии Томилиной, жертвы под цифрой «2». Зовут Шурупова Татьяна. И нужно еще будет найти собутыльников того Коляна. До них я, по понятным причинам, дозвониться не смогла. Найдешь?— Иннокентий кивнул. Маша отдала ему список с адресами и первая вскочила со скамейки: — Поехали...

БЕРСЕНЕВСКАЯ НАБЕРЕЖНАЯ
1. МАША.

Люда с интересом оглядела вошедшую девицу с Петровки. Ну, если уж ТАКИЕ теперь работают в полиции... Люда не могла бы объяснить, в чем суть ее определения «такая». Свитерок без претензий, черные брючки, но, когда девушка прошла на кухню и села ближе к окну, Люда поняла, что это отсутствие претензий — обманка. И вообще вся девушка — обманная: чисто промытые волосы, свежая кожа без мейк апа, коротко, «под мясо», подстриженные ногти. Она могла бы быть музыкантшей — виолончелисткой, к примеру. Причем, судя по качеству вещичек, лауреаткой международных конкурсов. А представилась работником прокуратуры. Хотела узнать что-то новое об Овечкине. Ну, правильно, родители-то его про сына мало что знали — все в своей религии, прости, Господи! Они только однажды с Людой пересеклись — и то случайно, в магазине. Видели бы вы овечкинского папашу: бородища окладистая, в куртяшечке и ботиночках таких, какие не только производить, но даже и носить перестали еще до Людиного рождения. Мамаша не лучше: в платочке, юбка пол грязный метет — ужас! Славка тогда скорчился, представил предков невнятно: мол, знакомься, мои родители. И Люда сразу поняла, почему Славик раньше ее домой не приводил: приведешь тут! Стыда не оберешься. У Людки мамаша тоже была не «ах!», но по ней хоть не сразу было видно, что с дуба рухнувшая, надо было приглядеться-прислушаться. А по этим — ну просто в момент! Как папаша-то на нее зыркнул — того и гляди, в супермаркете проклял бы. Она и сама понимала, что в мини-юбке и с боевым раскрасом имела мало шансов понравиться попадье с попом. Впрочем, попадья сказала тогда ей на прощание вроде: «Храни тебя бог, деточка!» А Людка повела себя тогда неприлично — наверное, нервное: расхохоталась и вылетела пулей из магазина.

Вот и Славки уже нет, и, по правде говоря, не сильно-то она по нему и убивается, а вот смех тот дурацкий в ответ на «деточку» Люда помнила и даже думала, может, пойти в ту церковь, где служил Славкин отец? А потом одергивала себя — батюшка был уж больно смурной, а с попадьей она не знала, как и встретиться? А если встретиться, что сказать? Она ведь, как всякая мать, по сыну убивается, а Люда — стыдно признаться, испугалась по первости и пожалела, конечно, Славку, но не так совсем, как если б любила без памяти. Хорошо проводили время, и только...

Это она и пыталась втемяшить элегантной следовательнице, когда та стала расспрашивать, что за человек был Доброслав Овечкин. Люда и забыла, что Славка на самом деле был Доброславом. Славка и Славка. Мозги у его родителей все-таки явно с загогулиной. Люда вздохнула, поглядела на девицу с Петровки и выпалила первое, что в голову пришло:

— Да болтун он!

— Что вы имеете в виду? — внимательно посмотрела та.

— Ну, не в том смысле, что находка для шпиона! Да кому он вообще был нужен! Просто даже уставала от него, понимаете? Обычно же как? Ты — треплешься, мужик — слушает. А со Славкой наоборот — ты слова не скажи, потому что все пространство занимает его бла-бла-бла. И на любую тему ведь мог распространяться часами! Только скажешь: купила себе новые туфли около метро. Так он — да ты о чем думала, да там одну дрянь продают, да каблуки отваливаются в первый же день! Как-будто сам имел опыт хождения на шпильках! Или вот, к примеру, сказала, что хочу сделать себе грудь третьего размера. Так та же фигня: не думаешь о последствиях, инородное тело, врачи предупреждают...

— Может, просто не мог себе позволить вам ее подарить? — спросила следовательница, а в глазах — ирония. Люда в ответ расхохоталась:

— Чай будете? — И, не дожидаясь ответа, поставила старый, пару раз сгоравший уже чайник на конфорку. — Нет, — сказала она, садясь снова напротив девицы. — Он не жлоб был и не жадина. Были б деньги хоть на одну сиську — дал бы.

— Такая любовь? — поинтересовалась следовательница.

— Да что вы! Сошлись по дурости. У меня был до него несчастный роман с одним му... — Тут Люда чуть притормозила, подумав, что такая лексика может настроить девицу против нее, а ей почему-то очень хотелось следовательнице понравиться —...типом, — закончила она. — Мерзким. Типом. А у Славки, по-моему, никого до меня не было — один треп! Его послушаешь, так сама Софи Марсо предлагала ему себя на Московском кинофестивале — спустилась в метро послс гала-вечера и предложила... Но он был ведь не очень представительный, правда. Щуплый, смешной, болтливый и слабый. Не поверите: даже в постели и то заткнуться не мог! Только у меня этой материнской жилки к мужикам нет. Мне наоборот надо — чтобы меня опекали. А ему бабу нужно с яйцами... Ой, простите, нужно было...

Люда почувствовала вдруг, что сейчас расплачется, но сдержалась — в паузу, пока сдавленное рыданьем горло не позволяло говорить, заварила чай. Выставила на стол печенье. Девица тактично молчала, потом отпила из чашки интеллигентно, посмотрела на Люду, севшую напротив и нервно болтавшую ногой.

— Мне очень жаль, — тихо сказала она.

Видно было, что и правда — жалеет. То ли Славку, то ли ее, Людку.

— А-а-а... — протянула Людка, шумно втянув носом воздух. — Уж два года прошло. Не ищите вы там ничего со стороны Славки: он болтун, но не сволочь. Единственное, что мне не нравилось: родителей своих ругал, издевался над их «житием», как он это называл, высмеивал от жизни оторванность. Так какими им быть-то при их занятиях?

— А чем занимались родители Доброслава?

— Так поп с попадьей!

Рука следовательницы, занесенная над вазочкой с печеньем, застыла.

— У вас там что, в показаниях не написано? — удивилась Людка.

— Написано, только я не обратила внимания. Тогда, — призналась побледневшая следовательница.

— Да ладно, с кем не бывает, — великодушно махнула рукой Людка. — Мне они тоже не показались. Но родители все ж таки, не знаю. Однажды знаете что учудил? На службе, пока отец там чего-то «долдонил» (это его слова), вошел и запел громко, а голос у него был ужас, знаете, такой высокий.

— Фальцет, — медленно произнесла следовательница.

— Ну да, типа того. Так вот, он фальцетом запел песню: «...Люби меня, бери меня...» Ну, вы знаете...

Девица с Петровки кивнула, но как-то неуверенно.

— Старушки тогда, говорит, чуть Богу душу не отдали, папаша был красный как рак. Ну, а Славка убежал. Вот. Даже не знаю, что еще о нем рассказать... Друзей вы его уже опрашивали?

Следовательница покачала отрицательно головой. Людка нахмурилась — только что девица с Петровки внимала, можно сказать, была вся «в беседе». А тут вдруг задумалась и как будто про Людку забыла совсем.

— Спасибо, Люда,— сказала она наконец, выключила свой диктофон и положила в большую — черную же — сумку. — Вы мне очень помогли.

— Честно? — улыбнулась Людка. — Ну, здорово тогда. Правда, не знаю, чем. Давайте, ловите этого гада.

Следовательница кивнула, попрощалась и вышла. А в квартире, где с отъездом матери на дачу не пахло даже едой, еще пару часов порхал запах дорогих духов этой девицы с Петровки. Людка даже пожалела — надо было спросить, что за духи...

БЕРСЕНЕВСКАЯ НАБЕРЕЖНАЯ
3. ИННОКЕНТИЙ

— Послушайте, я уже говорил с представителями следствия, — раздраженно бросил Иннокентию пловец, швырнув мокрое полотенце на скамью. — Если следствие — как это у вас там называется? — зашло в тупик, это вовсе не значит, что нужно всех по дцатому разу допрашивать.

Иннокентий молчал. Он только что провел час, дожидаясь пловца с тренировки, глядя, как за прозрачным стеклом бассейна тот без устали рассекает неестественно голубую воду. Маленькая на фоне глади бассейна, идеально обтекаемой формы головка то исчезала, то снова появлялась через равные промежутки времени на поверхности. Иннокентия, как любого представителя умственного труда, абсолютно завораживала эта предельная сосредоточенность и подчиненность Его Величеству Телу.

Но час ожидания в раздевалке, где застарело пахло хлоркой и пóтом, пусть даже с томиком Рычкова, утомил и Иннокентия. Так они стояли друг напротив друга — один в твидовом пиджаке и мягких, серой фланели, брюках, другой — почти обнаженный, с роскошным разворотом мускулистых плеч и с неожиданно острым — как бы собранным острием носа и подбородка вперед — лицом.

— Я не займу у вас много времени, — негромко, но внушительно сказал Иннокентий. Роста они были одинакового, пловец попытался смерить его взглядом, но в результате только тряхнул головой, как собака, вышедшая из воды, — пара брызг осела на рубашку Иннокентия, и тот чуть брезгливо смотрел, как они впитываются.

— Извините, — сказал пловец и протянул наконец руку: — Николай. Снегуров.

Они присели тут же прямо на деревянных скамейках — в раздевалке никого не было.

— Меня интересует Солянко. Вы были его другом и коллегой. Попытайтесь, пожалуйста, суммировать все, что вы о нем знаете как о человеке.

Снегуров поднял на Иннокентия глаза, в которых, казалось, застыла голубая гладь бассейна.

— Давайте договоримся, — сказал он. — Солянко не был моим другом. Дружить могут между собой писатели, ученые и поэты. И то не верю. А спорт — дело такое. Ты не просто должен быть первым, максимум третьим — четвертые никого уже не интересуют! Ты должен стать им в очень краткий срок. Потому что у нас, как у балерин, каждый год до пенсиона считан. Понадрывался с два десятка лет, здоровье посадил нагрузками к черту — вали на помойку. Я когда слышу про «здоровый дух соперничества», меня прямо блевать тянет, ей-богу! Да мы тут жесткие все мужики, не гардемарины, мать их! У нас, если ничего не получил на Олимпиаде, к примеру, потом снова готовиться четыре года, а за четыре года мно-о-о-ого чего может случиться. Это я к чему тебе говорю? Это к тому, что Саша Солянко дрянь был мужик. Ерунда это — про мертвых либо хорошо, либо никак! Да я в плаванье пришел пацаном еще, десяти лет не было, и горбатил без продыху по спортивным лагерям. Книжек вон не читал, девчонок не тискал. Жизнь мы пропускаем, понимаешь? А все ради высокой цели.

— Боюсь, что я пока не понял, что вы имеете в виду, — осторожно встрял Иннокентий.

— Не понял? Ну да, ну да. Не записали в первый раз, не посчитали существенным. Или алиби мое проверили, а оно у меня — повезло в кой-то веки! — железобетонное. Мы с Солянко шли в одной упряжке — две надёжы спорткомитета, лидеры российской сборной.

Мол, если не Солянко, то Снегуров точно медальку отхватит и честь своей страны защитит. Нас даже так и называли — «отряд С.С.», по первым буквам фамилии. Ну, мы, конечно, готовились, как бешеные. Как же, пока молодые еще, на пике формы, когда еще выигрывать? С Солянкой мы тогда только изредка перекидывались парой слов — не потому, что он прямо так мне с самого начала не понравился, а просто некогда было. И тут, понимаешь, слушок прошел. Мол, Снегуров-то сидит на ЕРО.

— Как, простите?

— Эритропоэтине. Препарат такой, повышает выносливость, увеличивает количество кислорода в крови, или что-то вроде этого. Суть в том, что может увеличить результат на пятнадцать процентов.

— То есть допинг.

— Уууу! Серый волк допинг! — Снегуров скорчил страшную рожу.

Иннокентий невольно порадовался, что Маши нет с ним рядом. Рожа получилась и правда жутковатая.

— Как вы меня все достали! И знаешь чем? Вот этим — слово забыл — во, лицемерием. Наши чинуши в комитетах с постными мордами: не допустим допинга до наших добрых молодцев! Искореним, понимашь, заразу! Да все принимают, слышишь? Все. Соревнования проходят уже между допингованными спортсменами. Фуросемид, ЕРО, гормоны роста мышечной массы... О тестах все умудряются узнать заранее, или пробирки с результатами пропадают, или вон переливают перед соревнованием твою же кровь, но забранную несколько дней тому назад. И тут уж допинг никакой тест не выявит. Это я к чему? Каждый спортсмен, как каждый подросток, хоть раз, да пробовал,

понимаешь? Причем Всемирная федерация пловцов вообще считается особо жесткой. Но и наши чинуши... С одной стороны, очень хочется выигрывать, с другой стороны — мировая общественность, перед ней нельзя уж совсем облажаться, надо показать, что и мы, и мы как большие, боремся с допингом. А еще, с третьей — решалась судьба Олимпиады в Сочи, и президент сказал, что ежели наши опозорятся с допингом, то... И в этот момент у меня находят — в шкафчике раздевалки, заметь, — пакетик. Параллельно о пакетике узнает одна спортивная газетенка и разражается статьей. Тут уж закрыть глаза было никак невозможно, и потому решили сделать не просто скандал, а скандал «показательный». А у нас тут, как в 37-м: презумпция виновности — покуда не доказал, что не верблюд, ты — верблюд, и никаких. Отстранили от соревнований на два года. Кроме двухлетней дисквалификации — пропустил Олимпиаду. Пока адвокат доказал, что пакетик был не мой, я пролетел, понимаешь, мимо своей золотой или серебряной медали.

— А пакетик-то и правда был не ваш? — поинтересовался спокойно Иннокентий.

Снегуров мрачно усмехнулся:

— А мне врать уже незачем. Тут мы и подходим к самому интересному. Пакетик-то был не мой. И я знаю одного человека, которому было выгодно и оболгать меня перед Комитетом, и в газетенку утку пустить, и пакетик подложить — без проблем. Я его знаю, и ты его знаешь, потому что про него и пришел спрашивать. Только, видишь ли, до Олимпиады Сашок не дожил. Убийство, конечно, с допингом не связано, но ты хотел о человеческих качествах — так вот, по-моему, вполне характеризующий парня эпизод.

Снегуров встал, и Иннокентий поднялся вместе с ним. Они пожали друг другу руки.

— Не олимпийцы мы, — мотнул головой неудавшийся чемпион. — А гладиаторы, в поту и в крови добывающие себе право на то, чтобы выжить.

И Кентий понял, что несколько книжек Снегуров явно успел прочитать.

— Кто тогда выиграл? — спросил он, когда широкая спина уже полностью заполнила проем двери.

— Китаец. Син Мун Ли. — Снегуров обернулся и по-волчьи осклабился. — А через пару лет его тренера поймали с чемоданчиком гормона роста на чемпионате мира в Австралии.

БЕРСЕНЕВСКАЯ НАБЕРЕЖНАЯ
2. МАША

Маша ждала лучшую подругу Юлии Томилиной рядом с подъездом. Подруга запаздывала. Наконец дверь приоткрылась и из темного зева появилась розовая коляска. Маша бросилась к дверям и попридержала ее, пока Татьяна Шурупова, морщась, проталкивала двухместное ландо сквозь узкую створку. По миловидному лицу катились капельки пота.

— Спасибо, — задыхаясь, сказала она, вырвавшись наконец на улицу. — Уф!— Таня вытерла невысокий выпуклый лоб и смущенно улыбнулась Маше: — Вы не против, если мы будем разговаривать в парке? Близнецы только что заснули, у нас куча времени, но их надо возить — иначе проснутся и взревут.

Маша улыбнулась:

— Девочки?

— Нет... Мальчишки. — Таня опять сконфузилась: — Это вы потому решили, что коляска розовая, да? А она нам от друзей досталась. Знаете, когда денег у самих нет, выбирать не приходится.

Они с Машей перешли дорогу, подъезжая с розовой коляской к Екатерининскому парку. Маша пригляделась к Тане — хвостик с аптекарской резинкой, круги под глазами.

— Ночью не спят еще?

— Да какое спать! То один, то другой, господи! «Скушали» меня всю совсем! Времени даже на поесть не хватает. Бабушек-дедушек у нас нет — умерли уже с обеих сторон. А государство считает, что дотации — это то, что подвигнет нас рожать.

— А что подвигнет нас рожать? — внезапно спросила Маша, которую эти вопросы обычно вовсе не волновали.

— Рожать? — Таня усмехнулась: — Рожать нас подвигнут нормальные мужики. У которых голова на месте.

— Так их еще вырастить надо, — улыбнулась Маша, кивнув на розовую коляску с двумя кульками мужеского полу.

— Я-то выращу, — недобро прищурилась Таня. — А толку? Вы телевизор смотрите? У нас же пропаганда полигамии. Это наши чиновные мужи считают, что ежели на каждого мужика будет по три бабы, то они и рожать начнут как сумасшедшие. Ан нет! Нервы мотать, это да. А рожать хочется в обществе, где с каждой радиоточки тебе говорят: плохо ходить на сторону, хреновый ты мужик и отец хреновый, если жене изменяешь.

— И перестанут ходить?

— Да не перестанут! — устало сказала Таня. — Но будут ходить меньше. В масштабах страны такая здоровая политика даст тысячи счастливых женщин, которые будут рожать. Вы не смотрите на меня сейчас — я же пять лет в консалтинге рекламном отпахала. Поверьте мне: если бы с экранов телевизоров и в кино, в аналитических статьях в Интернете любая оценка была пропитана защитой семьи, ее сохранением во что бы то ни стало, ее высшей ценностью, то уже через год-два были бы видны результаты. Что уж говорить про пять или десять лет! Русский мужик ленив, и половина из них заводит любовниц ведь только престижа ради. Да по непривычке отказывать себе в чем бы то ни было. Еще бы — женское тело доступно и дешево. Никто не осудит, ежели ты удовлетворил физическую потребность. Общество прогнило — все пишут про олигарха, который бросил свою жену ради молоденькой девочки. Так о чем пишет пресса? Да о том, какие рестораны, яхты и самолеты он дарит любимой. И ни одна журналистская сволочь не напишет, что он бросил женщину, сделав ей пять — задумайтесь только: пять! — детей. Ну да, он оставит им денег. Но детям ведь не только деньги нужны...

Таня вдруг замолчала, потом добавила устало:

— Простите, что я на вас это вываливаю. Вы молодая, у вас, наверное, и детей-то еще нет. Вам не интересно. Просто у нас самые незащищенные — это старики, дети и матери этих детей, беспросветно сидящие с ними дома. Мне вот, например, уже наплевать на то, где торчит муж до десяти-одиннадцати вечера каждый день. Я просто хочу, чтобы он меня хоть раз в неделю сменил, понимаете? Я уже до парикмахерской напротив добежать не могу три месяца — а мне подстричься максимум минут сорок. И этих сорока минут у меня нет. — Таня вздохнула, невесело улыбнулась: — Давайте лучше поговорим о Юльке. Хотя это тоже грустная тема. И знаете, она как-то связана с тем, что я вам только что сказала. Вы хотели понять, что она за человек. Так вот — совершенно обычный. Мы вместе работали. Мне нужен был карьерный рост — я рано вышла замуж, а Юлька сосредоточилась на поисках суженого и ходила в ассистентках. Поиски суженого — дело хлопотное и часто приводящее к разочарованиям. Это я к тому, что Юлька у меня, бывало, даже ночевала — приходила с бутылкой мартини поплакаться, а в полночь в пьяном виде отпустить домой я ее уже не могла — укладывала, к вящему недовольству супруга, «на диванчике в коридорчике». Были и периоды депрессии, когда она становилась совсем вялая, у нее постоянно что-то болело, она забегала ко мне в кабинет просто похныкать, как ребенок. Я даже уговорила ее однажды попринимать лекарство — легкий такой антидепрессант, под оптимистичным названием «Негрустин». — Таня снова грустно улыбнулась: — Она его еще обзывала по-разному: то «Пофигином», то «Нахренином». Так что с чувством юмора у нее все было в порядке. А был ли от лекарства толк — не знаю.

Проблема заключалась в том, что она очень хотела влюбиться, ей просто было скучно жить — голова-то ничем не занята... В общем, когда очень хочется, как известно... Юлька влюбилась. Влюбилась в женатого мужчину. Тот факт, что он женат и с детьми, ее не смутил — все так живут. У всех любовницы, так почему же Юльке не быть одной из них? Тем более у нее такая страсть и у него — такая страсть, и при чем тут, скажите на милость, жена и дети? Он тоже работал с нами на одном предприятии, только Юля в Москве, а тот — начальником Северо-Западного региона и ездил часто в Москву из Питера в командировки. Приятный товарищ, лет сорока с небольшим. Возил Юльку на отдых, каждый раз приезжал с подарками — то есть такой «приличный любовник», не олигарх, но все-таки. Юлька была безмерно счастлива. Однажды я даже слышала, как она пела что-то про любовь в туалете — ну, знаете, такая захваченность чувством, в самые первые месяцы, когда наконец отворили плотину и — понеслось. Она ко мне бегала советоваться и совершенно меня утомила, демонстрируя то белье, только что купленное — для него, или новые духи («Как ты думаешь, ему понравятся?»), или новые туфли на таких каблуках, на которых можно ноги исключительно задирать кверху, потому что ходить в таких ну никак невозможно. Я не могла не радоваться за нее. Сама ситуация, при минимальном логическом анализе, представлялась не сильно радужной, но уж больно Юлька была счастлива, и уже за одно это я говорила спасибо нашему доброму питерскому самаритянину. Ну так вот.

Таня замолчала, продолжила:

— А однажды случилась «досадная оплошность» — она пришла ко мне со сверкающим взором: я автоматически поискала взглядом какой-нибудь пакет с новой шмоткой, но нет — все было много серьезнее. Она, торжествуя, показала мне тест на беременность. Положительный. «И что ты будешь делать?» — осторожно спросила я, пока она, сидя на моем столе, по-девчоночьи болтала ногами. «Как — что? — Юлька распахнула глаза. — Скажу ему. Знаешь, иногда нужен только повод, ну, чтобы...» — «Юля, там же двое детей...» — аккуратно напомнила я подруге, но «Остапа уже понесло». «Все хорошо! — сказала она. — Он сможет перевестись на работу в Москву, мы продадим мою квартиру и купим побольше, рядом с парком». В общем, у нее уже было планов громадье, и я, честно говоря, подумала: чего лезть с моим циничным рылом в ее калашный ряд? Может быть, я просто не в курсе, а на самом деле они уже регулярно обсуждают его будущий переезд в Москву? Я покивала, узнала, что ее «питерский друг» приезжает в следующий раз через неделю и у нее будет время, чтобы приготовить романтически-эротический вечер, во время которого она сообщит ему радостную новость.

Пропущу, чтобы не утомлять вас подробностями, приготовления — визиты к разнообразным косметологам и маникюршам. Очередной комплект белья. Ванильные свечи. Пена для ванны. Букет роз. Рецепт буженины. Иногда я виню себя — знаете, мне кажется, если бы я смогла спустить ее чуть-чуть с небес на землю, все случилось бы иначе. Но, помня пословицу «скажешь правду — потеряешь друга», да и еще не будучи уверенной в этой правде, я молчала, кивала, одобряла и делилась рецептами той самой буженины.

Наконец наступил день «Д». Я несколько раз пересекалась с Юлиным любовником в коридоре офиса и на совещании и все пыталась прочесть по его лицу — как он воспримет информацию, которая обрушится на него этим же вечером... Он показался мне мужчиной серьезным, и думала я — чем черт не шутит? — нам уже давно нужен новый директор...

Таня, не меняя ритма, раскачивала розовую баржу, поправила на мальчиках голубые уже — чепчики. Вздохнула. Виноватыми глазами посмотрела на Машу.

— Я дура, — сказала она, пожав плечами. — Я подозревала, что все закончится не так радостно, как представлялось Юльке. Но чтобы настолько...

Вначале, как и планировалось, была буженина, потом страстный секс. А потом «обессиленная от любви» Юлька сообщила ему главную новость. Знаете, мы все упрекаем мужчин в коварстве. Я в мужское коварство в любовных делах, в отличие от женского, верю слабо. Для коварства нужна изощренность ума, а у мужчин если она и нападает на них, эта изощренность — то используется в других целях: в политических там или деловых играх. А в отношениях с женщинами у них все просто — как капусту заквасить: пара элементарных ингредиентов и выждать некий срок до готовности. Нет, мы все сами за них придумываем. Это мы сочиняем им ту самую изощренность и разнообразие переживаний, а на самом-то деле переживания эти — они только наши. Это я к чему?

Да к тому, что после такой новости Юлькин герой-любовник предстал перед ней во всей простоте, так сказать, своих эмоций. Она у него осталась одна, эта эмоция — страх. Он замер на несколько секунд, потом быстро оделся — видно, говорить то, что он собирался сказать, в голом виде было не с руки. И произнес примерно следующее: А. Он ее никогда не любил. Б. Он ее использовал исключительно в сексуальных целях. В. Он очень любит свою жену и детей, и никаких других ему не надо.

После чего сунул ноги в ботинки, схватил пальто с вешалки и — был таков.

Теперь представьте себе Юльку — с еще не полностью смазанным праздничным макияжем, но уже на смятых шелковых простынях и в кружевном белье.

Вокруг догорают благовония. Она вскочила и начала крушить все вокруг, как булгаковская Маргарита у критика Латунского. А потом оделась, сама разорвала на себе чулки и — пошла в районное отделение полиции. Написала заявление об изнасиловании. Под утро уже прошла медицинское освидетельствование. Затем пришла на работу — как потом объяснила, — только чтобы мне все рассказать. История с заявлением меня испугала: Юлька, говорю, как ты можешь подавать на изнасилование на человека, чьего ребенка, собственно, ты носишь? Она, помню, от меня отвернулась и сказала, резко так, что ребенка к моменту суда уже не будет.

Я очень тогда переживала, уговаривала то забрать заявление и оставить ребенка, то забрать заявление, сделать аборт и забыть негодяя. Но, говоря откровенно, я не была уверена, что она просто хочет его напугать. Не пойдет до конца. Я, если честно, сама тогда была в запарке: искала, оформляла, влезая в долги, эту свою квартиру... Просто заметила, что Юлька опять ушла в депрессию, но «Пофигин» ей уже не помогал. Пару раз я пыталась поговорить с ней насчет хорошего психиатра, но она только отнекивалась: мол, отомщу этой гадине, тогда и настроение само улучшится. Но... процесс прошел плохо. В том смысле, что мужика этого не засудили: нашлись люди, свидетельствовавшие, что у них был роман — они ведь особо не скрывались. Товарищ честно подтвердил, что Юлька объявила о своей беременности, адвокат сказал, что, прежде чем обсуждать что бы то ни было, надо бы получить результаты медицинской экспертизы — а был ли ребенок? Обвинитель возражал, что это ничего не значит... Но испортила все окончательно именно Юлька — она так старалась, такие давала подробности, что впала в тихую истерику прямо во время дачи показаний: ей не поверил бы уже даже самый доверчивый присяжный. Во время дачи показаний произошел еще один очень неприятный эпизод — законная супруга обвиняемого вскочила со своего места и стала выкрикивать какие-то проклятья... Я, по правде говоря, часто потом это вспоминала после Юлиной ужасной смерти. Даже окольными путями узнавала, как там у него в Питере дела. Из конторы нашей он уволился, но были в питерском офисе люди, которые поддерживали с ним отношения. Говорят, все у мужика благополучно: дети растут, жена любит и ублажает — видно, испугалась, как бы не отобрали-таки сокровище. Но, думаю, он сейчас пуганый воробей. На рожон не полезет — за изнасилование он мог схлопотать до пятнадцати лет, это вам не по сусалам получить от обманутой жены за адюльтер.

А Юля... Юля тоже уволилась — ушла работать простым секретарем в какую-то мелкооптовую фирмочку. Я несколько раз ей звонила, пыталась встретиться, но как на стенку натыкалась. А потом... — Танины губы задрожали. — Господи, жалко-то как! Какая неприкаянная душа! Говорят, адвокат противоположной стороны хотел даже ее привлечь за клевету. Не знаю, чем там дело кончилось. Наверное, обвинение все-таки сняли. — Таня усмехнулась безрадостно: — Как же мы, по сути, все одинаковы: хотим любви, наступаем, наступаем, потом идем на попятную. Юля просто оказалась на запрстной зонс — туда нельзя заходить, даже если очень больно и хочется отомстить. — Таня машинально провела рукой по спутавшимся волосам. — Когда же я наконец попаду в парикмахерскую, а?

— Если хотите, — тихо сказала Маша, — я могу погулять с близнецами, пока вы будете стричься.

— Правда? — вскинула Таня на нее вмиг загоревшиеся глаза. И сразу же снова потухла. — Да нет, это не серьезно: вы занятый человек, на службе, я как-нибудь сама.

— Я на сегодня уже свободна, — улыбнулась ей Маша. — И если рискнете оставить со мной малышей...

Таня покачала головой:

— Нет, спасибо вам большое, но, наверное, не рискну. Боюсь за вас — они уже скоро проснутся. Но за предложение я вам — правда! — очень благодарна.

И они медленно пошли к выходу из парка. И обе думали о девушке Юле. Таня — о женском бессилии, которое так легко перерождается в подлость. А Маша обдумывала фразу Тани о запретной зоне. Темная сторона. Юля вошла туда лишь однажды, ослепленная проросшей сквозь любовь ненавистью. И беззвучно захлопнулась дверь.

А она и не заметила, как за спиной встал убийца...

КУТАФЬЯ БАШНЯ ИННОКЕНТИЙ

Иннокентий сидел на табуретке, мрачно размышляя о том, что костюм придется-таки сдать постфактум в химчистку. У друга Коляна было грязно. Иннокентий подумал, что такой грязи он не видел никогда — это была Грязь, возведенная в философский принцип. И последние полчаса Кентий беседовал с философом и ужасно страдал при этом. Друг Коляна был не из простых пьяниц, а с «принципами». Это те, которые отличаются от пьяниц «с понятиями» как небо и земля.

По понятиям — бутылка должна быть на троих, и хорошо бы с закусью. А по «принципам» — питие освящено свыше и является самым достойным занятием для человека думающего.

— Никому не мешаем, — вещал Леонид, молодой человек с бесхарактерным подбородком и тонкими руками пианиста. — Не ввязываемся в эти ваши игры в менагеров, сидение в офисе, дешевые попытки оправдать свое существование. А мы — не оправдываем, in vino — veritas! — указал он ногтем с траурной каймой куда-то в облупившийся потолок.

— Думаю, вы неправильно понимаете смысл данного выражения, — заметил Иннокентий, тщетно пытаясь занять устойчивую позицию на колченогом табурете с таким расчетом, чтобы минимальная площадь облаченного в легкую шерсть седалища соприкасалась с липкой поверхностью.

— Истина — в вине! — обиженно перевел его собеседник.

— Нет, не совсем так, — мимолетно улыбнулся Иннокентий. — Точнее, римляне не хотели этим сказать, что можно постигнуть, выпивая, тайны мироздания. А только лишь подчеркивали тот факт, что пьяный говорит правду, по аналогии с русским «что у трезвого на уме...».

— Да? — Лицо Леонида на несколько секунд стало озадаченным. Очевидно, экскурс Кентия поколебал одну из основ его философской школы.

— Перейдем к Николаю Сорыгину, если вы не против? — аккуратно вернул его в настоящее Иннокентий.

— Колян-то? Хороший мужик, но, понимаете ли, цветок!

— Цветок?

— Да. Видите ли, у меня есть концепция. — Леонид потер тонкий нос весь в мелких черных точках. А Иннокентий поднял в вежливом удивлении бровь. — Пьяницы бывают «бедовые» — это те, что пьют от жизненных испытаний. Положим — жена ушла, или с работы выгнали, или апофегей: сначала с работы выгнали, а потом и жена... Еще есть «стахановцы» — это у которых и жена, и любовница, и куча бизнесов и нищей родни, и никто не хочет оставить в покое. Те снимают стресс, бедняги. Ну, дальше — «цеховики», — перечислял вальяжно Леонид, — что пьют «за компанию». Потом «сплинеры» — это от слова английского — сплин. — Иннокентий серьезно кивнул, мол, слыхал про такое слово. — Те потребляют от обилия свободного времени, например скучающие домохозяйки. Или маменькины-папенькины сынки... Ну и всякие «удальцы», которым выпить, как с бабой лечь, — для доказательства собственной состоятельности, как мужика, я имею в виду.

— А вы, простите, к какой группе себя относите? — Иннокентию уже очень хотелось уйти и из этого сального места, и от преисполненного собственной значимости пьяницы. Но опыт внимательной беседы, усвоенный еще с продажи и покупки ценных антикварных реликвий у коллег по ремеслу, подсказывал: надо дать человеку выговориться. Только в потоке речи он сумеет выловить ту самую золотую рыбку, которую не смогли поймать до него следователи... Поэтому он доброжелательно поглядел в водянистые глаза собеседника:— Так как же?

— О, — сказал Леонид и расслабленно махнул тонкой длиннопалой кистью. — Я — философ. Наблюдатель душ. Алкоголь — как способ познания мира. А вот Николай был цветок. Это знаете, когда пьешь, как дышишь. Для него водка была — вроде солнца, влаги или почвы, в которую он пустил корни. Ни семьи, ни работы, ни лишней мысли. Его несло течением жизни — свободно и плавно.

— Куда несло? — перебил Иннокентий, боясь упустить отблеск золотой рыбки в мутной воде.

— Как куда? — удивился все более нетрезвый философ. — Как и всех — к смерти... Поймите, не мог он никому сделать плохо. Не было у него дурных намерений или там сильных страстей. Колян только и хотел, что пить да радоваться! — Леонид поглядел на Кентия сквозь водочную бутыль и закончил почти библейским: — Как птица, добывал корм свой легко...

А потом жестом предложил Иннокентию разделить остатки «Столичной», которую Кентий принес в надежде на продуктивную беседу. Тот помотал головой, и жидкость с нежным журчанием перелилась в захватанный Леонидов стакан.

— Не ищите дальше, — засыпая, наставлял его Леня. — Коля был цветком, и его сломали... Точнее — подпитали не тем удобрением...— Голова его упала на стол. Почти сейчас же раздался жалостливый, с присвистом, храп.

Иннокентий со вздохом встал, попытался отряхнуть брюки, горестно вздохнул: время плюс химчистка. А результата — ноль. Рыбка так и не показалась. Да и плавала ли она в тех отравленных водах? «Цветок, — повторял он, сбегая вниз по лестнице, замуровать себя в грязном, дурнопахнущем лифте не хотелось категорически. — Цветок, значит...» — Перед глазами почему-то (видно, в пику только что увиденному нестетическому быту) распускались хризантемы, наброски тонкой тушью, в стиле японских гравюр. «Вновь встают с земли Опущенные дождем Хризантем цветы», — вертелось в голове хайку Басё, сочиненное примерно в то же время, когда Москва застраивалась под Небесный Иерусалим. — «Уже никогда не встанет», — подумал он про погибшего пьяницу, выходя на воздух и с наслаждением прогоняя из легких тошнотворный запах квартиры алкогольного философа: он и дышать, как и сидеть на табурете, старался там вполсилы.

Кентий был недоволен собой. Он ничего не узнал для Маши и никак ей не помог. Садясь в машину, он включил радио. «Отцвели уж давно-о-о хризантемы в саду-у-у...» — запело радио голосом Олега Погудина. — «О господи!» — Иннокентий почувствовал себя совсем виноватым.

Пора было ехать и признаваться Маше в собственной несостоятельности.

АНДРЕЙ

Андрей хорошо протряс того журналиста. Все вытряс, в том числе и адрес Алмы Кутыевой. Сейчас он мучительно и медленно продвигался в московских пробках. Мучительно — не потому что медленно. Мучительно — поскольку было ясно: встреча с Алмой Кутыевой, матерью одного из солдат, которого вернули домой полым и — мертвым, будет не из легких. А Андрей относился к той многочисленной людской категории, что не умели произносить слова соболезнования — заикались, краснели и на самом деле соболезновали, с взмокревшей роговицей и связанным узлом горлом, а сказать приличествующие случаю формулировки не могли. Да и что сказать матери, потерявшей сына? Его убил профессионал, ему не было больно? Или: ваш мальчик отомщен — его убийца, по всей видимости, убит, в свою очередь, маньяком и сплавлен, по древнерусскому обычаю, под лед Москвы-реки?

Андрей снова и снова возвращался к разговору с Машей и ее франтоватым приятелем и пытался найти несоответствие, лакуну, наглядно свидетельствующую — дело не в средневековых мистических бреднях. Дело — в грязных деньгах, грязной политике, грязной страсти. Всякой милой профессионалу банальщине, на которой, как на трех китах, держится логика любого убийства. Но банальщина не вписывалась в историю про лед, холодильник, Москву-реку, оторванные языки на старой электростанции, оторванные руки у Покровского собора, четвертованную губернаторшу в Коломенском... А Иоанн Богослов и Иоанн Грозный — вписывались. И как же ему не хотелось влезать во все это! Но Маша уже окунула его с головой, как в прорубь зимой, в то пространство, где не было ни рыб, ни растений, а только медленная, густая, створоженная от холода мертвая вода, наполненная чьим-то безумием. И отвернуться от этого безумия не представлялось возможным. «Убийственная логика убийцы», — бездарно скаламбурил он, выезжая с кольцевой.

* * *

Алма Кутыева жила на отшибе. Точнее, там жили ее родственники — то ли сестра покойного мужа, то ли брат самой Кутыевой. Квартира была похожа на стоянку цыганского табора: так много там было народу, так все быстро передвигались в тесном пространстве, так громко переговаривались. Алма закрылась с ним в ванной, показавшейся оазисом тишины. Ванна была полна замоченным цветным бельем: красные тряпки плавали в ошметках серо-розовой пены, и в первую секунду Андрей отшатнулся — пока не понял: просто линяют дешевые красители на кровавых платках. Просто красители, просто.

Алма указала ему на табуретку, а сама присела на край ванны.

— Извините, — сказала коротко, кивнув на дверь. За ней билось многоголосье большой шумной семьи. — Следователь уже ведет дело в Хабаровске. Вы зачем пришли?

— Видите ли, — Андрей вынул из портфеля бумаги, — я расследую дело, возможно, связанное с гибелью вашего сына.

— Еще одного солдата порезали? — горько усмехнулась Кутыева. — Или вы с деньгами?

— С какими деньгами? — нахмурился Андрей.

— Деньги мне уже предлагали, — подняла голову Алма. — Но, видно, пожалели.

Андрей растерянно молчал.

— Не знаете? — Алма сунула руки в карманы старого зеленого халата. — Приходил тут следователь из военной прокуратуры. С чемоданчиком. Просил забыть, по-дружески. Мы его с братом вытолкнули за дверь — мы своих мертвых не продаем.

Андрей увидел, как руки под истрепанной фланелью сжались в кулаки.

— Мальчика моего привезли — без нутра, как курицу! Сказали, покончил жизнь самоубийством! Думали, раз мы в деревне живем, так до Москвы не доберемся? Думали, если у нас тело омывают старейшины, то мать и не узнает ничего?! И никто не защитит?! — Алма уже кричала. А за дверью, напротив, установилась подозрительная тишина. «Стоят вокруг — слушают», — подумал Андрей. И болезненно поморщился. — Я еще матерей нашла! У них сыновья в тех же местах служили! Все — безотцовщина! И еще сироты — их вообще никто не защитит! Теперь — хороший следователь у нас! В Москву приехала уже полгода как!

Андрей вынул фотокарточку Ельника и протянул Кутыевой:

— Это не тот самый следователь? Из военной прокуратуры?

Алма мгновенно замолчала, медленно вынула руку из кармана, взяла фотографию и сразу отдала Андрею обратно, будто брезговала даже смотреть на это лицо.

— Он, — сказала внезапно севшим голосом.

— Хорошо, — кивнул Андрей. — В квартире кто-то был или вы принимали его одна?

— Одна. — Алма задумалась. — А потом брат пришел. Мы его и выгнали.

— Хорошо, — кивнул Андрей еще раз. А потом вдруг дотронулся до той руки, что еще оставалась, сведенная в маленький кулак, в кармане халата. — Мне очень жаль.

Алма вскочила, резко высвободившись от его прикосновения, и Андрей выругал себя: она же мусульманская женщина. А он — мужчина, сидящий с ней в интимной обстановке. В ванной с замоченным бельем. Он, в свою очередь, встал и спрятал фотографию.

— Извините. Спасибо. Я, пожалуй, пойду.

Она молча вывела его из ванной, провела сквозь строй родни в коридоре и попрощалась сухим, как последующий щелчок замка в двери, «до свидания».

Андрей закурил, присев на лавочку около подъезда. Вот и еще один кусочек головоломки встал на место — жаль, головоломка не его, а хабаровского следователя. Ельник приходил сам — не хотел светить своих военных приятелей? Хотел лично удостовериться в масштабе неприятности? Нет, решил Андрей, глядя, как колышется на ветру зеленая стена отцветшей уже в этом году, высаженной вокруг дворовой помойки, сирени. Он пришел, чтобы убить, если та откажется от денег. Но явился брат. Ельник отложил исполнение задуманного. А потом и его — исполнили. Алма избежала смерти благодаря любителю мистических ребусов. Андрей выкинул окурок в урну.

Пора, пора было домой, к Раневской.

ПОКРОВСКИЙ СОБОР ИННОКЕНТИЙ

Маша и Иннокентий стояли перед дверью и оба чувствовали себя несколько неуютно: Маша — оттого, что использовала знакомых Иннокентия из его тайного «коллекционного» мира, чтобы поговорить с ними о деле весьма низменном и неприятном — воровстве. Иннокентий — потому что не знал, как отразится их нынешний визит на последующих возможных отношениях с хозяином квартиры.

Дверь наконец отворилась: на пороге стоял тощий старик, одетый в линялую майку и заглаженные до блеска брючата. Когда старик открыл рот, чтобы поприветствовать вновь прибывших, стало заметно, что челюсти его сделаны явно в районной поликлинике.

— Кокушкин Петр Аркадьевич, — представился коллекционер, а изо рта пахнуло дешевой колбасой.

Маша с трудом удержалась от удивленного взгляда в сторону Иннокентия, а тот будто лишился своего хваленого тонкого обоняния — сердечно пожал перевитую темными венами, изуродованную артритом руку и представил Машу. Кокушкин прошамкал что-то приветственное и пропустил их вовнутрь. Стало совсем темно, и было слышно только, как старик закрывает дверь на по крайней мере десяток запоров. Потом она почувствовала легкий толчок в спину и почти на ощупь двинулась длинным коридором.

В квартире пахло старческой немощью: валерьянкой, пылью, нафталином. Наконец Кокушкин зажег свет — одинокую лампочку, свисающую посреди коридора, и Маша ахнула: все стены были увешаны картинами, да так густо, что было не различить цвета обоев: литографии, акварели, карандашные и гуашевые театральные эскизы. За подписями Добужинского, Сомова, Бакста. Маша застыла напротив наброска к «Русским балетам», когда вновь получила несильный, но ощутимый толчок в спину. Она обернулась:

— Это же к «Послеполуденному отдыху фавна» Нижинского, правда?

— Правда, правда, — ворчливо подтвердил Кокушкин, а идущий за ним Иннокентий Маше подмигнул: мол, хорошо, не опозорилась, продемонстрировала намеки образования.

Комната, в которую они прошли, была полуслепой: окно выходило на глухую стену и было забрано решеткой. Никаких попыток «наладить уют» в виде занавесок или цветов на подоконнике тут не наблюдалось. В углу стоял книжный шкаф, забитый искусствоведческой литературой, два стула и кресло со столом эпохи семидесятых. Интерьер провинциальной гостиницы в далеком, «командировочном», еще доперестроечном году. Но стены! Стены были покрыты, как и в коридоре, картинами. Маша завороженно прошлась вдоль. Тут были и фотомонтажи Родченко, и вполне классические натюрморты Фалька, Альтмана и Дейнеки, и оригиналы книжных иллюстраций Лебедева и Лисицкого. Даже Маша, не сильно сведущая в русском авангарде и псевдореализме, понимала, что здесь развешаны сокровища. Иннокентий, явно забавляясь, смотрел на нее из угла комнаты. Старик же прошел на кухню, где уже заливался-свистел чайник.

И тотчас вернулся, шаркая войлочными тапками, разлил чай в чашки с выщербленными краями. Маша глотнула почти прозрачного чая, чтобы констатировать, что заварка, как говорил ее отец, «старинного разлива» и попахивает соломой. Иннокентий — и где он только ее прятал? — жестом факира вынул коробку конфет.

— Пьяная вишня? — довольно улыбнулся Петр Аркадьевич и торопливо разорвал блестящую обертку на коробке. Иннокентий улыбнулся:

— Ваши любимые.

— Помнишь, помнишь старика! — Кокушкин с каким-то сладострастным выражением, вовсе не идущим морщинистому лицу, схватил конфету и отправил за щеку. — А я даже не могу себя конфектами порадовать. Всю жизнь две любви — искусство и сладкое. Пришлось жертвовать последним ради первого. Да что там сладким — всем! — Дернулся кадык — Кокушкин сглотнул сладкую слюну и намного более благосклонно посмотрел на Машу: — Вы ведь по молодости лет думаете, что это старик сидит на богатстве, а конфеток себе не купит? Скупой Рыцарь, да? А ко мне кто только не приходил! Даже банковские эти хлыщи — любители подзаработать на «инвестициях в живопись». Тьфу! Ни ума, ни чести, ни вкуса не осталось в России! Вот было искусство — и то краткий миг: занялось с мирискусниками да и погасло, спасибо Отцу всех народов — любителю реализма, всех этих Репиных-Суриковых-передвижников! Я их, банковских дебилов, и отсылаю туда — идите мол, инвестируйте в своего Айвазовского-Маковского, прости Господи! А моих — моих! — не трогайте! Думают, я детишками своими буду торговать, отдавать в их грязные ручишки? Вот вам! — Кокушкин выбросил вперед костистую фигу.

Маша испуганно помотала головой, смущенная внезапным стариковским напором, фигой, брызгами шоколадной слюны... Старик закашлялся — Иннокентию пришлось постучать по тощей сутулой спине, поднести чаю. Петр Аркадьевич с шумом втянул горячую воду, откинулся на старое кресло: обивка в мелкий цветочек вся в зацепках, отдышался.

— Ко мне тут один фигляр хаживал: они называют себя психологами. Мол, делаю диссертацию про измененное сознание у коллекционеров. Придумал даже классификацию, болван!

— Правда? — улыбнулся Иннокентий, вспомнив, как только недавно уже выслушал одну на грязной кухоньке у пьяницы.

— Считает, что мы собираем, потому что с ранних лет травмированы — обязательно нужно хоть что-нибудь коллекционировать. Причем — Господи, не дай мне, старику, дожить до того времени, когда такие идиоты будут защищать свои докторские! — мне, мол, все равно что собирать. Могу марки, могу фантики, могу керамические фигурки. Керамические фигурки! Вот разве что ослов, сказал ему я, но мой тонкий намек пропал всуе. Для вас, господин Кокушкин, сказал этот осел, собирательство есть психологическая потребность, диктуемая страхом смерти, — это, очевидно, он почерпнул из старого шарлатана Фрейдюши. Собирая, вы защищаетесь от будущего и сохраняете прошлое. Бог ты мой, да какое у меня есть прошлое, чтобы его так сильно хотеть сохранить? Расстрелянные родители? Пара лет в лагерях? А будущее — в будущем, сказал мне сей хер профессор, все более будет развит «инвестиционный» тип коллекционера. Ну, про них я уже рассказывал.

Маша смущенно сидела и слушала. Разглагольствуя, Петр Аркадьевич не забывал приложиться к коробке конфет. И когда та уже казалась пустой, Иннокентий подмигнул Маше, снял гофрированную бумажку, и под ней обнаружился еще один конфетный «этаж». Старик явно приободрился, уже спокойно взял в руки конфетку, повертел ее, улыбнулся ласково:

— Еще придурок говорил о типе коллекционеров, для которых главное — общение, вход в тусовку по интересам. Как, знаете, в детстве: если у тебя есть такая модель машинки, то я с тобой и дружу. Говорит, что, если у супругов есть общее коллекционное увлечение, они реже разводятся. Чушь! У меня была только одна романтическая история, в конце сороковых — я тогда был еще молод и — не поверите! — весьма хорош собой. Девица была более-менее серьезна: по крайней мере, не упрекала меня за отсутствие подношений в виде шелковых чулок. Но когда я захотел купить маньеристскую и весьма пикантную миниатюру Сомова, девка взбесилась и сказала, что я поклоняюсь буржуазному искусству. Дура! — Петр Аркадьевич повернулся к Маше: — А вы, деточка, любите Сомова?

— Очень,— честно призналась Маша. Хотя смутно себе представляла, хватило бы у нее пороху сказать правду, считай она, как и неизвестная девица-дура, Сомова мелкобуржуазным.

— Вот, — пожевал губами Кокушкин. — Выросло новое поколение — быть может, у них будет чуть лучше со вкусом. Да, и заканчивая о классификации... — Очередная конфета покинула свое золоченое гофрированное гнездо в коробке. — Ученый удод сказал, что люди начинают собирать картины, когда у них уже все есть: и дом, и сад, и костюмы, сшитые на Севил Роу. Знаете, деточка, что меня убивает? Вот именно это — уверенность, что искусство служит украшению их безвкусных жилищ на Рублевке. А знаете, как я покупал свои первые картины? У меня, аспиранта, научного сотрудника, зарплата была смешной. Мне ботинки не на что было купить, не то что именье под Москвой. Я покупал Лебедева тогда — за копейки, но и не жрал по две недели — только кефир пил да по гостям нахлебничал. Носки носил — разные, из двух порванных пар получалась одна. Ходил с бородой — экономил на бритвенных станках. Отдыхать? Пойти в кино? Я и подумать об этом не мог — только и обходил антикварные лавки и салоны, бегал, исполнял поручения старушек, у которых эти бесценные листки потом покупал по дружеской цене. Общение? Да, меня все скоро стали знать и звали — знаете как? — Сумасшедшим Пьеро...

А теперь вон названивают регулярно из Третьяковки, приглашают на свои тусовки. Думают, что если я рядом с ними напьюсь их дешевого шампанского, то и завещаю свою коллекцию... А ведь это детки мои. Помру скоро, в чьи руки-то их доверить?

Этот переход от едкости к сентиментальности, к подернутой старческой слезой глазкам был впечатляющ. «Театр по нему плачет. Причем классическая школа, по системе Станиславского», — подумала Маша, а вслух сказала:

— Время для размышлений, Петр Аркадьевич, у вас есть — вы в полной форме. Мы с Иннокентием пришли поговорить по поводу пропавшего полгода назад Шагала.

— Пойдемте-ка, — сказал он, с кряхтеньем встав, и вышел из комнаты.

Иннокентий и Маша, переглянувшись, последовали за ним, вдоль по коридору.

Кокушкин открыл дверь тесного узкого туалета, и Маша с Кентием остолбенело уставились на унитаз, с банальным, пожелтевшим от времени пластмассовым стульчаком.

— Не туда смотрите, — прокаркал старик, указав им на внутреннюю сторону двери. На ней — ровно на уровне глаз сидящего на унитазе, висел шагаловский пейзаж — вид на белорусскую деревню. Еще не летали, в густом аквамариновом небе, влюбленные, но это был, бесспорно, Шагал, и Маша, которая, конечно, ценила Сомова, но при этом к Шагалу относилась с придыханием, тихо ахнула. Петр Аркадьевич был явно доволен произведенным эффектом.

— М-да, господа олигархи, может быть, оправляются на золотых нужниках, зато у меня — перед моим! — висит Шагал. И с возрастом — да простится мне моя стариковская нескромность — я имею честь и радость наблюдать моего Маркушу несколько раз в день, и подолгу. — Кукошкин закрыл дверь. — Это именно та картина, которая вас интересует?

— Эта, — кивнула Маша.

Кокушкин прошел обратно в комнату, тяжело упал в кресло.

— Ее украли. Вообще, у меня достаточно часто воруют — это крест многих коллекционеров. Вот в прошлом году вытащили Шагала, потом через месяц полиция мне его вернула. Я еще подумал: неужели научились работать? Вопросов никаких не задавал — отдали картину, и слава богу. А пару лет назад мне пришлось даже свидетельствовать против одного проходимца: обокрал меня и еще пару моих коллег-коллекционеров. Так не поверите: вышел сухим из воды! Сидел, морда кирпичом, гад, — думаю, я тебя за то, что Зиночку мою увел — у меня тогда пропал прекрасный этюд Зинаиды Серебряковой, — сгною, подлеца! Мне потом Ардов сказал — он-то намного больше пострадал, у него картин десять пропало с концами! — что вора нанял кто-то из толстосумов — пополнить свою коллекцию. Поэтому тот и брал — выборочно. Знал, что нужно хозяину. Ну, и в суде тоже подсуетились...

Кокушкин покивал самому себе, а Маша воспользовалась паузой, достала папку с фотографиями из сумки.

— Петр Аркадьевич, у меня к вам будет странная просьба. Но я надеюсь на вашу профессиональную зрительную память... — И Маша положила перед ним несколько снимков — она сама перед встречей со стариком увеличила и распечатала на крупных листах руку, найденную у Покровского собора.

— Ну-ну. — Старик нацепил древние, склеенные скотчем очки. И некоторое время оглядывал руку, брезгливо сморщившись. — Узнаю, конечно. Он и есть. Тот, который Зинушу спер.

Маша застыла — вот так, просто, они нашли, кому принадлежала рука, найденная еще зимой в пакете на Красной площади? Почему же никому до сих пор не пришло в голову наведаться к старику?

— Вы уверены, Петр Аркадьевич? — спросила она, еще не веря своему счастью.

Кокушкин раздраженно сунул ей обратно фотографии:

— Юная леди, я страдаю артритом, артрозом, сердечной недостаточностью, слабыми сосудами, высоким давлением, но не маразмом пока! Не маразмом! Этого отвратного типа звали Самойлов или Самуйлов. У него были две татуировки на пальцах — ими он во время моей дачи показаний постоянно ковырял в ушах! Судя по вашей фотографии, сейчас он такой возможности лишен.

— Да, — сказала тихо Маша, подумав об одноруком теле, давно гниющем в каком-нибудь подмосковном овраге. Она собрала фото и положила их в сумку. — Спасибо вам огромное, Петр Аркадьевич. Вы даже не представляете, как нам помогли.

— Представляю, представляю, — ворчливо ответил, явно польщенный, Кокушкин.

И после некоторого перетаптывания в прихожей, обмена любезностями с Иннокентием они наконец откланялись.

— Это уникальный старик! — с воодушевлением говорил Кентий, спускаясь с Машей по лестнице. — Я повидал коллекционеров на своем веку, но про этого и правда ходят легенды. Он мог бы жить, как Крез, а в результате экономит на электричестве, еде и сладком. Расстается со своими картинами только для того, чтобы обменять на что-нибудь, что ему кажется более ценным... Рассказывал, как после войны собирал окурки — тогда еще не бросил курить, — только чтобы накопить на ту или иную акварель. И ты еще не была у него в комнате и в кладовке: там полотна стоят рядком, «лицом» к стене, и он помнит каждое и мгновенно может его достать, чтобы повернуть к свету, пройтись по запылившемуся масляному слою тряпкой и повесить — где-нибудь в туалете, как Шагала.

— А он нам и правда очень помог, Кентий, — задумчиво ответила Маша. — Ведь теперь мы знаем, что рука, найденная с украденным Шагалом, — рука вора-рецидивиста.

— Ну, это и так можно было догадаться, исходя из того, что картина была украдена.

— Да, но сейчас мы можем «покопать» вокруг этого человека, и...

— Может быть, душа моя, — пожал плечами Кентий, — но мне почему-то кажется, что эта твоя рука — что-то вроде знакового символа воровства. Ты вон давеча искала, почему убили именно этих. В случае с твоим Самойловым, или Самуйловым, разгадка мне кажется проще, чем со всеми остальными, разве не так?

Маша задумчиво кивнула.

МАША

Маша, оглушенная новостью, молча опустила трубку на рычаг. Катина мать, Рита Викторовна, сдавленным шепотом сообщила, что Катя погибла. Врезалась на всей скорости в бетонное заграждение на Никольской улице. Мгновенная смерть. Похороны в среду. Мать зашла в комнату, встала за спиной. Спросила раздраженно:

— Марья, где ты опять оставила машину?

Маша обернулась, и та испугалась: видно, лицо у дочери было на себя не похожее.

— Что случилось? — нахмурилась мать, быстро подошла к Маше и взяла ее за руку, вялую, холодную.

Маша молчала, только смотрела на нее так, как в детстве смотрела на отца: пожалуйста, сделай так, чтобы ожил мой жук в спичечной коробке! Пожалуйста, придумай Русалочке Андерсена другой конец! Пожалуйста, скажи, что ты никогда не умрешь! Пожалуйста!

— Машенька, что случилось? Доченька, что...

— Катя погибла, — пошевелила бледными губами Маша, не заметив, что сама перешла на шепот. Так вот откуда он берется — от стиснутого горла, от желания сдержать слезы.

— Господи, как же это? — совсем по-деревенски всплеснула руками ее изысканная мать и тяжело опустилась на диван. — Когда?

— Вчера, — глухо сказала Маша. — Это я виновата.

— Что ты, доченька, почему ты?

— Мама, ты ничего не знаешь, — подняла на нее больные глаза Маша. — Катя попросила у меня взять машину на день покататься — зашла, взяла ключи... Она врезалась в стену. Ты прости меня, мама, твоей машины больше нет...

Мать отмахнулась, отвернулась к окну.

Катя... Катя стояла перед ними как живая: маленькая Катя, с восторгом оглядывающая Машины игрушки и книжки с картинками, Катя-подросток, смущенно пытающаяся влиться в Машину «интеллектуальную» компанию, Катя-студентка, примеряющая Машины туалеты и изображающая на «бис» соседок со своего двора... Наталья Сергеевна беззвучно плакала, смахивая слезы. Маша подошла к ней, села на пол, положила голову ей на колени: вдруг оказалось, что Катя была ее самой древней и самой близкой не подругой даже: родственницей, сестрой. Смешной, недалекой, не начитанной, совсем не похожей на остальных. Но она еще знала папу. Она помнила Машу еще до того, как того убили. Совсем другую Машу, читающую запоем Джейн Эйр под одеялом. Маша с ней смеялась больше, чем с остальными, потому что только с ней и Кентием «отпускала» себя, забывала о вечном гоне за неизвестным, укравшим у нее отца, детство, другую жизнь.

— Похороны в пятницу,— сказала она в материны колени.

— Бедная Рита, — услышала она печальный материн голос, — бедная Рита...

* * *

Похороны пришлись на дождливый день. В крематории — Катю решено было подхоронить к деду на Востряковском кладбище — Маша чувствовала странную, пугающую почти легкость во всем теле, но не приятную, как после бокала шампанского, а полуобморочную. Она не рискнула сесть за руль — отчим сам вел машину, и всю дорогу до крематория Маша не проронила ни слова. Она пыталась понять — почему? Почему Катя не справилась с такой легкой в управлении дамской машинкой? А если это самоубийство? Нет, и Маша ожесточенно сама с собой спорила, мотала головой на заднем сиденье, не замечая сострадательного взгляда отчима в зеркало заднего вида. Может быть, Катя была кому-то должна? Или страдала от неразделенной любви? Почему-то Маша была уверена, что Катя не относится, просто по психотипу своему, к тем людям, которые способны добровольно уйти из жизни на чужом «Мерседесе». А если дело в Иннокентии? Вдруг именно в него она была так безумно влюблена? И опять качала головой — да нет, это дело прошлое! Ей вдруг ужасно захотелось увидеть Кентия, поплакать, уткнувшись ему в плечо, и она послала ему краткое СМС: «Умерла Катя. Я еду на похороны. Можно с тобой вечером увидеться?»

Ответ пришел мгновенно: «Конечно. Напиши адрес, я за тобой заеду». В ответ Маша послала адрес, где планировались поминки, — адрес, который Катька называла «моя рабочая окраина» и где Маша ни разу не была. Зачем? Если Катя всегда была рада приехать к ней сама?

В крематории не было ни особенно грустно, ни ужасно. Там все проходило по-деловому, как во Дворце бракосочетания: цветы, толпы родственников — одних сжигали, входили следующие. Поиграл траурный отрывок из Бетховена, пошмыгали носом Катины дворовые приятельницы в коротеньких черных платьицах. Наталья Сергеевна и Маша держались особняком — никого из дальних родственников и друзей они не знали. Маша положила букет ромашек на блестящий от новенького лака закрытый гроб, что-то сказала Рите Викторовне. Но очередь из выражающих сочувствие поджимала сзади, и она вышла из крематория вместе с матерью.

Мать отправилась в клинику, где у нее планировался обычный заполошный день, а Маша взяла такси и поехала к Кате: там готовился поминальный стол и она вызвалась помогать. Маша была несильна в кулинарии, поэтому заказала много чего уже готового в ресторане. Теперь, отперев ключом обитую дерматином скромную дверь, она, поставив тяжелые сумки, обвела взглядом квартиру, даже принюхалась — пахнет ли еще Катей? У нее дома Катин запах смешивался с запахом ее комнаты, ее кухни, она будто бы «мимикрировала» под Машину квартиру. А здесь все было чужое — некрасивое и от бедности, и от отсутствия вкуса, который часто есть следствие отсутствия любви к жизни. Не зная, что поступает так же, как делала Катя у нее дома, Маша тихо обошла все комнаты — будто Катя, как в детстве, играла с ней в прятки: шторы были задернуты, зеркала — занавешены. Маша рассеянно трогала пальцем фотографии с маленькими смеющимися Катей и Машей, иногда попадались знакомые, сделанные еще папой, черно-белые. У нее они лежали — спрятанными — в альбомах, а здесь стояли годами на видных местах. Так она присутствовала в этой квартире, а между тем этот дом казался ей абсолютно чужим. Даже странно было бы, если из-за двери вдруг вышла бы Катя — настолько органичнее она смотрелась у Маши в прихожей.

Маша повязала фартук и решительно принялась за оформление уже накрытого стола: выкладывала салаты, варила по наказу Риты Викторовны яйца, поставила из холодильника на плиту огромную запотевшую кастрюлю бульона — греть. Встала на табуретку, чтобы достать с буфета доходящие в тепле под потолком пирожки, и сунула их в разогретую, как мама ей и объяснила, духовку. Она заметила, что ей стало легче дышать — ушла та тошнотворная невесомость, расслабилось сжатое горло и исчезло щемящее чувство в груди. Только в голове продолжало биться, как жалостливый метроном: Катя, Катя, Катя, ох Катя...

Потом пришли с кладбища гости, и на некоторое время они с Ритой занимались разносом тарелок и потчеванием людей, Маше совершенно не знакомых. Иногда Маша замечала на себе недоуменные, вопросительные взгляды: почему, собственно, эта девушка ухаживает здесь за всеми, как молодая хозяйка? Но и Маше, и Рите это казалось вполне естественным. Катя у Риты была единственная дочь. А Маша у Кати была больше чем подруга — почти сестра. И это — через Катю — призрачное родство было абсолютно явным именно здесь, на поминках. Хотя обе понимали: такая связь, как хрустальные нити, оборвется с тихим звоном, как только Маша вернется к себе домой. А пока Маша уносила грязные тарелки, слушая вполуха поминальные тосты о Кате, мыла и протирала насухо бокалы, которых не хватало. И даже взялась отмывать противень от пирожков, хотя понятно было, что он может дожить и до завтра. Она «урабатывала» себя, уводила от страшных мыслей, ожесточенно драя железный противень, пока Рита, вошедшая на кухню, не отняла у нее мочалку со словами: «Мне оставь хоть что-нибудь...» И Маша поняла: матери Кати тоже нужно было забыться, а она уничтожала — эгоистично — такую возможность.

Они сели на табуретки, покрытые сверху чем-то вроде половичка, и оставили течь воду: как конспираторы. Ни Рите, ни Маше не хотелось идти обратно в комнату, к людям.

— Не уберегла я Катю, — сказала вдруг Рита. И Маша дернулась — так ей не хотелось слышать продолжения. — Не уберегла. Знала, что есть в ней это — зависть, тяга к тому, чего у самой нету. Тяга к тебе, твоей ухоженной квартире, вещам у вас с мамой в шкафах, машине... И сверх того — к твоим знаниям, уму, к сосредоточенности твоей на профессии. К друзьям, к мальчикам. А я видела это и жалела ее. А надо было не жалеть! Надо было отхлестать по щекам еще в детстве... — Рита прикрыла глаза, на секунду замолчала. — Но я чувствовала себя такой виноватой — родила ребенка без отца. Так хотела, чтобы моя девочка была счастлива!

Маша подошла к Рите и обняла ее, почувствовав острые ключицы и как Рита затряслась, закрыла лицо руками.

— Прости меня, Машенька!

— Рита Викторовна, да это я виновата! — К горлу подступили рыдания. — Это я дала ей машину покататься!

— И машину! — сквозь слезы выкрикнула Рита. — И вещи! На ней же ни одной вещи не было своей — все, все до трусов из твоих шкафов, Маша! Что же с ней случилось? Зачем?

Маша потерянно молчала.

— Вот, — Рита полезла в карман широкого черного платья-балахона и вынула браслеты. — Вот единственное, что на ней было своего, — из полиции вернули.

Эти браслеты она себе на первую стипендию купила и никогда с ними не расставалась. Я хотела их отдать тебе. На память о Кате. — И Рита протянула Маше горстью серебряные тонкие браслеты.

— Спасибо, — тихо поблагодарила Маша.

— И еще. — Маша заметила, как напряглась Ритина шея, а лицо пошло красными пятнами. — Мне стыдно об этом говорить, Машенька. Но она взяла у вас не только вещи. Тут. Нашла у Кати в комнате. — И Рита протянула ей маленький пакетик. Заглянув в него, Маша обнаружила материн дутый золотой браслет и кольцо. Мать их любила по молодости, но последние лет десять предпочитала носить, как она их называла, более «благородные» драгоценности. Что на поверку означало менее заметные, но намного более дорогие украшения с бриллиантами и платиной. «Мама еще не заметила исчезновения кольца с браслетом, — подумала Маша. — Надо будет их осторожно вернуть на место». Маша подняла глаза на Риту:

— Маргарита Викторовна, — сказала она спокойно. — Вы не правы. Катя попросила у меня разрешения взять драгоценности и взяла их с моего согласия.

И заметила, как ослабла сухая спина и Катина мать облегченно выдохнула.

Рита кивнула, встала, погладила Машу по щеке и, оттерев тыльной стороной руки покрасневшие глаза, тяжело вышла из кухни. Маша села на ее место и набрала на мобильнике: «Приезжай». Ей показалось, что, как только они признались с Катиной матерью в обоюдной вине и грехе: Маша — что не уследила, дала машину покататься, Рита — что плохо Катю воспитала и дочь жила одной завистью, а она ничего не могла с этим поделать, их будто оттолкнуло друг от друга.

Маша чувствовала, что ее пребывание здесь уже лишено смысла, и ей резко захотелось уйти. Она выключила попусту льющуюся воду, накинула в прихожей плащ и, ни с кем не попрощавшись, вышла из квартиры. Спускаясь в лифте, она автоматически пересчитала Катины браслеты: их было десять.

— Идиотка! — сказала она вслух. Ей стало еще гаже. Эти проклятые цифры вошли в подкорку — она автоматически считала все вокруг, во всем видела знаки. — Хватит! Перестань! Кати больше нет, и этот факт не имеет ничего общего с цифрами на мертвых людях.

Внизу она посидела на лавочке, глядя прямо перед собой, пока рядом не остановилась машина Иннокентия. Он молча открыл ей дверь, и Маша забралась вовнутрь: там протяжно пела Нина Симоне.

— Поехали, — глухо сказала Маша.

Они тронулись, и Иннокентий стал задавать вопросы, на которые в последние дни она не отвечала, хотя бы потому, что отказывалась говорить по телефону.

— Никольская улица.... — протянул он, узнав, где произошла авария. — Виа Долороза.

— Что, Виа Долороза? — не сразу поняла Маша. А поняв, отпрянула. — Перестань! — сказала она Иннокентию, так же, как несколько минут назад, себе самой.

— Извини... — Он выглядел и правда виноватым. — Это становится у меня чем-то вроде детской извращенной игры. Называется место — по телевизору, по радио, да и просто в разговоре, и я не могу удержаться, чтобы не просчитать, соотносится ли оно как-нибудь с Небесным или земным Иерусалимом.

— Ну и как? Соотносится? — недоверчиво спросила Маша.

— Обычно нет. — Кентий задумчиво потер переносицу. — Но в этом случае — да. Если мы вновь наложим друг на друга карты центра двух городов, то Никольская улица проходит как раз там, где в Старом Иерусалиме находится знаменитая Виа Долороза. По ней пролегал путь Иисуса к распятию. Маршрут начинается от Львиных ворот и ведет на запад по старому Иерусалиму до храма Гроба Господня. Наша же Никольская, как ты знаешь, проходит от Красной площади до Лубянской. А до создания Красной площади (то есть до конца пятнадцатого века) улица вела непосредственно к Никольским воротам Кремля... Господи, какая ерунда! Зачем я тебе все это рассказываю?

Они замолчали, и Маше подумалось: наверное, чтобы прогнать вину, легче построить вокруг нелепую дымовую конструкцию из исторических и религиозно-мистических аллюзий. Но только сейчас, подивившись горечи, звучащей в его голосе, она поняла, что и Иннокентий терзается чувством вины. Чувство вины — как расплата за отсутствие другого чувства: ведь ответь он Кате взаимностью, может, она бы и думать забыла про свою детскую зависть. И не взяла бы Машиной машины, чтобы погибнуть на своей Виа Долороза.

Может быть, Виа Долороза у каждого своя?

АНДРЕЙ

Андрей сидел, уткнувшись в компьютер и силясь вспомнить: что за ниточка дернулась где-то в подсознании на словосочетании «Катя Ферзина»? Только что ее произнес Юра Данович, сидящий за соседним столом. Контекст был следующим: погибла девушка в чужой машине, авария прямо в центре Москвы, причем странноватая — вместо того чтобы врезаться в какой-нибудь джип другой плохо владеющей рулем девицы, Екатерина Ферзина влепилась со смертельным исходом прямехонько в бетонное заграждение, окружающее ремонтирующийся банк «Русич». Однако эксперты нашли ряд деталей, свидетельствующих о том, что авария не была аварией, а тонко спланированным убийством. Если бы машина загорелась, то и следов бы не осталось, но в том-то и проблема с дорогими тачками, что они горят хуже дешевых. Впрочем, ни кислородная подушка, ни прекрасная система безопасности не смогли защитить сидящую за рулем Ферзину. Но где же все-таки Андрей уже встречал эти имя и фамилию?

Ниточка все дергалась и дергалась в памяти, а куда вела — было непонятно. Он попытался напечатать «Катя Ферзина» на экране компьютера. Интуиция молчала, значит, это имя он видел не в отчетах, не в письменном виде, а слышал. Но от кого? Андрей сидел и не мог ни на чем сосредоточиться. Только шептал с разными интонациями: «Катя? Катя Ферзина? Катя! Ферзина! Да, черт возьми!»

— А куда делась твоя стажерка? — спросил тем временем Юра, оглядев пустую половину стола, разительно контрастирующую с Андреевой вотчиной: у Яковлева все было набросано. У Маши Каравай — идеальный порядок.

Андрей вздрогнул: ниточка дернулась и вытащила наконец, как больной зуб, воспоминание: телефонный звонок стажера Каравай пару дней назад. Ее подруга скончалась — она попросила отгул: предстояли похороны. Андрей дал отгул, чуть даже смутившись от внезапно незнакомого, мертвого голоса по телефону.

— Послушай, — сказал он, вскочив со стула и подойдя к Дановичу, — кому принадлежала машина, на которой погибла твоя Ферзина?

Данович бросил на него удивленный взгляд, но нырнул в отчет:

— Каравай Н.С. — сказал он и тут же понял: — Твоя стажерка?

Андрей кивнул, одеревенев лицом: Каравай Н.С. Судя по инициалам, машина кого-то из членов семьи. Это первое. У Маши убивают подругу. Это два. И единственное дело, которое сейчас раскручивает Маша Каравай, — это дело о Небесном Иерусалиме. «Волноваться нечего! — сказал он себе. — Нечего волноваться!»

— Дай-ка мне дело, — попросил он у Дановича, и тот, только взглянув на Андреево опрокинутое лицо, быстро передал ему папку. Андрей стал быстро просматривать страницы, пока не добрался до показаний Маргариты Ферзиной, матери покойной. Ферзина утверждала, что дочь была одета в чужие вещи. И добавила, что вещи эти были того же происхождения, что и машина: они принадлежали подруге жертвы, некой Марии Каравай. Некой Марии... Некой.

— Андрей! Андрей! — Данович уже давно теребил его за рукав, но Андрей ничего не слышал. — Ты бы предупредил ее, мало ли что?

— Понятное дело, что предупрежу, — огрызнулся Андрей и содрогнулся от тянущего, как сквозняк из подсознания, холода. Может ли это быть случайностью? Андрей верил в случайности, но не любил их. Особенно такие. Особенно со стажером Каравай. Он сорвал со стула куртку, кивнул Дановичу: — Я ушел.

И быстрыми шагами вышел за дверь.

МАША

Маша сидела рядом с Иннокентием в машине перед подъездом. Он ничего уже не говорил, просто держал ее безжизненную руку в своей, а она очень хотела поплакать именно сейчас, и почему бы не на плече у Иннокентия, ведь уже давно — с похорон отца — запретила себе такое действо на плече у мамы. Чтобы не испугать, не усугубить ее горя, оберечь. Но сейчас не плакалось, и, сглотнув горькую слюну, Маша тихонько высвободила свою руку и забрала сумку с заднего сиденья.

— Я пойду, — сказала она.

— С тобой все нормально? Проводить тебя до двери? — Иннокентий смотрел на нее обеспокоенно.

— Не задавай идиотских вопросов из американского кино, — огрызнулась она.— Со мной все нехорошо. Но много лучше, чем с Катей. И до дверей я дойду сама.— Она вышла из машины, махнула рукой и зашла в подъезд, подошла к лифту. Дверь лифта открылась, и из него вышел... Андрей Яковлев, ее непосредственный начальник.

Маша удивилась, но так — пассивно удивилась: и вы тут, значит. А зачем, собственно? Она заметила, с какой жалостью он на нее смотрит, и отвела глаза: да, конечно, она не спала ночь, у нее опухшие веки и бледный вид. Да, она хотела вызвать у него восхищение своими сыщицкими способностями, а вместо этого он смотрит на нее оценивающе и сочувственно, как на тетку в метро, перед тем как уступить ей место.

— Добрый вечер, — произнесла она и сама удивилась, как тускло звучит ее голос.

— Маша, я только что от вашего отчима, он сказал, что вы на поминках. Я пытался звонить...

— Я отключила телефон, — кивнула Маша. — У вас что-то срочное?

— Да, — поймал ее взгляд Андрей. — Мы можем поговорить?

— Конечно. Пойдемте ко мне.

— Ммм...— замялся Андрей. — Мне бы хотелось сделать это на нейтральной территории, если возможно.

Маша безразлично кивнула: на нейтральной так на нейтральной. И, выйдя из подъезда, жестом пригласила Андрея присесть на скамейку. Андрей неловко сел рядом, глядя в замешательстве на выделяющийся в летних сумерках светлый профиль с горестно опущенными уголками губ. Он не знал, с чего начать, а Маша молчала, думая о том, что сегодня уже сидела на лавочке рядом с Катиным домом. В который приехала в первый и, вероятно, в последний раз.

— Слишком поздно, — тихо сказала она.

— Что? — переспросил Андрей.

— Я плохая подруга, — повернула к нему лицо Маша и усмехнулась.

Андрей опустил глаза, не выдержав противоречащего усмешке, жалобного, почти детского взгляда.

— Мы все плохие, когда умирают наши близкие, — сказал он, глядя на изящные кисти рук, зажатые между коленями. На одном из запястий мерцали в сгущающихся сумерках тонкие серебряные браслеты.— Кто может после смерти матери сказать, что он был хорошим сыном? Или хорошим родителем после смерти детей, если доведется такое перенести. Разве нет?

Я уверен: вы были хорошей подругой. — Андрей поднял на нее кажущиеся совсем черными глаза.

— Почему вы так думаете?

Ему показалось, или она действительно ждала от него утешения, ответа на вопросы без ответа? Бедная богатая девочка. Андрей вздохнул, ответил:

— Потому что, если бы это было неправдой, вы бы сейчас так не переживали, верно? — Помолчал. — Простите, Маша, но я и пришел к вам по вопросу, связанному со смертью вашей подруги.

Маша нахмурилась:

— Что вы имеете в виду?

Андрей еще раз вздохнул и сам разозлился на свою нерешительность:

— Екатерина Ферзина погибла не в аварии, Маша. Досмотр тела не дал окончательных результатов. Но ряд вопросов все-таки возник. А последующий анализ транспортного средства подтвердил имеющиеся подозрения.

Маша молчала.

— Вашу подругу убили.

Маше показалось, что она внезапно очутилась под водой — как тот несчастный Ельник. Стало невозможно дышать, она чувствовала только, как черная венозная кровь, словно в замедленной съемке, с мрачной торжественностью переливается по венам, чтобы вдруг бешено застучать в ушах.

— Маша! — услышала она издалека голос начальника Яковлева.

— Виа Долороза... — прошептала она, прежде чем провалилась окончательно в темноту.

* * *

Очнулась она оттого, что стало больно затекшей шее — она привстала и попыталась со стоном повернуть голову: взгляд уперся в голубую джинсу, чуть пахнущую табаком.

— Тебе лучше? — раздался сверху голос Андрея. — Прости, я пару раз ударил тебя по щекам.

Маша подняла ладони и прижала к лицу — оно и правда горело. Она потихоньку приподнялась, поддерживаемая им за талию.

— Извините. — Голос получился хриплый.

— Хоть это и не дело — мужчине первому предлагать перейти на «ты», — сказал ей Андрей, и она увидела, как блеснули в темноте его зубы, — но после тех оплеух, которые я тебе закатил, стажерка моя, «выкать» мне теперь уж совсем не с руки.

— Да, конечно, — автоматически согласилась Маша.

— Маша, — Андрей посерьезнел, — попробуй меня сейчас услышать. В смерти Кати нет твоей вины. В то же самое время нельзя исключать вероятность, что она каким-то образом связана с тем маньяком, в реальное существование которого мы еще недавно и сами не верили. — Он смущенно кашлянул. — Думаю, что ты была права, хотя вряд ли это тебя обрадует в данных обстоятельствах. Ты, кстати, что-то сказала, прежде чем упала в обморок?

— Я никогда раньше не падала в обморок, — задумчиво произнесла Маша.

— Все когда-нибудь бывает в первый раз, — философски откликнулся Андрей. — А все-таки, что ты сказала?

— Виа Долороза. Видите ли... — начала Маша и поправилась:— Видишь ли, мы с Иннокентием уже тихо помешались на Небесном Граде и его земном представительстве. Никольская улица, по словам Иннокентия, совпадает с Виа Долороза в Иерусалиме.

— Ага, — только и сказал Андрей.

— И еще. Но это уже совсем глупости. — Маша подняла на него глаза. — Дело в том, что на Кате были надеты только мои вещи.— Маша выдохнула.

— Я знаю, — кивнул Андрей и взял ее за руку. Жест получился такой естественный, что Маша руку у начальства не отняла, а, напротив, крепко сжала.

— Катя очень часто брала у меня что-нибудь поносить. Но в этот раз на ней все, понимаешь, все — вплоть до нижнего белья — было мое. И это все-таки странно, согласись. И... — Маша замялась.

— Говори, я тебя слушаю.

— Из «своего» на ней оказалось только десять браслетов. — Маша протянула руку, браслеты легко звякнули. Андрей бросил на них рассеянный взгляд. Она продолжила: — Есть и еще одна странность: она взяла у моей мамы пару драгоценностей, вот. — Маша полезла в сумочку и достала мешочек, отданный днем Ритой. — Это золотой дутый браслет и кольцо. Ничего особенного — мама даже не заметила еще их отсутствия, дело не в этом. Они не сочетаются.

— Что?

— Они не сочетаются, Андрей, а Катя за этим очень следила. Белое золото не сочетается с желтым, серьги и кольцо в гарнитуре, и так далее. Я даже часто ее высмеивала за это, а она отвечала, что я драгоценностей все равно не ношу, мне не понять. Но на таком уровне — я понимаю.

Андрей озадаченно поднял бровь. Маша терпеливо вздохнула:

— Белый металл. Серебро. Не сочетается с золотом. Желтым.

— Угу, — хмыкнул Андрей.

— И потом... — Маша задумчиво потеребила браслеты. — Я помню эти браслеты — и мама Кати мне подтвердила: Катя их купила еще на первом курсе. — Маша подняла глаза на Андрея: — Сейчас их десять штук. Но... — Она запнулась. — Андрей, их было больше...

АНДРЕЙ

Андрей сидел на веранде в освобожденном от хлама старом кресле и читал. Читал книгу, которую посоветовал ему прочесть Иннокентий: некоего М.П. Кудрявцева. Речь в ней шла об архитектуре старой Москвы. Он с мукой продирался сквозь текст, скорее профессионального, чем художественного толка. В муке, окромя заумного текста, была виновата хроническая усталость, и слабая лампочка, висящая под потолком, из-за чего необходимо было напрягать не только утомленные извилины, но и покрасневшие глаза.

Впрочем, возможно, виноват был и Раневская — пес лежал в углу и изредка бросал на хозяина молящие взгляды — не мог не учуять килограмма «Докторской», принесенной сегодня Андреем. Пора ужинать, но у Андрея, несмотря на бурчание в животе и молчаливый укор Раневской, не было сил подняться с кресла. Иногда, оторвавшись от картинок, которыми — слава богу — изобиловала книжка, он таращился сквозь давно немытые ромбики веранды во двор.

На улице стояла молочная, туманная, ночь уже, не вечер, шуршала от летнего ветра листва, изредка кричала ночная птица. Андрей вздохнул. И заставил себя вылезти из кресла. Раневская мгновенно вскочил и потрусил за ним к холодильнику. Со звонким чмоканьем открыв дрожащий от старости «ЗИЛ-Москва», Андрей несколько секунд оглядывал его внутренности. Обзор дал следующее: колбаса, не к ночи будь помянута, «Докторская». Парочка сморщенных от старости сосисок, кусок твердого, как камень, сыра, несколько просроченных йогуртов — это он когда-то хотел начать питаться более «здоровым» образом. Хотел в магазине, а дома уже запамятовал. Йогурты пора бы выбросить, но Андрей решил, что сделает это «потом». Выбрасывать еду ему было стыдно, поэтому обычно он дожидался последней стадии разложения, чтобы уж никто не смог бы его упрекнуть в таком безобразии, даже собственная совесть.

Андрей мрачновато кивнул холодильнику, отодвинул ногой несносного Раневскую и вынул сосиски и «Докторскую». Пока закипала вода, он нарезал хлеб и намазал каждый кусок толстым слоем масла. Кинув в воду сосисок-пенсионерок, позволил себе откусить от первого бутерброда. Раневская уже вёсь исходил на слюну, и если бы взгляд приблудных наглых псов мог убивать, Андрей бы уже давно был расстрелян. Однако месседж: «Что ж ты делаешь, гад?» — в них читался так ясно, как будто его начертали большими буквами в книге Кудрявцева. Андрей, уверенный в том, что Раневскую пороть некому и вообще надо воспитывать в собаке смирение и уважение к хозяину — имеющему право сунуть себе в зубы бутерброд после тяжелого рабочего дня, — как обычно, сдал педагогические позиции минуте на третьей и кинул псу одурманивающе пахнущий розовый кругляш колбасы. Тут и сосиски дозрели, и их он тоже поделил по-братски. Раневская посмел кинуть на сосиску чуть презрительный взгляд, но Андрей светски засунул одним махом свою в рот и пообещал, что и ту, которая уже лежит у Раневской в миске, сейчас заберет, потому что нельзя судить по внешности, будь то даже колбасо-сарделечные изделия! Раневская поверил и смел «старушку» за милую душу. Потом они честно продолжили делиться колбасой, пока она вся не вышла, и Раневская, ввиду отсутствия прикладного мясного интереса, улегся в углу, а Андрей заварил себе чаю.

Допивая чай «с таком» и чувствуя приятную тяжесть в желудке, Андрей подумал о том, что сейчас делает девушка Маша. Наверное, ужинает салатом из, как его... рукколы. Вполне возможно, даже не одна, а в обществе своего холеного друга. Попивают себе вино, думал, засыпая, Андрей. Какой-нибудь «Совиньон». Слушают живую музыку. Какой-нибудь оркестр... Андрей сам не заметил, как заснул.

Снилась ему почему-то бальная зала, навроде тех, что он видел мальчиком на экскурсии в городе Пушкине в Екатерининском дворце. Кружились в бесконечно повторяющемся вальсе пары, и не сразу, но Андрей заметил, что среди них есть Маша и Иннокентий. Маша была в голубом, шелковом, отражающем свет декольтированном платье, волосы сложены в узел на шее. Откинувшись в танце, она не переставала смеяться, не сводя глаз со своего партнера... Андрей стал нервно присматриваться к другим парам: он был уверен, что тоже присутствует на балу, но, как пристально ни вглядывался, себя разглядеть не мог. Зато Машино лицо появилось уже у всех женщин, и она кружилась, запрокинув в упоении голову, уже в малиновых, синих, атласных черных туалетах...

Тут Андрей оглянулся и заметил, что стоит у двери, а вытянувшийся по другую сторону лакей подмигнул ему по-панибратски жуликоватым глазом. И Андрей понял, что он здесь вовсе не среди танцующих, а промеж обрамляющей дверь прислуги. Он растерянно поднял руку, чтобы дотронуться до головы, и пальцы почувствовали жесткий волос дешевого напудренного парика...

Андрей в ужасе открыл глаза — жесткий волос под рукой оказался пришедшего подластиться Раневской.

— Черт-те что! — сказал он себе вслух, поморщившись, поворачивая занемевшую шею, с ходу отринув мерзкую мыслишку о фрейдистских снах, уводящих в подсознание. И поднялся, чтобы пойти наконец спать в приличных — горизонтальных — условиях. «А Каравай, — подумалось ему, пока он стягивал с себя ботинки, — хоть и блатная, но не дура. И даже, скажем так, наоборот». На этом нечетком определении Андрей и провалился окончательно в сон. Уже без сновидений.

МАША

Маша сидела на кухне, обложившись литературой. Она смутно представляла себе, где искать. Но отступать было не в ее характере. Во-первых, Библия. Потом — Бердяев, Лосев, Даниил Андреев «Роза Мира», и даже Гоголь — «Мертвые души». Работать на кухне вечером было почему-то уютнее, чем в комнате. Рядом с томом Гоголя стояла вазочка с сушками. Маша, не глядя, выуживала очередную и с хрустом ломала. «Небесная Россия, — читала она сосредоточенно у Андреева, — эмблематический образ: многохрамный розово-белый город на высоком берегу над синей речной излучиной... Небесная Россия, или Святая Россия, связана с географией трехмерного слоя, приблизительно совпадая с очертаниями нашей страны. Некоторым нашим городам соответствуют ее великие средоточия; между ними — области просветленно прекрасной природы. Крупнейшее из средоточий — Небесный Кремль, надстоящий над Москвою. Нездешним золотом и нездешней белизной блещут его святилища...» Близко, думала Маша, но не то, не то!

В кухню зашел отчим, взглянул на стопку книг на столе — пару секунд присматривался к названиям на корешках, уважительно хмыкнул и поставил чайник. Маше показалось, что только что она упустила, рассредоточившись, какую-то ниточку. Она еще раз, в раздражении, прочитала: «Крупнейшее из средоточий — Небесный Кремль, надстоящий над Москвою...» Отчим достал с легким стуком чашку из буфета. Маша вскочила, собрала книжки и вышла из кухни.

— Я тебе помешал? — запоздало крикнул отчим.

— Нет, — глухо ответила Маша уже из комнаты. — Просто уже засыпаю.

Она продолжила читать в постели, когда вдруг кратко треньк нул звонок входной двери. Маша автоматически посмотрела на часы. Одиннадцать. Кто это к ним в такой час? Из прихожей доносились невнятные голоса: материн и чей-то баритон. И когда гость с Натальей проходили мимо ее комнаты по коридору, Маша узнала голос: это пришел Ник Ник.

— Извини, что так поздно. Как всегда, тонны работы...

— Ой, ну что ты, это не поздно. Прости, что тебя «высвистала», просто я очень волнуюсь за...— Дверь в кухню закрылась, и Маша не расслышала последнего слова, но была уверена, что это ее имя.

«Ах вот оно что! — подумала она. — Мама позвала на подмогу «тяжелую артиллерию»!»

На кухне между тем разворачивалось следующее действо: Наталья заварила свежий чай, вынула коробку конфет — очередной неоригинальный презент от благодарных больных — и села напротив Ник Ника. Он посмотрел на нее с улыбкой из-под начинающих седеть широких бровей.

— Все хорошеешь... — сказал он негромко, и она, как в старые времена, рассмеялась и похлопала его по руке:

— Все шутишь.

— Нет, —усмехнулся Ник Ник. — Не шучу. Что с Машей?

— А... У нее погибла подруга. Все это наложилось на практику, которую ты ей организовал на Петровке. Коля, я тебя прошу, выгони ее, а?

Катышев поднял на нее удивленные глаза:

— Наташа, ты о чем меня просишь? Девочка шла к этому так долго...

— Вот именно! — взорвалась Наталья. — Так долго! Со смерти Федора! Я хочу, чтобы это кончилось! Я все ждала, когда у нее начнется нормальная, студенческая, веселая жизнь! И вот скоро уже диплом получит, а в голове все то же: маньяки, убийства, кровь! И твоя практика этой патологии только благоприятствует! Я боюсь, Коля, боюсь, понимаешь?!

— Наташенька, — Катышев произнес имя с той же ласкательной интонацией, что и Федор в свое время, — пойми же, девочка больна этим. Для того чтобы вскрылся нарыв, ей необходимо найти преступника, спасти если не отца, то пусть чью-то другую жизнь... Лучше, чтобы это произошло как можно скорее, и тогда сами появятся какие-то иные желания. Кроме того, ее максимальная зацикленность дает ей фору даже рядом с матерыми профессионалами. Так что дай ей возможность доделать свое дело, а потом уже ищи подходящих женихов.

Наталья Сергеевна молчала и будто не замечала, как рука Ник Ника осторожно, ласково, один за одним ощупывает ее пальцы, то сжимая, то разжимая кисть.

— Не знаю, — встряхнула она головой и устало улыбнулась: — Спасибо тебе. — Она аккуратно вынула свою руку из-под его ладони. — Ты всегда был нам лучшим другом. — И она пошла снова ставить остывший чайник.

— Не хлопочи. — Катышев уже встал: высокий, костистый, с непроницаемым лицом. — Мне уже давно пора домой. Да и тебе надо ложиться.

Она печально кивнула и огладила легким, порхающим движением Катышева по плечу, будто скидывала невидимую соринку.

Катышев усмехнулся и быстро пошел по коридору к входным дверям, лишь на секунду помедлив рядом с дверью в Машину комнату.

ВАРВАРКА
ИННОКЕНТИЙ

Иннокентий послушно сидел и слушал, хотя все уже было ясно. Молодая женщина с бледным лицом и выпуклыми, а-ля Крупская, глазами шла уже по второму кругу. Пару месяцев назад ее мужа нашли иссеченным розгами до смерти, и жена, похожая на обиженное дитя, считала, что это справедливо. Муж, судя по фотографиям, суровый сибирский типаж, с носом уточкой и запрятанными глубоко голубыми глазками, достаточно долго носил жену — Ларису — на руках.

— Он был очень добрым и заботливым поначалу, — всхлипывала Лариса, а Иннокентий кидал недоверчивый взгляд на фото. — А потом начал резвиться... Ну, вы понимаете...

Иннокентий принадлежал, как это ни парадоксально, к тому проценту российского населения, для которого слово «резвиться» по отношению к супругу обозначало скорее некие оригинальные сексуальные практики или — куда банальнее — поход на сторону. Очевидно, некоторая растерянность отразилась у него на лице, потому что Лариса опустила голову и продолжила почти шепотом:

— Бить он меня стал, вот что! А у меня дочка двенадцати лет от первого брака, иногородние мы — и куда податься? Я уже его прошу: колоти хоть не у дочки на глазах! Да какое там! Чуть не в настроении — и сразу с кулаками. А я ж главбухом работала, больше него приносила! Каково мне каждый день синяки замазывать... Я уж и прическу себе придумала такую — вроде болонки заросшей, чтобы ни лба, ни шеи видно не было. Бил, прямо как тренировался на мне, вроде как на груше боксерской. Я ему говорю: Сережа, да за что? А он, когда трезвый был, мне так все по-научному объясняет: я, мол, Ларочка, не злой же человек, ты ж меня знаешь! Гневливый просто. Злости сопротивляться не могу — она в меня как черт вселяется...

Она на секунду подняла глаза на Иннокентия, но, встретившись со взглядом, полным ужаса и сострадания, снова их опустила, продолжила:

— Так ведь часто бывает, — попыталась она найти хоть какое-то объяснение. — Говорят, вначале надо потерпеть, может, уймется! Да и я ж его любила. Ну, и терпела. А потом однажды вызвала полицию. Они как на мою рожу в кровище поглядели, так и сказали сразу: мол, разбирайтесь сами, гражданочка! Мы в ваши дела не лезем... Он после того случая с умом стал бить — в живот, в грудь, да так, чтоб не видно. Но, думаю, может, ребеночка ему сделаю, посмирнее станет? Забеременела. И правда, ходил потише, я родила. Сынок родился нервный, спать не давал, кричал всю ночь напролет, а у нас квартирка маленькая, никуда не спрячешься. Что ему делать-то было? Он уставал. Злой ходил, ну и... снова начал меня бить, а я даже кричать не могу: боюсь сыника разбудить. — Лариса говорила почти скороговоркой, будто хотела как можно быстрее рассказать самое страшное. — Однажды избил меня, я потом кровью изошла, и, знаете, так нехорошо: по-моему, ребеночек у меня был. Я уж после думала, что, может, и лучше так, сразу. Куда ему было в таком кошмаре жить? Ну, а потом... потом я оставила на него сыночка, пока тот в ванной был: игрушки положила, все, чтобы муж только посидел рядом, приглядел. Сама на кухню пошла — ужин готовить, и тут... — Лариса запнулась и опустила голову еще ниже. — Сейчас. Подождите. — Она вынула носовой платок и прижала его ко рту.

— Вам нехорошо? — Иннокентий встал из-за стола и склонился над ней.

Лариса только помотала головой. Он открыл кухонный шкаф, нашел стакан, налил в него воды из пластиковой бутылки на столе, протянул Ларисе. Та выпила, с трудом проталкивая воду сквозь судорожно сжатое горло.

— Это для цветов, — сказала она наконец.

— Как? — не понял Кентий.

— Вы мне воду дали, которую я для моих цветов отстаиваю.

— А... простите.

— Да ничего, не отравлюсь. Убил он мальчика моего, вот что!

Иннокентий вздрогнул, а Лариса взглянула на него снизу вверх тоскливо, угрюмо, будто не тряслась только что пять минут в беззвучном рыдании.

— Уж не знаю, как это произошло: сынок ли мой сам поскользнулся, головка под воду ушла... либо он его держал. Только вот точно — не помог. Видно, криков не стерпел, а бить такого, восьмимесячного, не то же самое, что бабу, вроде меня, даже не самую крупную: не ясно, попадешь ли с первого раза. Ну, тут я уже как с ума сошла, побежала в полицию, заявление написала, экспертизу сделали. Суд был. — Она замолчала. Потом снова посмотрела Иннокентию прямо в глаза пустым, ничего не выражающим взглядом: — Оправдали его. За отсутствием состава преступления. Прямо там и выпустили... Я его в дом попыталась не пустить — к тому времени замки сменила. Так он соседу снизу, слесарю, кинул сотку и выломал дверь. А потом стал меня бить так, как никогда раньше. Тут уж я кричала — чей теперь сон оберегать? Соседи полицию вызвали — увезли его. Должны были на следующий день отпустить. Я вещи собрала — думаю, вернусь к маме в деревню. Отсижусь. Только не пришел он. А еще через неделю нашли его в канаве где-то за городом. — И она впервые широко, искренне улыбнулась Иннокентию: — Собаке — собачья смерть.

ЛУБЯНСКИЙ ПРОЕЗД МАША

Маша впервые попала в кабинет настоящего импресарио. Настоящий импресарио носил фамилию Конинов, яркие шелковые рубашки и остроносые ботинки, увидев которые Маша сморщилась, как от кислого.

— Я не понял... Что, следствие по делу Лаврентия еще ведется? — произнес он визгливым голосом, и Маша с удивлением подумала, как при таком истеричном фальцете он работает с певцами? Ведь для них, как для профессионалов, тембр и интонации должны быть очень важными.

— Да, мы ищем убийцу, — ответила она, не заметив, как автоматически уравновешивает свой голос: говорит низким контральто и вкрадчиво интонирует. — Прошу извинить за отнимаемое у вас время. Мне бы хотелось как можно больше узнать о Лаврентии — не как о певце, но как о человеке, если можно.

— Ах, боже мой, опять двадцать пять, — устало вздохнул Конинов и закинул ноги на стол. — Ну что могу я рассказать о Лаврюше — я же не его любовница, да и друзьями мы были чисто деловыми. Я помогал ему, и много, но было понятно и Лаврику, и мне, что, как только он выйдет в тираж, наша дружба тоже, уж извините, пойдет туда же. А так он был с задатками большой звезды. — Конинов махнул рукой, чтобы продемонстрировать один из многочисленных глянцевых плакатов, украшающих стены его кабинета. По низу плаката желтыми аршинными буквами шла надпись: ЛАВРЕНТИЙ. Сверху блестел серебряный пиджак, над ним — тонкое мужское лицо с бесхарактерным подбородком. — Бабы от него млели, как от Магомаева, — сообщил ей доверительно Конинов, и Маша понимающе кивнула. — Сейчас покажу. — Конинов нажал на какую-то кнопку на пульте, лежащем на столе, и белая стена напротив превратилась в огромный экран. — Такой проект проср.... Простите, упустили!

Маша хотела спросить, имеет ли он в виду под «упущением» смерть популярного певца Лаврентия в жидкой грязи, образовавшейся при прорыве трубы в Лубянском проезде, но промолчала. А на экране Лаврентий выступал уже в черной, вышитой стразами рубашке, эротично распахнутой на безволосой груди.

«...Я тебе звонил целый день И весь день ходил, словно тень», — выводил Лаврентий неуверенным тенорком, и Маша обиделась за сравнение с Магомаевым. Правда, публика — преимущественно женская, в первых рядах — вела себя действительно весьма активно: что-то выкрикивала, подпевала и подтанцовывала, а однажды камера запечатлела девицу всю в слезах и в подтеках черной туши.

— Я мог бы из него слепить Диму Маликова, смотрите, какая улыбка! — Конинов почти влюбленно смотрел на съемку своего протеже.

Улыбка у Лаврентия и правда была очень хороша: ровные белые зубы, ямочки на щеках, озорно блестели чуть подведенные глаза. Маша поймала себя на том, что певец ей неприятен просто на каком-то физическом уровне.

— Нет ли у вас каких-нибудь интервью с Лаврентием? — спросила она, и Конинов оживился:

— Конечно, есть, девушка! Конечно! Я попрошу проводить вас в наш кинозал, и вы там все сможете отсмотреть.

Он был явно рад с ней распрощаться. Пожав чуть влажную, мягкую руку импресарио, Маша последовала за длинноногой секретаршей в тот самый кинозал и отказалась от любезно предложенного кофе.

Маша смотрела на экран, где сменялись клипы, краткие вопросы, задаваемые на выходе после концерта:

— Как вы оцениваете нашу нижегородскую публику?

— О, я считаю, что это самые благодарные зрительницы России...

Вопросы, задаваемые в гримерке перед выходом на сцену:

— Чем ваша новая программа отличается от предыдущей?

— Только лучшие песни — новые и старые!

Вопросы в студии на День святого Валентина:

— Скажите, Лаврентий, вы влюблены?

— Нет, я еще жду свою единственную.

Маша уже начала терять надежду. Она затеяла весь просмотр, надеясь, что в интервью, хотя бы из вечной страсти к самообнажению у людей публичных, Лаврентий выдаст о себе какую-нибудь информацию. Уцепившись за которую она, Маша, как охотничий пес, вытянет из глубокой лисьей норы причину, по которой неизвестный убийца выбрал именно поп-певца, чтобы столь нетрадиционным образом покончить с ним в месте, где в Иерусалиме находится Масличная Гора.

Но все было всуе: идиотские банальные вопросы получали пошлые же в своей банальности ответы: это походило на игру в пинг-понг, где мячик взаимной ограниченности перескакивал от журналистов к звезде и обратно. Она сидела в темном зале часа полтора и хотела было выйти на свежий воздух: так ее уже мутило от Лаврентия с его золотыми и серебряными пиджаками, когда вдруг в одном из прямых эфиров Лаврентию задали вопрос про родителей. Откинувшись в кресле, певец вальяжно говорил о своих корнях. Корни были, ясное дело, дворянскими (да и кто бы, вглядевшись в столь аристократический облик, в том усомнился?), родители его умерли, когда он еще был младенцем, оставив лишь серебряный портсигар с монограммой, с которым он никогда не расстается (портсигар был извлечен из кармана и продемонстрирован всем присутствующим). Также была продемонстрирована акварель художника Поленова, где последний запечатлел семейную усадьбу под Москвой, которую большевики у семьи экспроприировали (последнее слово певец произнес в два захода). Чуть ироничный журналист задал еще парочку вопросов о благородных предках, о месте их погребения (оказалось, Новодевичье) и затем, явно удовлетворенный, предложил телезрителям и звезде посмотреть один сюжет. Нет, даже не сюжет: так, сюжетец.

А сюжетец меж тем был прелюбопытный: демонстрировалась блочная пятиэтажка эпохи Никиты Сергеевича. Выглядела она привычно: негламурным местом жительства негламурных граждан. Перед домом цвели вишни, и по ним да еще по особому, синему оттенку неба можно было догадаться, что стоит пятиэтажка где-то много южнее Москвы. На лавочке перед одним из подъездов сидели два старика. Они смущенно переглядывались между собой, пока камера медленно приближалась, выхватывая детали: выцветшее голубое крепдешиновое платье на ней, ноги с распухшими суставами, втиснутые в светло-коричневые босоножки эпохи восьмидесятых. Песочного цвета чесучовые брюки на старике, потрепанные сандалии, мешковатый пиджак... И белая, явно парадная рубашка, в воротнике которой тонула морщинистая кадыкастая шея. Камера немилосердно сужала дистанцию, пока не остались только лица: старики были похожи друг на друга, как брат с сестрой — одинаковые крупные носы, поджатые губы и мелкая сетка кровяных сосудов на добродушных физиономиях. Камера чуть сдвинулась в сторону, и в поле зрения попал московский журналист, выглядящий в своих модных узких джинсиках нелепо, как кузнечик.

— Капитолина Савельевна и Виктор Саввич, — вкрадчиво начал он, — всю жизнь проработали вместе на одних объектах малярами-штукатурами. Капитолина Савельевна, — спросил он старуху, — расскажите нам о вашем сыне.

Старуха смущенно улыбнулась и с мягким малороссским акцентом рассказала всей стране о том, как они любят и гордятся Лаврушенькой: ведь он стал большим человеком, живет в Москве, поет по телевизору. Капитолина достала потертый на углах семейный альбом — под пристальным глазом камеры проплыли фотографии Лаврика младенца, кудрявого мальчугана, прыщавого подростка. Голос Капитолины за кадром с нежностью комментировал каждую из фотографий. Затем был извлечен другой альбом — в нем Лаврентий представал уже поп-звездой: вырезки из «Каравана историй», «Комсомолки», «Работницы»... Рейтинг «самых сексуальных» певцов российской эстрады, лауреат конкурса «Мистер улыбка», премия «Триумф» — не совсем понятно, за что...

— Только не видим мы его больше, Лаврушеньку-то, — пожаловалась корреспонденту Капитолина. — Как уехал в Москву, так у нас и телефона-то его нет. Видим по телевизору — вроде жив-здоров, потом — девушка у него появилась, хорошая такая, тоже певица. Но расстались они почему-то. А нам так внуков хочется понянчить...

Трепетный сюжет оборвался на крупном плане старика-отца — в уголке глаза притаилась старческая тусклая слеза. Под идиотский гром аплодисментов мы вернулись обратно в студию, и, пролетев над восторженными фанатами, камера остановилась на Лаврентии.

— Все ложь! — закричал певец, и даже его золотой пиджак топорщился от возмущения. — Ложь и провокация! Да я на вас в суд подам! — Красивый тенор перешел на визг, сквозь сценический макияж проступили красные пятна.

Как ни странно, глядя на него и правда было сложно поверить, что он сын своих родителей. Брезгливо сморщившись, Маша выключила передачу и вышла из кинозала. Попрощавшись с ассистенткой, она сказала, что не будет больше беспокоить господина Конинова и сама найдет дорогу.

* * *

С Кентием они встретились только вечером: он забрал ее после последнего «свидания» с фигурантом по Небесному Иерусалиму, отдал кассеты со своими записями. Она села в машину, глядя прямо перед собой на начинающий темнеть город, а в голове все звучал визгливый голос, перед глазами стояли лица стариков.

— Никогда никого не рожу, — вдруг сказала она и почувствовала, как подобрался рядом Иннокентий.

— Забавно, но и у меня тот же вывод после сегодняшнего свидания...

Маша повернула голову, всмотрелась в кентьевский бледный правильный профиль.

— Что, тяжелая история?

Иннокентий ничего не ответил, только скривил губы, и Маша поняла: история, которую ей еще предстоит прослушать, действительно тяжелая. Иннокентий был непривычно молчалив, и глаза... глаза были даже не уставшие — измученные. Маша на секунду пожалела его. Книжный мальчик, всю жизнь исследующий давно ушедшие нравы, чей душный смрад развеян ветром времени столетия назад... А в настоящем от тех эпох осталось только прекрасное: пятиглавые церкви с горящими на солнце куполами да иконы с тонкими ликами. «Бедный Кентий, — покаянно думала Маша. — Вот не повезло с подругой детства. От изысканного общества коллекционеров — к самому средоточию человеческой низости». Она виновато дотронулась до его руки, лежащей на руле, — какая все-таки прелесть эти отношения, начатые в младшем школьном возрасте. Ничего не надо говорить. Все и так понятно. Маша глубоко вздохнула и чуть приоткрыла окно — они проезжали мимо Ленинских гор, и вечерний воздух был на удивление свеж. Маша прикрыла веки и — заснула.

Она не почувствовала, как, остановившись на одном из светофоров, Иннокентий повернул к ней лицо, схожее с маской карточного джокера: подсвеченное голубоватым светом уличного фонаря с одной стороны и с красным отблеском от светофора на другой щеке. Кентий смотрел на Машу, и глаза его казались темными. Что в них было? Нежность? Уставшее от самое себя за давностью лет чувство? Красный блик на щеке сменялся зеленым, снова красным...

А Иннокентий все смотрел и смотрел на Машу и никак не мог наглядеться.

АНДРЕЙ

Андрей позвонил в обитую добротной коричневой кожей дверь и не удивился, когда вместо обычного звонка раздались трели, близкие к соловьиным. Черт бы побрал этого любителя красивой жизни! И его подружку — Машу, по совместительству его стажерку. Иннокентий открыл ему почти сразу и встал на пороге своей квартиры, как герой двенадцатого года в портретном изображении в полный рост: небесной голубизны рубашка и джинсы — явно чтобы потрафить своему гостю. «А вот выкуси», — подумал не без внутренней ухмылки Андрей. В последние выходные он сходил в ГУМ и купил себе брючата. Классические, темно-синие, в вельветовый рубчик. Они стоили бешеных денег, и он сам на себя злился, когда вынимал кошелек из кармана. Злился, но вынимал-таки, потому как знал, что не сможет появиться перед этим выпендрежником еще раз в старых джинсах. А появившись, в ту же секунду понял, что час его торжества откладывается на неопределенный срок. Во-первых, поскольку хозяин был действительно молодцом, потому как даже изменил своей обычной элегантности, чтобы гостю стало уютнее у него в доме. И во-вторых — джинсы Иннокентия были такого качества, что Андреевы брючата сразу, прямо-таки на глазах, показались ему много менее интересными. Поэтому Андрей вновь вошел в состояние ставшего уже обычным для себя раздражения и, завидев в коридоре Машу, тоже в джинсах (сговорились они тут, что ли?), только кивнул. И просто почувствовал, как те двое обменялись за его спиной растерянными взглядами, от чего разъярился еще пуще.

— Проходите в комнату, а я сейчас что-нибудь соображу на кухне. — Иннокентий указал направление по коридору, и Андрей пошел за Машей, стараясь не глядеть по сторонам. Ну, подумаешь, идеально выровненные белые стены, на которых особенно эффектны потемневшие лики старинных икон. И мебель — ядерная смесь дизайна с антиквариатом. Ярко-красная софа каплевидной формы, светильник стальной загогулиной и рядом — простой, без позолоты, секретер в стиле ампир с кожаной столешницей, за ним — кресло плавных изгибов эпохи Людовика XVI, обитое той же красной тканью, что и модерновая софа. На стене в комнате уже не было икон — лишь огромная черно-белая фотография широко распахнутого глаза. Фотография показалась Андрею смутно знакомой, а интерьер — он был в том уверен — тянул на обложку модного журнала по декору... которых Андрей никогда и в руки не брал.

На секретере стояли фотографии, и Андрей задержался перед ними — ему не хотелось первому начинать беседу. Но, приглядевшись к черно-белым снимкам, растерялся — на всех хозяин дома был не один. А с Машей Каравай. Машей лет десяти, почему-то с рапирой в спортивном костюме — юный Иннокентий напротив; Маша-подросток с распущенными волосами, глядящая куда-то вдаль, Маша с Иннокентием на каком-то банкете в вечернем туалете, неуверенно улыбающаяся в объектив. Андрей смутился, кашлянул, повернулся к Маше, сидящей в кресле рядом с низким столиком, на котором высилось несколько различных бутылок и три бокала. Маша пересеклась с ним взглядом и чуть покраснела:

— Иннокентий хотел, чтобы мы выпили за успех дела...

— И не только выпили, а еще и перекусили. — Иннокентий вошел с подносом, на котором рядками лежали птифуры, от которых шел одуряющий запах свежей выпечки. — Сразу предупреждаю, что стряпуха — не я. Я только сунул в духовку. Так что не разоряйтесь на комплименты!

Маша засмеялась и первая взяла с подноса изящную корзиночку с лососем:

— Спасибо, Кентий. А есть-то хочется зверски!

Андрей последовал Машиному примеру. Смешные манерные корзиночки оказались вкусными, и он почувствовал себя Раневской, добравшейся до собачьего гастрономического рая: почти так же, как и пес, закладывал себе в рот сразу несколько «штучек» и быстро глотал, смутно надеясь, что хотя бы не издает тех же гортанных звуков. Иннокентий меж тем с вкусным чмоканьем открыл бутылку вина, налил сначала Маше, потом вопросительно взглянул на Андрея. Андрей, не способный из-за чертовых птифуров произнести что-либо вразумительное, лишь кивнул на бутылку виски, и Иннокентий наполнил ему массивный граненый стакан, бросил пару кубиков льда. Андрей осторожно взял стакан в руку, боясь сделать опять что-нибудь не светское, но потом плюнул, чокнулся с Иннокентием (поддержавшим его с виски) и с Машиным бокалом с вином и глотнул «Джонни Вокера», который пил не слишком часто, но любил.

— Ну что ж, — сказал Андрей, оглядев ассамблею, и впервые тепло улыбнулся этим двоим, чувствуя, как золотистый напиток находит путь к сердцу и настроение улучшается. — Что накопали нового?

Иннокентий значимо переглянулся с Машей. Но Андрея это уже не раздражало: ребята знакомы с детства и, конечно, понимают друг друга без слов. Они же друзья. Дру-зья. Может, настроение улучшилось совсем даже не из-за виски?

Будто уловив смену его настроя, Маша улыбнулась в ответ и полезла в сумку, откуда вынула целую пачку мелко исписанных листков.

— Я завела отдельное досье по каждому из пострадавших. Мне кажется, будет правильно, если мы начнем с того, что попытаемся навести порядок и как-то классифицировать, что ли, их возможные прегрешения.

Андрей кивнул, пригубил виски.

— Итак. — Маша еще немного стеснялась, но постепенно голос ее выровнялся, и она стала спокойно аргументировать, не подозревая, что каждая ее интонация — точный слепок манеры адвоката Каравая. — Что у нас есть? У нас есть цифры «1», «2» и «3» — трое убитых на Берсеневской набережной. Двое мужчин, одна женщина.

— Номер один, — вступил Иннокентий, — вполне безобидный персонаж... Кроме болтовни, упрекнуть не в чем. Но есть одна любопытная деталь: отец его — священник и он с ним не ладил. Кривлялся в церкви во время службы. В общем — богохульствовал. Но так, по мелочи и от глупости.

— Вторая, — Маша внимательно посмотрела на Андрея, — обвинила своего любовника в изнасиловании.

— А что так? — поинтересовался Андрей.

— Она оказалась беременной, а он не хотел разводиться и...

— Все ясно. Его засудили?

— Нет, оправдали. Чуть было не засудили девушку за лжесвидетельство, но в результате решили не связываться. Правда, жена сидела в зале и, говорят, при всех прокляла разлучницу.

— Ну-ну. Даму можно понять. Надеюсь, мы ее не подозреваем?

— Я не проверяла, — закусила губу Маша. — Но мне кажется, это не связано с нашей версией.

Андрей усмехнулся:

— Вот об этом я и говорю — факты под версию, а не версию — под факты. Ладно. Дальше.

Маша чуть покраснела, и Иннокентий мгновенно пришел ей на помощь:

— И наконец, номер третий — Солянко. Профессиональный спортсмен, претендент на олимпийское золото. Его подозревают в том, что он подложил наркотики-транквилизаторы своему основному сопернику, Снегурову.

— Подозревают?

— Точнее, подозревает этот самый Снегуров. Говорит, так сказать — cui prodest: «ищите, кому выгодно».

— Так и сказал? — усмехнулся Андрей.

Иннокентий усмехнулся в ответ:

— Примерно.

— Ну, и что мы имеем?

— Мы имеем, — тихо сказала Маша, — три трупа на месте Государевых садов в средневековой Москве, прообразе Гефсиманского сада. Один оскорблял церковь, другая лжесвидетельствовала, третий оболгал товарища. И у всех вырваны языки. — Они помолчали.

— Стройно...— не мог не согласиться Андрей. — Продолжайте, стажер Каравай.

— Номер четыре — пьяница, найденный в Кутафьей башне, на месте храма Гроба Господня в Иерусалиме. Цифра — в виде свежей татуировки на плече. Участковый утверждает, что раньше ее не видел.

— С этим я провалился, — развел руками Иннокентий. — Только время потратил и хороший костюм... — Он остановился, столкнувшись с Андреевым ироничным взглядом. — В общем, зря беседовал с тамошним алкогольным гуру. Кроме того, что Николай Сорыгин был человек-цветок, ничего не выяснил.

— Это еще что?

— А это значит, жил, как растение, пил водку, как дышал, и так далее. Ничем не интересовался. Ничего плохого не делал. Впрочем, ничего хорошего тоже. Эдакий архетип пьяницы. И замечу, и убили-то его именно водкой, по старинному, как водится у нашего мрачноватого Робин Гуда, способу...

— Следующим, — сказала Маша, — мне кажется, был архитектор Гебелаи...

— Это не тот ли, что кучу народу положил: сконструировал станции метро, а те обвалились?

— Он. — Маша взглянула Андрею в глаза и не выдержала: — Андрей, на самом деле я уверена, что это наш маньяк! Мы даже не стали выяснять гебелаивские прегрешения — тут и так все понятно. Были сотни жертв. Вина архитектора доказана. Но обвинение сняли по амнистии. Его нашли в квартире на Ленивке...

— Яффские ворота Иерусалима, — встрял Иннокентий. — Он умер от истощения, а был заслуженным архитектором, лауреатом всевозможных премий, богатым и обласканным. На него был пришпилен орден. Прямо к коже. — Кентий протянул Андрею фотографию ордена, найденную в Интернете. — Это орден третьей степени «Ахьдз-апша», выдаваемый в Абхазии за особые заслуги. В нем семь лучей. Два из которых были обломаны.

— И их осталось пять, — мрачно подытожил Андрей и привычно потер переносицу. — Хорошо. Давай дальше.

— Дальше — мы смогли опознать руку.

— Какую руку?

— Помните, полгода назад дело о руке отдельно от тела и с картиной Шагала? Так вот. Мы вышли на коллекционера, у которого эта картина была украдена. И он опознал руку.

— Опознал руку? — Андрей поглядел на них скептически.

— Этот человек обладает уникальной зрительной памятью, — подтвердил Иннокентий. — Он узнал татуировки на руке: они встречались с вором, Самуйловым, во время дачи свидетельских показаний. Дело в том, что он не первый раз грабит одних и тех же коллекционеров.

— Мне кажется, рука — это символ, — сказала Маша. — Убийце было все равно, какого убить вора, главное — вора.

— Согласен, — кивнул Иннокентий. — Рука для него — знак. Как, знаете, иероглиф, обозначающий понятие «воровство». К тому же руки ворам отрубают со Средневековья и по сей день.

— Где? — спросил Андрей. Но Иннокентий его понял.

— Покровский собор — гора Сион. Помните, во времена Грозного его так и называли — «Иерусалим»?

Андрей, конечно, ни черта не помнил. Но вдруг почувствовал, будто на него пахнуло нездешним холодом. И был рад тому, что Иннокентий плеснул ему в стакан еще виски.

МАША

Маша не совсем поняла, почему хмурый поначалу Андрей так явно разгладился лицом, но отнесла это целиком за счет хорошего алкоголя.

«Надо будет носить фляжку с собой на Петровку», — хихикнула она про себя. Но не могла не признаться что таким, доброжелательно-расслабленным, Андрей стал ей много более симпатичен. Он наконец был не в джинсах, и тонкий свитер не скрывал, а подчеркивал отсутствие жировых отложений. «Наверное, спортом занимается, как ненормальный», — подумала Маша чуть виновато, стыдясь своего неиспользованного абонемента в спортклуб. И еще ей понравились его руки: кисти, обхватившие стакан с виски, были неожиданно — неожиданно для ее восприятия неприятного начальника — не грубыми, пальцы — пропорциональными небольшой ладони — гибкими, чуткими. И глаза — когда смотрели на нее без обычного раздражения — пронзительными, несмотря на казавшийся ей всегда скучноватым голубой цвет. Приходилось признать, что капитан Яковлев, хоть и был совершеннейшим для Маши инопланетянином, человеком другой породы и племени, обладал какой-то хмурой... притягательностью, что ли? И Маша смотрела на него с привычной опаской, но и с любопытством. «Наверное, у него было много женщин», — решила она и покраснела. Слава богу, никто на нее не смотрел: Иннокентий, в роли хлебосольного хозяина, подливал гостю виски. А сама Маша решила больше не пить, поскольку даже один бокал уже привел ее к таким нескромным мыслишкам.

— Молодцы! — тем временем похвалил их Андрей. — Молодцы, что опознали жертву — проще будет отыскать тело. Хотя, скажем прямо, без рук их попадается не слишком много.

— Видала, Маня, — подмигнул Маше Кентий. — Вот тебе и первый комплимент от начальства.

— Я польщена. — Маша улыбнулась Андрею, и тот в ответ выдал обаятельнейшую ухмылку. «Надо срочно перестать пить», — подумала Маша, а вслух сказала:

— Переходим к губернаторше — Туриной. Мы не знаем ее порядкового номера, но она тоже убита средневековым способом — четвертованием. Обернута в газеты, где была разоблачительная статья некоего Шишагина А., касаемая ее бесконечного взяточничества. И найдена в Коломенском, находящемся в прямой перекличке с часовней на месте Вознесения Господня в Иерусалиме.

— Согласен, — склонил голову Андрей уже без улыбки.

— Еще певец, Лаврентий... — нахмурилась Маша. — Мерзкий тип, скользкий. Не знаю, за какие прегрешения его «утопили» в грязи, но уверена, повод имелся. Рядом с Политехническим музеем прорвало трубу, он лежал лицом вниз, часы остановлены на одиннадцати вечера, хотя смерть, по экспертам, наступила около шести утра.

— А что у нас там?

— Гора, что тянется от Политехнического музея до метро «Китай-город», накладывается калькой на реальную Масличную гору в Иерусалиме.

— Ясно. — Чем дальше они продвигались по списку, тем более серьезным становился Андрей.

Он поверил, поняла Маша. Он наконец-то поверил! И испугался. А кто бы не испугался на его месте? От убийцы веет холодом за тыщу верст — он не только знает о наших грехах, он нумерует их по одному ему известному списку и подбирает подходящие места. Будто плетет паутину, размеренную и четкую, как экселевская таблица».

— Я что-то замерзла, — сказала она Иннокентию, и тот сейчас же пошел в другую комнату ей за кофтой.

— Мне этот глаз кажется смутно знакомым, — произнес Андрей, как только Иннокентий вышел. — Не могу понять почему. В современной фотографии я не копенгаген.

— Это мой глаз, — смутившись, сказала Маша.

— Что?

— Мой. Это Кентий сфотографировал лет десять назад. У него тогда было увлечение увеличениями. Это было ужасно — мог увеличить до безумных размеров мой нос, например. Я очень переживала: угрожала никогда больше не ходить к нему в гости, если буду в таком виде висеть тут на стене. А глаз — это еще не самый плохой вариант, правда?

— Правда, — ответил Андрей и как-то слишком внимательно поглядел на вошедшего с огромной шерстяной кофтой Иннокентия.

— Держу эту кофту специально для Мани — она вечная мерзлячка, — сказал тот, накидывая кофту ей на плечи.

— Понимаю, — кивнул Андрей. — Так на чем мы остановились?

— Еще есть Катя, — тихо сказала Маша, зябко укутавшись в кофту. — Но это уже домыслы.

— Это не домыслы, Маша, — мягко сказал Иннокентий. — Авария была подстроена. Это факт. Она погибла на Никольской улице — прообразе Виа Долороза в Иерусалиме. И ты сама сказала, что у нее были браслеты. Числом «десять».

Маша молча отвернулась. Андрей посмотрел на изменившееся от жалости лицо Иннокентия. Тот поймал взгляд, грустно улыбнулся:

— Еще есть мужчина, забитый розгами. — Он часто избивал свою жену и, возможно, повинен в смерти своего маленького сына.

— Место? — спросил Андрей.

— Варварка — или Гефсимания.

— Число?

Иннокентий пожал плечами:

— Я только разговаривал с вдовой, считавшей, что ее муж получил по заслугам за свою излишнюю, как она это называет, «гневливость». А про число и спрашивать постеснялся. Но может быть, можно найти в деле?

— Есть еще один, — подытожил Андрей. — Убийца Ельник, которого долго держали в холодильнике, после того как утопили подо льдом, а потом выкинули на берег Москвы-реки.

Иннокентий расширил от удивления глаза...

— Да знаю я, знаю, — махнул на него рукой Андрей. — Река жизни, аналог — как ее зовут — Иордана? И, похоже, Ельник, как и найденный вами вор, просто эдакий образчик убийцы.

— Четырнадцать, — сказала Маша. — Значит, их, по крайней мере, четырнадцать. И мы знаем еще не всех.

— Кстати, о цифрах, — встрепенулся Андрей. — Вы что-нибудь откопали?

Маша посмотрела виновато на начальника и опять стала похожа на девочку-студентку.

— Андрей, я не знаю, — призналась она. — Чем больше читаю литературы по теме, тем меньше понимаю. То есть нам нужно найти систему, в которую — желательно по номерам — укладываются все убийства. Нечто вроде своеобразной табели о рангах по грехам. Но у меня ничего не выходит. Вот, например, если просто следовать Библии, грешниками были мытари, блудницы, фарисеи... Но не подпадают все жертвы под эти определения! Или в «Божественной комедии» Данте: I круг — некрещеные младенцы и добродетельные нехристиане; II круг — сладострастники; III круг — чревоугодники...

— Данте — католик, — тихо проговорил Иннокентий. — Отталкивался от семи смертных грехов. А в православии понятия смертного греха не существует.

— То есть все грехи — несмертные? — спросил Андрей.

— Или наоборот — все, что есть, смертные. А наш маньяк помешан на чисто православной, средневековой идее Нового Иерусалима. В ту пору противостояние католицизм — православие было много жестче, чем сейчас. — Иннокентий не выдержал — снова сел на своего любимого конька. — Католиков называли «латинянами», их способ верить приравнивался к ереси. Преподобный Феодосий Печерский еще в одиннадцатом веке говорил, что «нет жизни вечной живущим в вере латинской». А ближе к интересующей нас эпохе, в шестнадцатом веке, преподобный Максим Грек высказывался в том духе, что обличает «всякую латинскую ересь и всякую хулу иудейскую и языческую...». И ненавидели их почти так же сильно, как раскольников. Впрочем, нет. Свое ненавидится всегда сильнее.

Андрей уж было хотел прервать его, но внезапно понял, что исторический экскурс — не более чем краткая передышка в их бесконечном кружении вокруг неизвестного маньяка. И промолчал.

— А знаете, каков был основной спорный догмат между православными и католиками в Средневековье? — задал вопрос Иннокентий.

Маша и Андрей разом приподняли брови.

— Хлебобулочный! — улыбнулся Иннокентий.

— В смысле? — растерялся Андрей.

— Видите ли, святые отцы православной церкви считали, что хлеб при причастии должен быть квасным, то есть на дрожжах. А католики — что пресным. Пекли каждый свой. Наши уверяли, будучи особами более лирическими, что закваска — нечто живое, с пузырьками — символизирует Бога живого. Поэтому наш хлеб — живой, а их, католический, — мертвый. И бедные католики получают во время таинства евхаристии мертвого Христа.

— И кто прав? — невольно заинтересовался теологической темой Андрей.

— Думаю, как ни обидно, католики. Ведь Тайная вечеря приходится на еврейскую Пасху. А евреи в Пасху вытравляют из дома даже дрожжевой дух. Пасха для них — напоминание об исходе, блуждании по пустыне, а дрожжевой хлеб портится. Поэтому в дорогу берут исключительно сухари, в случае евреев — мацу. Что еще? Православные — и тут совершенно справедливо — отвергают идею наместника Бога на земле — папы римского. Да, и вот важный пункт, — снова посерьезнел Иннокентий. — Что, как мне кажется, существенно для нашего маньяка: в православии нет чистилища. То есть существует только белое и черное: рай и ад. Никаких полутонов.

— Да, жестко, — усмехнулся, поежившись, Андрей.

— Наш, российский, максимализм, — усмехнулся в ответ Иннокентий.

А Андрей отставил давно пустой бокал и встал:

— Спасибо за гостеприимство, мне пора.

Иннокентий и Маша проводили его до порога и смущали, маяча рядом, пока он долго не мог справиться со шнурками ботинок. Наконец он распрямился, покрасневший от усилий, пожал руку Иннокентию и кивнул Маше:

— Вы молодцы. Отлично поработали.

— Подождите! — вспомнил Иннокентий и вынул из кармана листок бумаги. — Вот, — сказал он, протягивая листок Андрею. — Я тут набросал примерный список мест, связанных с Небесным Иерусалимом. Надеюсь, не понадобится, но все же.

— Тщетные мечты, — мрачно усмехнулся Андрей, пробежав список глазами и сунув в карман. — Боюсь, еще как понадобится.

АНДРЕЙ

Андрей не привык себя долго обманывать — если он накормил с утра от пуза Раневскую, надел новые брюки и свежую рубашку, вел машину как сумасшедший, слушая почему-то «Радио-классику», то это потому, что хотел увидеть свою стажерку Каравай Марию.

Но, сказал себе Андрей, исключительно поскольку дело заваривается серьезное, и если бы не Каравай, вряд ли они бы связали все эти «глухари» в одну цепочку. У стажера Каравай оказалась хорошо соображающая голова, и это отметил не только он, Андрей Яковлев, но и анонимный убийца. Иначе зачем выбирать в жертвы Машину подругу? Он заигрывает с ней, подумал Андрей. Дразнит. Вызывает на поединок. И его затопила внезапная волна животного страха за Машу: «Черт бы его подрал, этого маньяка! Попался бы ты мне, гад, я уж... — крутились обрывочные мысли. — Девочку молодую выбрал кулаками махать, с мужиком слабо?» И понимал: нет, не слабо. Просто он, Андрей, ему неинтересен. А Маша — интересна.

И вышел из машины, с силой захлопнув дверцу со смутным чувством обиды и — возможно ли? — ревности. Что-то было между ними: интеллигентной девочкой и беспощадным убийцей. Связь мыслью, более сильная порой, чем телом. Но как до нее добраться в Машиной, явно переполненной через край, башке? Как оградить ее от страшной сцепки с маньяком? Андрей открыл дверь кабинета, кивнул коллегам, подошел быстрым шагом к Маше.

— Маша! — сказал он отрывисто.

Маша подняла на него глаза и улыбнулась. Улыбка быстро пропала: выражение лица у начальства было вновь неласковое и очень решительное. Он тяжело дышал, как будто только что пробежал стометровку. Так оно и было — по лестницам и коридорам Петровки.

— Маша! — повторил он, сев напротив и попытавшись выровнять дыхание. — Я хочу отстранить тебя от этого дела!

Маше не надо было объяснять — какого. Она побледнела так, что, казалось, даже глаза стали темными в обрамлении длинных ресниц.

— Почему? — тихо спросила она. — Что я делаю не так?! Почему вы меня так не любите?

— Дура! — прошипел ей в ответ Андрей. — Дура, хоть и умная! Ты что думаешь, мы тут в бирюльки играем?! Он убил твою подругу, понимаешь?! Он зашел в твою квартиру, одел ее в твои вещи, посадил в твою машину и пустил прямиком в столб! Он знает, кто ты такая! Я не хочу тобой рисковать! У тебя слишком мало опыта, у тебя не выработался еще «профессиональный страх» — нюх, позволяющий чувствовать опасность. Да такой и вырабатывается только со временем...

— Зато я смогла вычислить логику его убийств! — яростно зашептала в ответ Маша. — У меня хватило на это знаний и интуиции, а ни у кого из вас не хватило! Если он убил мою подругу, значит, он хотел мне что-то сказать, это послание! Маньяки очень часто подсознательно хотят, чтобы их поймали! Если я не приму, не расшифрую этот ребус, выходит, Катя умерла зря!

— Вот об этом я тебе и говорю! — заорал, не выдержав, Андрей. — Это не шарады! Он убьет тебя за какие-нибудь только ему известные твои грехи! И извращенно убьет, со средневековым шиком! А я буду виноват!

— Не волнуйтесь, — сухо сказала Маша, убирая документы в сумку. — Никто вас обвинять не будет. Разве что в неблагодарности. — И быстро вышла из кабинета.

— Каравай! — гаркнул Андрей вслед, но она даже не замедлила шага. Эта идиотка упряма, как осел, сказал себе он. Все равно же будет копать под маньяка, даже если он ей официально в этом откажет.

Андрей схватил куртку и кинулся за ней. И даже не заметил, как все в кабинете примолкли и провожают его удивленными взглядами. Маша уже выходила из здания, когда он нагнал ее, схватил за руку и молча поволок к своему автомобилю. Маша не сопротивлялась, шла рядом, глядя в сторону. Он открыл дверцу машины, толкнул ее на сиденье, резко, зло рванул с места.

— Мы едем в морг, — сказал он сквозь зубы, хотя она ни о чем не спрашивала. — В выходные погибла еще одна женщина.

И услышал рядом едва слышное: «Ох!»

— Может, она и не «наша», но проживала по адресу, указанному твоим другом детства. Как место, связанное с Небесным Иерусалимом.

— Где?

— Пушкинская площадь.

— Все правильно, — выдохнула Маша. — Белый город. Третья крепостная стена после Кремля и Китай-города. Построена была в конце шестнадцатого века и — по сходству с Небесным Иерусалимом — имела двенадцать ворот. Сретенские находились на месте нынешней Пушкинской площади.

— Слушай, — Андрей в крайнем раздражении подрезал машину слева, — у меня такое впечатление, что у вас в Москве куда ни плюнь — везде Небесный Иерусалим!

— Мест таких много. По большому счету, весь исторический центр в той или иной степени, — согласилась Маша. — Раньше он прилагал больше усилий и подвергался большей опасности, стараясь оставлять трупы в местах значимых — вроде Покровского собора. А теперь, я думаю, он знает, что мы в курсе, и просто следует подходящим местам, ближе к жертвам...

— Как?! — Андрей резко затормозил. — Как ты можешь знать, что он уже знает, что мы знаем? Тьфу! Ну, ты меня поняла!

Маша пожала плечами:

— Мне так кажется.

— Вот! Об этом я и говорил! — рявкнул Андрей. — Когда кажется, знаешь что надо делать? — Андрей и Маша уже стояли по обе стороны машины, вперившись друг в друга яростными взглядами. И, поняв смысл только что сказанного, Андрей опять сплюнул: что же за дела творятся, когда такой атеист и безбожник, как Андрей Яковлев, только и говорит, что о крещении, грехах и символах Небесного Града?

— Ну, спасибо тебе, вот спасибо! — бухтел он себе под нос, заходя в морг и не удосужившись проверить, идет ли за ним Маша.

МАША

«Кого это он благодарит? — думала Маша. — Убийцу нашего, что ли?» Она еще не оправилась от утреннего потрясения, когда он чуть не выгнал ее с Петровки, отстранив от дела. Бешеный! Солдафон и грубиян. Хотя, конечно, она сама уже поняла, что Катя не могла попасться маньяку просто так, случайно по дороге. По дороге к ее квартире. Значит, он знает о ней, знает ее... И от этой мысли становилось страшно и одновременно, как у гончей собаки, поднималась волна возбуждения, откликаясь дрожью в кончиках пальцев. «Я поймаю тебя, — твердила она невидимому противнику уже в тысячный раз. — Ты же сам не против, правда? Ты устал доказывать свою правоту бездушному миру... Сбрось груз со своих плеч, появись, страшный невидимка!»

Маша даже огляделась по сторонам — на случай, если он все-таки появится. Но нет, прямо перед ней возвышалось здание морга: Андрей придерживал для нее дверь. А за спиной шумела-гудела летняя московская улица.

Пока они шли по коридору с веселым желтым линолеумным полом, Маша старалась не думать о том, что увидит. Увидели же они сначала внушительную фигуру Павла, только собравшегося выйти на перекур. Андрей кратко представил их друг другу, и патологоанатом галантно поклонился.

— Яковлев, тебе всегда так везет на стажеров? — поинтересовался он, резко раздумав курить.

— Не всегда, — буркнул Андрей. — К счастью.

— Грубиян, — интимно наклонился над Машиным ухом Павел. — Но под внешне неказистой оболочкой бьется доброе и благородное сердце.

— Вот всегда так, — пожаловалась Маша Павлу, сразу войдя в его игру. — Как доброе сердце, так неказистая оболочка. Где справедливость?

— В сказках Шарля Перро, — серьезно ответил Павел. — Я их сейчас как раз перечитываю своему младшенькому. Там чудище с добрым сердцем пусть только под конец, но превращается в принца. Для этого нужно его поцеловать — я имею в виду чудище. Хоть оно и очень противное. — Паша ухмыльнулся: — Поцелуйте Яковлева, Маша, а? А ну как он преобразится? Будет хоть изредка доставлять собою приятное эстетическое впечатление, а то ведь вокруг всё трупы, трупы, и все такие, знаете, безобразные... Фу!

Маша рассмеялась, а Андрей повернул к ним красное, гневное лицо:

— Кончай болтать, Рудаков! Что по нашему трупу?

— Ваш труп, надо признаться, стал у нас селебрити. Очень специфический способ убийства... Но — пройдемте в мою келью.

Павел сделал широкий приглашающий жест, и они зашли в прозекторскую, где под белой простыней уже ожидал «их» труп. Павел краем глаза глянул на враз позеленевшую Машу.

— Ммм... демонстрировать всего, так уж и быть, не стану. Зрелище неаппетитное и для бывалых глаз. А уж смотреть на такое юной леди... Вот, покажу лишь ручку, — и он целомудренно приподнял край простыни, укрывавший руку. Но что за руку! Кожи уже не оставалось, а в нескольких местах не имелось и мяса — была видна кость. Маша вскрикнула и вцепилась в побледневшего Андрея.

— Что это? — поднял он глаза на Пашу.

— Точно судить не берусь — я не энтомолог.

— Кто?

— А... специалист по жукам и прочим насекомым. Это муравьи. Вполне, с моей точки зрения, банальные — я тут снял тебе десяток, отложил в баночку. Муравьи, как выяснилось, совсем даже не вегетарианцы...

— Ты хочешь сказать, что она умерла от укусов муравьев?

— Нет. — Павел снял перчатки и устало провел рукой по лбу. — Я делал вскрытие: у нее не выдержало сердце. Ребята, которые приехали на вызов, сказали, что там все кишело этими тварями. Они ели ее живьем, а никто не слышал — стены были звукоизолированы, похоже... Баба эта подрабатывала — то ли экстрасенсом, то ли колдуньей. Клиентов принимала у себя. Поэтому и стены звуконепроницаемые — не хотела, видно, чтобы соседи слышали. Ну, они и не слышали. Слушайте, больше рассказать я вам все равно не смогу, давайте я все-таки пойду покурить, а?

Маша и Андрей вместе кивнули. И пошли к выходу — Маша почти бежала. Ничего не объясняя, она вылетела на улицу, отбежала за угол. И тут ее вырвало.

Андрей нашел ее несколькими минутами позже: она жадно вдыхала загазованный воздух. Протянул старорежимный — огромный, в клетку — носовой платок. Маша только благодарно кивнула.

— Пойдем, — сказал Андрей. — Вот поэтому тоже я не хотел, чтобы ты занималась этим делом. Вообще, на трупы смотреть — то еще счастье. А наш парень орудует так, что зрелище даже не для слабонервных патологоанатомов.

— Я не попрощалась с Павлом, — тихо сказала Маша.

— Ничего. Он поймет. Садись в машину.

Они тронулись в молчании, и, остановившись в пробке, Андрей взглянул на Машино лицо: все еще бледное с внезапно появившимися глубокими тенями под глазами. Его захлестнуло острое чувство вины.

— Прости, что хотел забрать у тебя дело, — наконец произнес он. — Я очень боюсь... — Он запнулся. — За тебя. Такое дело не должно быть первым, понимаешь? Его хорошо бы вообще не иметь за всю сыщицкую жизнь, а тут ты — стажер. — Он хотел еще добавить, что она выпускница престижного юрфака, из интеллигентной семьи, балованная девочка, которая про муравьев только и знает, что в приложении к стрекозе, по басне Крылова Ивана Андреича.

— У меня было менее безоблачное детство, как ты думаешь, — сказала Маша, будто подслушав его мысли.

— Ну-да, ну-да, — согласился Андрей, но видно было — не поверил. Предполагая, что его понятие об облачности-безоблачности детских лет таки отличается от Машиного.

Он довез ее до дома и даже довел до квартиры, за что Маша была ему благодарна: ноги вдруг показались ей ватными, а голова слегка кружилась.

— Все, — сказал он, почти поставив ее у двери. — Отдыхай. Завтра будет много дел, и... Да! Попроси родителей поменять замок, о'кей?

И быстро стал спускаться по лестнице. Маша хотела его окликнуть, чтобы сказать... Что? Спасибо, что ты заботишься обо мне, хотя не должен и тебе это совершенно неинтересно. Спасибо, что оказался лучше, чем я о тебе думала? Или еще более бредовое: ты знаешь, мне с тобой так спокойно, как давно ни с кем не было. Давно — наверное, со времен папы...

Но Маша только провернула ключ в замке и вошла — почти упала в тишину и привычный полумрак прихожей.

ПУШКИНСКАЯ ПЛОЩАДЬ. МАША

Маша усмехнулась и тут же себя одернула: ирония на месте преступления была неуместной. Однако удержаться сложно: квартира Аллы Ковальчук, или Аделаиды, как она себя называла, являлась воплощением китча: везде позолота, вычурный изгиб — эдакое новорусское барокко. Андрей осматривал комнату, где, собственно, и произошло убийство и где Аделаида принимала своих «клиентов». Машу он туда не пустил: даже дверь закрыл. Но запахом распада — страшным, сладким — на нее все равно пахнуло, и она не стала сопротивляться. Она вообще решила Андрею не перечить. По мере возможности. И ругаться тоже исключительно по важным поводам, вроде доказательства своей — несомненной — правоты.

Маша провела рукой по бархатной подушке на диване и даже села: диван мягко просел под ее весом — хозяйка явно себе трафила, будто даже в мебели не желала дисциплины, всяких прямых спинок и твердых основ: только приятное на ощупь, только теплое и нежное. Вот и на журнальном столике лежали любовные романы в сусальных обложках, как если бы Аделаида хотела, чтоб и в мозгу все приходило в полный консенсус с интерьером: столь же розовое, ненапряжное для головы, как диван — для тела. Почему-то Маша вдруг решила, что у незнакомой ей Аллы Ковальчук детство и юность были не сахар, раз она так «добирала» сладкого в зрелости.

Маша прислонилась лбом к окну и выглянула на Пушкинскую площадь: стеклопакеты были тройные, и ни одного звука не проникало в квартиру, отчего казалось, что и люди, и машины, спешащие по Тверской, абсолютно нереальны, будто призраки в бессмысленном хороводе. За спиной послышались шаги — но Маша даже не обернулась. Андрей встал рядом, тоже посмотрел вниз, хмыкнул:

— Как муравьи. — И они оба вздрогнули, вспомнив обглоданную до костей кисть.

— Пушкинская площадь раньше называлась Страстной, — тихо сказала Маша.

— Не знал, — признался Яковлев и посмотрел на нее в ожидании.

— Страстной, — пояснила она, — от страстей Христовых. «Страсти» на старославянском — страдания, муки. — Маша помотала головой, пытаясь отогнать бесконечную цепочку ассоциаций, что выстраивалась в голове по поводу и без.

— Пойдем-ка на кухню, я тебе кое-что покажу. — Андрей вышел из комнаты. На кухне, прямо на столе, перевернутый ножками кверху, стоял стул, совершенно не подходящий к остальному, темного дерева, гарнитуру. Стул был потрепан, выструган явно где-то на мебельных фабриках Беларуси и, похоже, казенный. Андрей перевернул его, чтобы Маша увидела железную табличку с цифрой «15» сзади на спинке. Маша ахнула, а Андрей мрачно усмехнулся:

— Пошли отсюда, — сказал он, и они почти бегом вышли из квартиры и захлопнули за собой тяжелую дверь.

— Знаешь... — Маша спускалась за Андреем, пытаясь попасть с ним в ритм, но запаздывая на пару ступеней: глаза ее постоянно натыкались на коротко стриженную макушку, что отвлекало. — Я тут проверила на цифры Arma Christi, Орудия страстей господних.

Андрей чуть затормозил, и Маша поторопилась пояснить:

— Это инструменты мученичества Христа: столб, бич, терновый венец... По количеству нам подходит, но...

Андрей хмыкнул:

— Но Христос не грешил.

Ниже этажом открылась дверь, и из квартиры вышла девушка в розовом плаще.

— Да, — согласилась Маша. — Но место действия страстей — Иерусалим, вот я и подумала...

Андрей внезапно встал как вкопанный, и Маша с разбега ткнулась ему в спину.

— Извини. — Она схватилась за перила, чтобы выровняться, и чуть порозовела от того, что секундой раньше прижалась грудью к Андреевой спине. Но он не ответил и даже не обернулся, и тут Маша заметила, что девушка в розовом тоже остановилась и смотрит на капитана. И ошеломление на тонком, почти кукольном личике сменяется насмешливой улыбкой.

— Привет, Андрюша! Сколько лет, сколько зим! — пропела девушка протяжным высоким сопрано.

Андрей промолчал, и когда Маша, тихо спустившись двумя ступеньками ниже, заглянула в его лицо, то испугалась — таким оно было бледным.

— Привет, — наконец, сказал он сухо.

Маша всё ждала, что он ее представит, но поняла, что Андрею не до политеса.

— Не думала, что ты тоже в Москве окажешься после нашего-то Мухосранска, — протянула незнакомка, без стеснения разглядывая его с ног до головы. — Может, зря я тебя тогда бросила после школы, а? — И она озорно подмигнула. А Андрей продолжал стоять, молча, набычившись, будто язык проглотил. И Маша вдруг, поддавшись порыву, взяла его за руку, чего тот, казалось, даже не заметил.

Но зато это заметила девушка и впервые взглянула на Машу. Взгляд был покровительственный, хоть девица и стояла на полпролета ниже. На секунду — лишь на секунду — Маша пожалела, что не надела сегодня ни одну из тех дорогих вещей, что покупала ей мать в надежде на то, что дочь однажды станет чувствительна к зову моды. Но тут же выпрямилась и, не отпуская руки Андрея, спустилась на эти самые полпролета, протянув девице ладонь:

— Добрый день, меня зовут Мария. Мария Каравай. — К рукопожатиям девица готова не была. Видно, там, где она жила и работала, здоровались отрывистыми кивками.

— Рая, — сказала девица и вяло пожала Машины пальцы.

— Очень приятно, — улыбнулась Маша улыбкой, которой улыбалась Машина мама, когда ей совсем не было приятно, но она держала себя в руках. — Я хотела вас поблагодарить. Ведь если бы вы не расстались тогда с Андреем, — тут Маша собственническим жестом притянула одеревеневшего шефа к себе и взяла его уже под руку, — мы бы никогда не были так счастливы. Еще раз — большое спасибо! А теперь, извините, нам пора заказывать новую кухню — вы же знаете, если за ними в салоне не проследишь, опять из Италии пришлют прошлогоднюю коллекцию! — И Маша снова лучезарно улыбнулась: — Всего доброго!

— До свидания, — прошелестела девица, не двинувшись с места и уже не улыбаясь.

— Пока! — почти нормальным тоном сказал Андрей, и они снова побежали вниз по лестнице, но теперь молча, и уже Маша была впереди, держа Андрея за руку, которую отпустила, только сев в машину.

Маша тронулась, не глядя на Андрея.

— Прошлогодняя коллекция? Из Италии? — Андрей криво улыбнулся.

— А бог его знает! — пожала она плечами. — Мне срочно нужно было продемонстрировать твою счастливую семейную жизнь.

— Зачем? — Андрей с преувеличенным вниманием смотрел в окно.

Маша сердито на него оглянулась:

— Мне показалось, ты в ней срочно нуждался...

— В липовой семейной жизни?

— Нет, — сказала Маша твердо. — В счастье.

— Ну да. Ну да... — протянул неопределенно Андрей. — Спасибо, кстати.

— Кстати, не за что. — Маша улыбнулась: — Обедать будем?

— Обязательно, стажер Каравай, — улыбнулся Андрей в ответ. — И за счет начальства — за проявленную находчивость!

АНДРЕЙ

Андрей не знал, как себя вести, больше того — не знал, что за солянка варится у него внутри: с одной стороны, то, что стажер Каравай увидела его слабость, было унизительным. С другой — ее реакция, как она мгновенно встала под его знамена, да еще выступив в роли супруги, не могло не тронуть. И не польстить. Он искоса поглядывал на нее за столиком недорогого кафе, которое Маша выбрала сама, явно не желая проделать серьезную брешь в его бюджете. И согласился сам с собой: если бы такая девица стала его женой, он вряд ли бы был так жалок сегодня на лестнице. Те, за которых выходят замуж девушки вроде Маши — перед глазами сразу выросла импозантная фигура Иннокентия, — не тушуются, как подростки, при встрече со старыми призраками.

Маша озвучила свой выбор подошедшему официанту, и Андрею пришлось ткнуть пальцем в первое же, что попалось из мясного в меню, и крикнуть уже вслед удаляющемуся с достоинством гарсону:

— И водки! Двести!

А потом, повернувшись к Маше, он сказал, будто оправдываясь за заказанную выпивку:

— Это была моя первая любовь. — И подмигнул: мол, вот как забавно-то.

— Я так и поняла, — серьезно сказала Маша и неуверенно улыбнулась в ответ.

— Мы собирались вместе покорять столицу, и я надеялся создать ей все условия для творчества — она хотела поступать в Литературный институт.

«На кой ляд я все это ей рассказываю?» — подумалось ему, но остановиться он уже не мог. Глядел прямо на бордовую скатерть и видел лишь периферийным взглядом ее сложенные руки на другом конце стола — с коротко подстриженными ногтями без следов лака.

— Думал, если не поступлю, пойду работать. А она стихи писала. Стихи плохие, наверное, но я в этом ни черта не смыслил. — Он опять усмехнулся: — Да и сейчас не смыслю.— Он поднял на нее глаза: — Ты стихи Асадова любишь?

— Нет, — честно призналась Маша, чуть нахмурившись.

— Ну вот, а Раечка очень любила.

Официант принес запотевший графинчик и хлеб. Маша от предложенной взглядом водки отказалась, но взяла хлеб и стала лепить что-то из хлебного мякиша. А Андрей выпил и молодцевато занюхал коркой: пусть видит, как народ — под народом он имел в виду, конечно, себя, провинциальщину! — пьет и не закусывает. Он понял, что Маша ждет от него «продолжения банкета» и продолжил, ему стало не жалко:

— Она от меня ушла. Раечка. Банально. К лучшему другу. Короткое время ему тоже очень нравились стихи Асадова. — Андрей опять улыбнулся и подлил себе из графинчика. Водка прошла теплом по пищеводу и канула в голодный желудок. Настроение было все равно мутное, но он решил-таки закончить: — Проблема в том, что она ушла тогда, когда у меня в одночасье умер от инфаркта отец. Я ведь, понимаешь, даже не выдержал положенных по трауру дней, так хотел ее увидеть. Чтобы, знаешь, утешила, отвлекла от того кошмара, что дома с мамой творился. И, в общем, нельзя отрицать: отвлечь она меня отвлекла, с этим не поспоришь! — Андрей осклабился и с чувством продекламировал:

Я не знаю последнего дня,
Но без громких скажу речей:
Смерть, конечно, сильней меня,
Но любви моей не сильней.

И когда этот час пробьет,
И окончу я путь земной,
Знай: любовь моя не уйдет,
А останется тут, с тобой.

И опрокинул в себя еще одну.

— В семнадцать лет получить такой тройной удар под дых — это тебе, Каравай, не хухры-мухры! Тем более когда вся голова набита возвышенной фигней в стихах. Так что перед тобой — если ты сомневалась — совершенно уникальный типаж, эдакий Железный Феликс: он летал с пятого этажа — и отделался царапинами. Объелся снотворным — получил промывание желудка. Даже под поезд ложился, но тот, гад, успел притормозить — и меня еще в кутузке продержали за дурость. Я б мог еще поэкспериментировать, но мать пожалел, да и фантазии больше ни на что не хватило.

Он посмотрел в потрясенное Машино лицо.

— Да, стажер, а ты как думала? Так и приходят на службу Родине люди, по-настоящему преданные своему делу!

Маша дернулась, будто хотела что-то сказать, но так ничего и не произнесла вслух, только в глазах, внезапно заблестевших, — но не от восторга, а от бабской, унизительной жалости, — трепыхалось то самое желание, которое он так хотел, чтобы появилось тогда, давным-давно, у Раечки: утешить, погладить по голове.

«Поздно, поздно пить боржоми, — подумал он с внезапной злостью. — И не надо меня жалеть, дурочка! Я сам себя вот как отлично пожалел!»

— Я понимаю, — вдруг сказала Маша, спрятав руки под стол, словно пытаясь удержать их от того, чтобы дотронуться до его руки. — Это как будто внезапно пропадают все ориентиры. Становится не просто больно, но очень страшно жить.

— Понимаешь? — ухмыльнулся он, а сам почувствовал, как стыд за свой дешевый эксгибиционизм, за весь этот нарочитый ироничный налет при позе романтического героя переходит в злое раздражение. Такое сильное, что аж в носу защипало: — Правда? Понимаешь? Да чего ты можешь понимать-то, кроме своих маньяков? Ты ведь и с ними носишься, как с куклами Барби! Ты ж извращенка, Каравай! Ты что, когда-нибудь кого теряла? Чтоб одновременно: любовь, дружбу, отца? Или, может, знаешь, каково это, летать с пятого этажа? Тебе чего в жизни не хватало? Трюфелей? А... Знаю! — рассмеялся он громко, да так, что за соседними столиками стали оборачиваться. — Не привезли коллекцию этого года из Италии!

Маша молча встала, положила на стол пару купюр и вышла из кафе.

— Дура! — крикнул ей вслед Андрей, хоть и знал, что она его уже вряд ли услышит. — Дура! — подтвердил он обернувшимся за соседними столиками, которые поспешили вернуться к своим тарелкам. Официант принес заказ: Машин салат и его тушеное мясо.

Но у Андрея уже не было аппетита: он допил свою водку и, тоже кинув на стол каких-то денег, вышел из заведения.

* * *

Вообще-то хозяину не пристало покаянно бить себя в грудь при домашнем животном. Животное могло счесть, что хозяин может совершать ошибки, а сие абсолютно недопустимо с точки зрения хозяйского имиджа и общей дрессировки. Но кроме Раневской, Андрею было некому на себя пожаловаться.

— Я долдон! — говорил он с утра всепонимающему Раневской, жаря яичницу. — Повел себя как полный придурок: сначала исполнил «на бис» арию уездного страдальца, а когда получил ожидаемую реакцию, сам же ее и оборал! Нет, ну скажи, не кретин?! — Морда Раневской выражала одновременно «Ты прав, хозяин» и «Ты, хозяин, совсем не кретин, а даже, наоборот, прекраснейший из людей».

Тут Андрей вспомнил, что подхалим еще не кормлен, вздохнул и отрезал ему колбасы. Раневская сразу сместил свой взор и преданное внимание к куску в миске.

— И ведь что самое ужасное? Что она в тот же день повела себя, как... — Андрей задумался, дожевывая яичницу. «Как настоящий друг», — подумал он, но не озвучил даже Раневской. Настоящий друг по отношению к Маше Каравай звучало правильно, но как-то... неприятно. Андрей вздохнул, отодвинул чашку с остатками растворимого кофе. Трепанул поглощенного колбасой Раневскую по жесткой лохматой спине и вышел с дачки с намерением как можно скорее добраться до Петровки. И, черт возьми, до Маши!

Когда полутора часами позже Андрей зашел в кабинет и увидел пустую — во всех смыслах — Машину половину стола, на него вновь накатило тошнотворное чувство вины. Он бросился к телефону и собрался уже набирать Машины номера — до бесконечности, пока та не ответит... но внезапно понял, что у него нет номеров стажерки Каравай. Маша всегда звонила сама, и Андрею просто не приходило в голову, что ему могут понадобиться ее телефоны. На секунду он замер, а потом начал выгребать все из карманов летней куртки. Где-то тут должна была быть карточка плотного белого картона с изящной надписью «Иннокентий Алексеев. Антиквар».

У Иннокентия Алексеева, антиквара, точно должны быть номера Машиных телефонов. Более того — что-то подсказывало Андрею, что Иннокентий Алексеев должен помнить их наизусть.

— Да, я слушаю, — послышалось в трубке — искомая визитка была наконец найдена.

— Добрый день, — сказал Андрей. — Это Андрей Яковлев, Машин, э... начальник.

— Да-да...

Андрею показалось или в голосе у антиквара послышалась ирония?

— Я помню. Машин начальник. Слушаю вас.

Андрей разозлился и продолжил сухо:

— Маша не вышла на работу. В свете последних событий... — Он замолчал.

— Согласен. — Голос Иннокентия тоже стал озабоченным. — Это странно. У вас нет ее телефонов? Давайте я продиктую.

Андрей записал телефоны, наскоро распрощался с Иннокентием и уже протянул было руку, чтобы набрать только что добытый номер, как телефон залился трелью внутреннего звонка. Анютин вызывал его на ковер. Сейчас же.

В кабинете полковника сидел Катышев, всем своим видом выражая скромность своего присутствия, и

Андрей принял условия игры: начал докладывать, не глядя на прокурора, ситуацию по Пушкинской площади. Отсутствие следов при страшной сценографии убийства: жутковатый тандем, сам по себе являющийся сигнатурой. Не осталось никаких сомнений, что в Москве орудует маньяк-убийца. Анютин и Катышев молча переглянулись.

— Версии? — повернулся к нему Анютин.

И Андрей решился:

— Стажер Каравай предложила версию, несколько экзотическую, но она вполне вписывается в общую картину.

— Мы вас слушаем, — вступил Катышев, склонив лысеющую голову набок.

— Небесный Иерусалим. — Андрей впервые сам произнес магическое словосочетание, и оно странно резонировало в кабинете полковника.

— Как? — изумленно переспросил полковник, а Катышев просто молча на него уставился.

— Небесный Иерусалим — что-то вроде легенды из Писания. Святой город на небесах, — объяснил Андрей и сразу почувствовал себя идиотом. — В Москве есть реальные точки, символически связанные с этой легендой, — поторопился продолжить он. — В этих местах и находят трупы. Мы раньше не могли понять, почему убийца перемещает тела — или части тел. Думали, он пытается замести следы в плане времени. Но время тут ни при чем! Ему нужно было указать нам точное место. Все эти районы связаны со Средневековьем, и убивает преступник средневековыми же способами. Мы привлекли к работе историка, — Андрей бесстрашно посмотрел прямо в глаза Анютину. — Так вот, он предсказал место, где мы можем обнаружить следующий труп.

— Что за бред! — пророкотал полковник, но Катышев остановил его жестом.

— Продолжайте, — сказал он.

И Андрей продолжил.

Когда через час он вернулся в кабинет, то с облегчением понял, что начальство ему поверило. Или, по крайней мере, попыталось. И Андрей его — начальство — не винил. Он сам до сих пор не мог полностью поверить. Надо было продолжать копать и уговорить Анютина выделить следственную группу — подмога была необходима, факультативной помощи от антикваров решительно не хватало. Он помнил о звонке Маше, но чувство вины несколько притупилось оттого, что в кабинете Анютина он несколько раз подчеркивал: смелая догадка исходит от стажера Каравай. Это хоть и было чуть унизительно, но оправдало его в собственных глазах.

А дел накопилось — невпроворот.

МАША

Маша сидела на полу в своей комнате в пустой квартире и прокручивала — без конца — записи. Сделанные ею самой и принесенные Кешей. Книги стояли стопкой рядом с кроватью, валялись на стуле, занимали все пространство стола. Книги, книги, книги... У нее уже не было сил читать, но остались силы слушать. Она слушала малознакомые голоса свидетелей и близких жертв, слушала так, как если бы в этих интонациях, в паузах, в едва различимых модуляциях голосов был скрыт какой-то код. Тайнопись, которая даст ей доступ к этим чертовым номерам: написанным кровью, вы-

травленным на коже, выбритым на затылке, зашифрованным бесконечными способами: от сломанных лучей до браслетов на мертвом запястье любимой подруги. «Раз, два, три, четыре, пять, я иду искать... Кто не спрятался, я не виноват!» — будто шептал ей за плечом тихий голос убийцы. Она дернула отяжелевшей головой, словно лошадь, отгоняющая неотступного слепня, и снова отмотала диктофон на первую запись: «А у Славки, по-моему, никого до меня не было — один треп! Его послушаешь, так сама Софи Марсо предлагала ему себя на Московском кинофестивале — вот прям спустилась в метро после гала-вечера и предложила...»

Маша подняла взгляд на фотографию на стене: отец смотрел на нее все с той же спокойной нежностью...

— Прошел еще один год, папа, — прошептала Маша. — А я так ничего и не сделала. Я ни на что не гожусь, ни на что! А я так старалась!

* * *

Лет с двенадцати... Когда забросила кукол и переключилась на маньяков, выродков, серийных убийц. Маленькая девочка с линованной тетрадкой в 96 листов. А в линованной тетрадке — не песенник, не фотографии кумиров и не засушенные цветы и анкеты для сверстниц с сакраментальным вопросом: хотела бы ты остаться моей подругой на всю жизнь? Ах, нет, нет. Все то, да не совсем.

Фото кумиров — вот, пожалуйста: гравюра пятнадцатого века — Жиль де Ре. Первый отмеченный в истории маньяк-убийца, телохранитель Жанны д'Арк и прототип Синей Бороды, замучивший в своем мрачном средневековом замке от 80 до 600 человек, в подавляющем большинстве — юных мальчиков. А за ним: копия полупрозрачной нежной акварели — Салтычиха в кружевном чепце, набожная вдова, любительница щипцов для завивки. А дальше — Тед Банди, американский маньяк-убийца, насиловавший, пытавший и убивавший женщин в 1974–1978 годах, сделавший термин serial killer почти модным. И душка Дейвид Берковиц, орудовавший уже в 1976–1977 годах.

Лица Чикатило, Сливко, Головкина, поражающие своей нормальностью. Вырезки из газетных статей, распечатки из Интернета, старательно расчерченные таблицы типов психопатий, аналитический разбор, касаемый географического профилирования поиска преступника...

Воспоминания из книги фэбээровца, специализирующегося именно на поимке подобных убийц, откуда Маша, по пунктам, выписала лет в четырнадцать: «1. Поставить себя на место охотника. 2. Стать психологом, чтобы отгадать психологию жертвы. 3. Составить идеальный план вывода жертвы на безопасную территорию — охотник не может позволить себе ошибки». Чем не песня? И цитаты, цитаты... Из допросов Чикатило, из Роберта Ресслера — прототипа Джека Кроуфорда в романе «Молчание ягнят», из Рихарда фон Краффт-Эбинга, автора нашумевшей в 1886 году книги «Psychopathia Sexualis», даже из таких светлых и добрых на общем фоне книжек о Шерлоке Холмсе Конан-Дойля: «Исключительность неизбежно дает нам ключ. Чем бесцветнее и обыденнее преступление, тем труднее его раскрыть». Вот, вот где разгадка...

Две версии. Существовало две версии папиной гибели. Первая и самая вероятная: заказное убийство. Федор Каравай, прозванный недоброжелателями Плевакой в честь тезки и знаменитого адвоката девятнадцатого века Федора Никифоровича Плевако, обладал развитой речью, артистизмом и чувством юмора, позволявшими ему выигрывать любые, даже самые запутанные процессы. На адвокатском небосклоне можно постоянно наблюдать несколько звезд, но Каравай, без сомнения, был звездой номер один. Он легко цитировал Шекспира при защите ревнивых мужей; приводил в пример античные статуи, чтобы доказать возможность того или иного угла нанесения удара ножом...

Он «образовывал» присяжных, он их смешил, он их озадачивал. Но прежде всего Каравай учил их отрешиться от позиции чиновников, изначально прямо или косвенно поддерживающих обвинение. Учил этике Фемиды. И у него получалось. После вполне «бытовых» преступлений, когда на процессы Каравая, как на лекции, стали ходить студенты, тот перепрофилировался — стал защищать журналистов, обвиняемых в клевете; семьи, чьи дети стали жертвами скинхедов; сотрудников министерств, коим инкриминировался шпионаж и разглашение государственных тайн.

Да, Плеваку ненавидели и «заказать» могли многие. Такое убийство — неумело замаскированное под ограбление — было в то время любимым выходом из щекотливого положения сильных мира сего. Маша подслушивала под дверью кухни, когда Ник Ник пытался объяснить ее матери, что добраться до заказчика практически нереально: даже если они найдут того человека, который нанес три колотые раны адвокату Караваю (две из которых стали смертельными), они не смогут выйти на заказчика — ведь уголовники часто используются «втемную». А преступников, которые и не догадываются о своей роли наемных убийц, можно не опасаться, даже если они и попадут в руки правоохранительных органов. Ничего не зная, они никого не смогут выдать, да и полиции это на руку. В полиции тоже не дураки сидят — зачем им проблемы, завязанные на интересах крупных шишек?

Итак, версия номер один уводила в двойной тупик: убийц не найти. А если и найти, то не найти того, кто за ними стоит. Что делает поиски почти бессмысленными. «Есть и вторая версия?» — глухим голосом спрашивала мама, а маленькая Маша до боли прижимала ухо к двери. «А, — Ник Ник в этом месте явно махнул рукой, — бредовая. Можно и не рассматривать. За последние пять лет в Москве произошло несколько убийств с подобными ранениями. На Петровке разрабатывают версию маньяка». За дверью, помнится, установилось молчание, а потом послышался звук отодвигаемой в спешке табуретки, звяканье стакана, и в коридор вплыл сладковатый, такой знакомый в те дни запах корвалола.

Несколькими месяцами позже Маша спросила Ник Ника — он тогда еще часто приходил, безуспешно пытался разговорить маму, а в результате садился играть с Машей в шахматы:

— Как поймать маньяка?

Ник Ник взглянул на Машу исподлобья:

— Сложно. Потому как проблема серийных убийц не столько криминалистическая, сколько антропологическая. — И, увидев Машину озадаченную физиономию, улыбнулся: — Это означает, что мы до сих пор не можем понять, как человек в принципе способен получать удовольствие от убийства? Ведь в большинстве своем серийные убийцы вменяемы, то есть не сумасшедшие. Более того, маньяки блестяще мимикрируют под нормальных людей: ходят на работу, нежно любят своих жен, воспитывают детей... Тогда почему? Почему однажды вечером, или днем, или утром такой вот примерный семьянин откладывает кроссворд и отправляется убивать? А раз непонятно, почему, то как можно его найти? По каким признакам? И более существенный для следователей вопрос: как вычислить его следующую жертву среди миллионов таких же нормальных людей?

Маша уже не помнит, кто выиграл ту партию в шахматы. Но помнит, что этот день можно было обозначить как «День №1» из бессчетной череды дней, продолжающихся до настоящего момента. В тот день у Маши появилась цель. Из двух версий убийства отца она выбрала вторую, наименее реальную. Ведь заказное убийство было почти банальным в конце девяностых. А вот редкость маньяка придавала убийству ту исключительность, по которой, по Конан-Дойлю, его можно было вычислить. То есть оставалась надежда — найти. Всего-то и нужно было: понять. Понять, чтобы наконец избавиться от страшной картинки, отпечатавшейся намертво (какое подходящее случаю слово!) в памяти и от которой она еще долгое время просыпалась ночью в холодном поту, чтобы сначала сказать себе самой — это сон. А потом снова погрузиться в кошмар, вспомнив, что сон — правда.

Маша оторвала взгляд от отцовской фотографии, встала, собрала библиотечные книжки в огромный продуктовый пакет, взяла ключи от машины отчима и уже собралась выходить. И вдруг метнулась обратно в комнату, к компьютеру, чтобы проверить один адрес. Был, был человек, который точно мог ей помочь! И как же она не додумалась до этого раньше?!

* * *

Надвигалась гроза, и совсем ясно это стало именно в больничном парке: замолчали в предчувствии неладного птицы, старые деревья вытянулись, как перед боем, вдоль подъездной аллеи, и светло-желтое здание клиники в ее глубине чуть светилось по контрасту с тьмой, надвигающейся с юга. Маша выбежала из машины и, не распробовав душного воздуха, зашла в прохладный холл больницы, где с тихим гулом работал кондиционер.

— Я хотела бы видеть профессора Глузмана, — поздоровавшись, сказала она девушке на регистратуре.

— Вам назначено? — строго спросила девушка.

— Нет.

Девушка набрала внутренний номер, послушала и положила трубку:

— К сожалению, это вряд ли возможно. Профессор Глузман сейчас не в лучшей форме, и...

— Мне необходимо его видеть, — твердо сказала Маша, вынула свой стажерский пропуск, как положено, с печатями ГУВД и продемонстрировала регистраторше. Девушка нахмурилась, а Маша внутренне сжалась — это был ее первый опыт оказания давления с помощью удостоверения.

— Сейчас вас проводят, — сухо сказала девушка.

До палаты Глузмана Машу довела молчаливая медсестра — и слава богу: Маша никогда бы не смогла сама найти нужную дверь в бесконечном коридоре, белом и безликом, как в каком-нибудь фантастическом триллере. Медсестра постучала и, услышав: «Войдите!» — отступила в сторону, дав Маше пройти. В комнате было полутемно — Глузман, с коленями, прикрытыми пледом, и в пижамной куртке, сидел лицом к окну, нервно оглаживая плед и явно завороженный картиной за стеклом: дождь еще не начался, но поднялся ветер, крутя по дорожке, окружающей больницу, летнюю пыль и тополиный пух.

— Добрый день, — сказала Маша, мягко прикрыв за собой дверь. Глузман повернулся к ней, и она испугалась: взгляд у профессора был абсолютно пуст и оттого страшен.

— Привет! — произнес он и улыбнулся, показав белоснежные искусственные зубы. Улыбка получилась жутковатой, Маше пришлось сделать над собой усилие, чтобы улыбнуться в ответ. Она не была уверена, что Глузман ее узнал.

— Илья Яковлевич, — начала она осторожно. — Я Маша, подруга Иннокентия. — Глузман кивнул. Молчание затягивалось, и Маша рискнула: — В прошлый раз мы говорили о Небесном Иерусалиме, помните? Вы были правы, он действительно убивает их только в тех местах, которые связаны с Горним Градом. Он ищет грешников — и находит. Но проблема в том, что я не могу понять, по какому принципу? И пока мы не поймем, что у него за система нумерации, мы его не поймаем... — Она замолчала, ожидая профессорской реакции. Глузман вдруг ухмыльнулся и поманил ее пальцем к себе. Маша осторожно подошла и наклонилась. И услышала тихое хихиканье.

— Как ты думаешь, — прошелестел ей прямо в ухо профессор, — какие на твой счет у Инносенцио сексуальные фантазии?

Маша отшатнулась и сказала, запинаясь:

— Илья Яковлевич, мы с Иннокентием друзья детства. Какие фантазии?!

Глузман вновь захихикал, откинувшись на кресле:

— Ах, ну, конечно, детская дружба! Сей невинный цветок часто скрывает чудовищ! — Глаза у Глузмана уже не были пустыми — в них вздымалось, набирая силу, безумие. Маша начала отступать к двери, но он медленно катился следом, продолжая смотреть ей в глаза и хихикать.

— А у вас, барышня, есть фантазии? — Голос звучал вкрадчиво, почти ласково. — Или ваше поколение, барышня, оскоплено на фантазии, а также на элементарную логику и интеллект? Да ведь ты просто идиотка!!! — Глузман сорвался на крик. Но Маша уже распахнула дверь, откуда вбежали медсестра и санитары, будто стоящие наготове в коридоре.

«Наверное, у них тут повсюду камеры», — подумала отстраненно Маша, наблюдая, словно в дурном сне, как медперсонал скручивает Глузмана, медсестра пытается попасть иглой в вену, а тот уже переходит на визг и все не отрывает от нее страшного взгляда. «Мытари!» — кричит он, и Маша, будто очнувшись, выбегает наконец из палаты и бежит по коридору. — «Мы-та-ри! — несется ей вслед. — Не блудить, но мытарствовать!»

Дрожащими руками она открыла машину, захлопнула дверь и сидела пару минут, пытаясь отдышаться и глядя, как снаружи, под грохот первых грозовых раскатов, хлынул летний дождь, прибивая пыль, пригибая ветки с мгновенно ставшей блестящей под струями воды листвой, барабаня по лобовому стеклу машины. Маша прикрыла глаза: уже второй человек за последние сутки называет ее дурой. Это своеобразный рекорд, подумалось ей. Скорее всего, они правы. Так же, как был прав вчера мой начальник, обозвав ее извращенкой. Всё так. Но как извращенка — извращенца она сможет понять преступника. То, что Андрей не способен воспринять мозгом здорового опытного сыскаря, она, Маша, сумеет. Выйти на темные тропы чужого безумия и отыскать его там, пусть даже в результате ее место окажется в палате рядом с Глузманом. Она должна сделать это. Должна. Иначе папа погиб зря.

Уже спокойным жестом Маша забрала волосы в хвост и тронулась сквозь стену летнего ливня. И если бы обернулась, то увидела бы в окне силуэт спеленутого, как дитя, Глузмана, тоскливо провожающего ее глазами.

* * *

Подошла Машина очередь, и она протянула библиотекарше несколько «нарытых» в картотеке заявок. Маша подождала, пока та их внимательно прочитает, чтобы добавить:

— Меня интересуют все книги по средневековой русской литературе, а лучше — сами средневековые тексты.

Библиотекарша взглянула на нее исподлобья:

— Мы не выдаем всего в зале. Книги надо заказывать.

— Я согласна.

Библиотекарша кивнула:

— Раскольничьи тексты вас интересуют?

— Вероятно, — неуверенно сказала Маша. — Хотя они, наверное, уже неактуальны.

— Ну, актуальность средневековых текстов вообще понятие спорное, — справедливо заметила библиотекарша. — Но раскольников до революции в России было тридцать процентов от населения страны. Это немало. Да и сейчас они существуют, имеют свои действующие церкви, приходы...

Маша подняла на нее обведенные темными кругами глаза:

— Правда? А я всегда считала их исключительно частью истории...

Библиотекарша хмыкнула, а Маша сказала:

— Тогда, если можно, и эти тексты тоже.

И Маша отошла, приготовившись к долгому ожиданию. И не заметила, как заснула за столом, рядом со степенными, весьма научного вида дамами в буклях. Проснулась она оттого, что кто-то мягко тряс ее за плечо. Библиотекарь выложила перед ней стопку книг: «Книга о вере», Захария Копыстенский, «Часослов», что-то еще... Дала расписаться за каждую (что Маша проделала абсолютно автоматически) и, отходя, посмотрела с жалостью: видно, приняла за абитуриентку. Маша с ожесточением протерла глаза и взялась за первую книгу в стопке. Прочла название.

Ей показалось, что она еще спит, и огромный читальный зал качнулся у нее под ногами.

АНДРЕЙ

Андрей и не заметил, как на город после грозы опустились сумерки. Кабинет постепенно пустел, телефоны уже не надрывались, и на Петровке наступили блаженные для трудоголиков часы: в тишине было проще думать, проще анализировать поступившие за день результаты экспертиз и протоколы допросов. Андрей шумно выдохнул, потянулся, открыл форточку, откуда тотчас же хлынул прополощенный дождем воздух, поставил чайник. Тот уже начал закипать, когда хозяйственные приготовления Андрея (закидывания в несвежую чашку заварки и куска сахара) были прерваны телефонным звонком.

— Яковлев, слушаю, — ответил Андрей, заливая заварку кипятком.

— Добрый вечер, — раздался знакомый вежливый до колик голос Иннокентия. — Извините, что отрываю, но я волнуюсь за Машу.

Андрей медленно поставил чайник прямо на бумаги.

— Да?

— Вы ей не дозвонились?

Андрей почувствовал, что краснеет.

— Нет, — кашлянул он.

— Нет? — расстроился Иннокентий. — И я звонил весь день, но она не берет трубку. Это глупость, конечно, она ее постоянно где-то бросает или вообще забывает заряжать. Но как вы абсолютно верно заметили сегодня утром — исходя из обстоятельств... Кроме того, на этой неделе у Маши годовщина, и мы... — Он откашлялся. — Я имею в виду ее семью и друзей — всегда в этот период стараемся ее одну надолго не оставлять.

— Какая годовщина? — спросил Андрей, уже чуя похолодевшим затылком нечто скверное.

Иннокентий помолчал.

— Вы не в курсе? Маша, наверное, не хотела, чтобы я рассказывал, но, думаю, вам следует знать. Маша — дочь адвоката Каравая. Его убили, когда Маше было двенадцать лет. Она сама нашла тело.

Андрей сел.

— Твою мать... — выдохнул он.

— Что вы сказали? — переспросила трубка.

— Ничего. Простите. Мне надо идти. — Андрей нажал «отбой», вскочил, чуть не опрокинув чашку и на ходу хватая с вешалки куртку.

Пока он бегом спускался по лестнице, пока выехал с парковки и до того, как попасть в беспросветно-густую московскую пробку, чувство вины было еще выносимым. Но прочно встав за массивной задницей какого-то джипа, Андрей поймал себя на том, что до боли сжимает челюсти, чтобы не застонать от злости и отвращения к себе, накрывших его с головой. Мазохист, сидящий в каждом из нас, заставлял его снова и снова припоминать подробности своих оскорбительных полупьяных выкриков и ее молчаливого ухода. Он ударил кулаком по рулю, и руль откликнулся вскриком клаксона. Джип впереди был так же недвижим, как памятник американскому автомобилестроению. Андрей резко развернул руль и выехал на обочину. Где-то здесь находилась станция метро.

Он поедет к Маше на метро — только бы ехать, только бы двигаться в сторону — возможного — прощения.

МАША

«Мытарства блаженной Феодоры» — гласила надпись на обложке. Это был репринтный текст. В предисловии значилось, что блаженная старица Феодора, инокиня, жившая в десятом веке, сумела, через посредство мниха Григория, рассказать о своей смерти, о муках ада и о райском блаженстве. Но главное: в откровении Григорию Феодора описала пройденные ею 20 воздушных мытарств — загробных испытаний в греховности. В греко-славянской литературе, говорилось в предисловии, «Мытарства» являются наиболее полным и живописным описанием перехода от временной жизни к вечному жребию. «Итак, — читала Маша, а внутри у нее всё уже дрожало от предчувствия: вот оно, она уже совсем рядом, протяни руку и дотронешься до убийцы, — после смерти душа человеческая, под руководством ангелов, поднимается по «лестнице» мытарств. На каждой ступени душу подстерегают лукавые бесы, чье имя — мытари». («Мытари! — почудился ей крик Глузмана. — Не блудить, а мы-тар-ствовать!») Мытари испытывают душу во грехах. Души праведных спасаются, грешников же бесы свергают своими огненными копьями во «тьму кромешную». Поэт Батюшков, говорилось в предисловии, назвал «Хождение» «эпопеей смерти», призванной испугать средневекового читателя жуткими картинами потустороннего мира... Да бог с ним, с Батюшковым! Она нетерпеливо пролистнула вступление и жадно начала читать основной текст: «...И вот пришла смерть, рыкая, как лев; вид ее был очень страшен...» Маша быстро переворачивала страницы, пробегала глазами по строчкам и почувствовала, как ее зазнобило. Холод исходил от этого древнего текста, от самой потертой книжицы с ятями...

«...Когда мы шли от земли к высоте небесной, то вначале встретили нас воздушные духи 1-го мытарства, на котором истязуются грехи празднословия, т.е. бесед безрассудных, скверных». «Но вот языком болтал — без устали! — вспомнилось ей. — Даже в постели!» Маша вынула свою тетрадь и начала чертить таблицу: Мытарство 1. Празднословие. В графе «кто»: Доброслав Овечкин. Где: Берсеневская набережная. В графе: По отношению к Небесному Иерусалиму: Бывший «Государев сад». Прообраз Гефсиманского сада. И вернулась к книжке. «Приблизились ко 2-му мытарству — лжи, на котором истязуется всякое слово ложное, то есть клятвопреступление, напрасное призывание имени Божия, лжесвидетельство». — «До конца стояла, — перед глазами встала мать близнецов, выгуливающая розовую коляску, — даже показания дала в суде...» Она сглотнула. «Достигли мы и третьего мытарства, мытарства Осуждения и Клеветы». — Маша вспомнила голос пловца-Снегурова: «Пакетик-то был не мой. И я знаю одного человека, которому было выгодно и оболгать меня перед Комитетом, и в газетенку утку пустить, и пакетик подложить — без проблем. Я его знаю, и ты его знаешь, потому что про него и пришел спрашивать...» «Дошли мы до 4-го мытарства — чревоугодия, и тотчас выбежали навстречу нам злые духи. Лица их были похожи на лица сластолюбивых обжор и мерзких пьяниц...» Колян, написала Маша. Кутафья башня. Храм Гроба Господня. «В такой беседе мы дошли до 5-го мытарства — лености, где истязуются грешники за все дни и часы, проведенные в праздности. Тут же задерживаются тунеядцы, жившие чужими трудами, а сами не трудившиеся, и наемники, берущие плату, но не исполняющие обязанностей, принятых на себя». Маша на секунду задумалась: кто? И вспомнила адрес — улица Ленивка на месте Яффских, западных, ворот Иерусалима. Гебелаи! Архитектор, построивший станции метро, где на людей обрушились тонны бетона. Наемник, берущий плату, но не исполнивший обязанностей, принятых на себя...

Таблица заполнялась, и в ее стройности была своя, жуткая, красота: вот восьмое мытарство — лихоимство, где «истязуют... всех наживающихся за счет своих ближних, взяточников и присвоителей чужого». Всесильная губернаторша, найденная четвертованной в

Коломенском... И далее, далее: воровство, убийство, гордость и непочтение к родителям, зависть. Рука Маши дрожала, выводя Катино имя. Москва-река, Лубянка, Варварка... Иордан, Масличная гора, Гефсимания... Маше уже не было холодно — напротив. На щеках у нее горели красные пятна, ручка летала над бумагой. Ей казалось, она бежит по следу.

И темный силуэт уже маячит где-то впереди, указывая путь, одному ему известное место назначения.

АНДРЕЙ

Андрей сидел перед подъездом, то глядя в темное небо, то на выезд со двора, откуда должна была, по идее, появиться Маша. Машина мама, чей ужин он прервал час назад, сказала, оглядев его оценивающе с ног до головы, что дочь ушла, судя по сократившемуся количеству книг — в библиотеку. Нет, она не знает, в какую. Да, ее мобильный телефон заливается дома. Андрей даже позвонил Иннокентию — официально, чтобы успокоить: мол, она забыла телефон дома, скорее всего, корпит над книжками. Но на самом деле — проверить, не у того ли она — в гостях. Иннокентий поблагодарил за звонок. Маши у него не было. Новость, пусть лишь слегка, но была утешительной.

Наконец подъехала машина, и из нее вышла стажер Каравай. Андрей вскочил со скамейки, представ перед ней как лист перед травой и не совсем понимая, что ей сказать. Увидев его, Маша, казалось, не удивилась, лишь кивнула. Андрей вдруг заметил, какие у нее круги под глазами, и жалость пересилила стыд, который обуревал его последние часа два. Ему захотелось прижать ее к себе и сказать, что все будет хорошо, они поймают этого плохого парня. Желание было столь сильным, что он автоматически засунул руки поглубже в карманы джинсов, чтобы ненароком, чтобы, так сказать, непреднамеренно, не...

— Это хорошо, что ты здесь, — холодно сказала Маша. — У меня есть новое, по расследованию. Я, кажется...

— Постой! Подожди про расследование, — прервал ее Андрей, волнуясь и мгновенно почувствовав, как взмок затылком и шеей. — Я приехал, чтобы попросить у тебя прощения. Я был груб вчера, абсолютно беспричинно. Точнее... — Он провел рукой по затылку и мрачно усмехнулся: — Причина есть. Ты меня очень раздражаешь.

Маша окаменела лицом и опустила глаза, а он поторопился продолжить:

— И ты мне очень нравишься. Но, наверное, больше раздражаешь. Потому что еще и нравишься. Ты — не моего полета птица, не думай, что у меня не хватает ума этого понять. Мы, как сказал бы твой Иннокентий, принадлежим к разным мирам...

— Перестань, — тихо сказала Маша.

— Нет уж, дай мне закончить! Меня к тебе тянет, я хочу с тобой... Всё! А у меня с тобой ничего нет и быть не может! Поэтому я и бешусь!

А Маша вдруг, ни с того ни с сего, радостно улыбнулась, и не успел он обидеться, как она обняла его за шею и стала целовать в лоб, глаза, щеки, приговаривая: «Боже, какой дурак! Нет, ну вы видели еще такого дурака!» И пару минут он стоял совершенно оглушенный, пока не остановил ее, притянув за затылок и поцеловав в губы. И Маша Каравай не сопротивлялась, а прижалась к нему всем телом.

И последнее, что промелькнуло у него в мозгу, перед тем как он полностью перестал соображать, было: как все-таки хорошо, что они с ней одного роста!

МАША

Они сидели на подоконнике в подъезде, разложив ее тетрадь на коленях, и она была абсолютно счастлива. Вчера Маша думала, что не сможет вернуться обратно на Петровку после того ушата презрения, который он на нее вылил в кафе. И по той боли, которую испытала, поняла, что по уши влюблена в капитана со скучными голубыми глазами.

Это ничего, сказала себе она, это неважно. Важнее ее глупых любовей — маньяк, гуляющий по Москве, а видящий перед глазами лишь Небесный Иерусалим. И почти себя в этом убедила... Но как ухнуло вниз и забилось одновременно повсюду: в висках, в животе, в горле бедное сердце, когда Маша увидела невысокую фигуру рядом с домом, и стало плохо — физически, когда тот начал разглагольствовать о том, как она его раздражает. И потом, когда они нацеловались наконец: сначала стоя, потом сидя на скамейке, — до затуманенных глаз и искусанных губ, когда он прижал ее голову к своему плечу, и они так и сидели рядом... Пока их не согнал сосед снизу, собачник, чей огромный ньюфаундленд обожал Машу и не знал, что нужно было проявить тактичность. Смущенный хозяин тянул пса в другую сторону, усиленно пряча глаза, и Маша в результате прыснула, подошла погладить лобастую голову. Романтический настрой был сбит. Об убийце говорить не хотелось, но оба знали, что придется, и решили устроить внеочередное рабочее совещание на подоконнике третьего этажа.

— Ты любишь собак? — спросил Андрей, пока они поднимались наверх.

— Да, очень, — сказала Маша. — А что?

— У меня тут есть для тебя одна. Зовут Раневская.

— Девочка?

— Малчык. Очень наглый при этом. Ты с ним построже... Когда придешь ко мне в гости. — И он улыбнулся такой смущенной и счастливой улыбкой, что Маше захотелось снова его поцеловать, но она решила держать себя в руках.

— Я все поняла про цифры, — сказала она, раскрывая тетрадь на странице с таблицей. — Мы были правы. Логика есть, и она, как и вся история с Небесным Иерусалимом, средневекового разлива. Существует такой православный религиозный текст: «Мытарства, или Хождения Феодоры». Помнишь, мы говорили о том, что догмат о чистилище был принят исключительно католиками на Флорентийском соборе?

Андрей хмыкнул, и Маша ткнула его в бок:

— Перестань! Это важно, чтобы понять, что творится у преступника в голове. Получается, что мытарства — единственный способ православных если не очиститься, то откупиться от грехов.

— Это как это? — поинтересовался Андрей.

— С помощью добрых дел. На мытарствах душа испытывается во всех делах, словах и помышлениях. Пока не будет определена в рай или в ад. Это, если тебе так понятней, как перетягивание каната. Только с гораздо более серьезными последствиями. Смотри. — Она протянула Андрею таблицу. — Все сходится! Все наконец сходится! «Мытарства» для убийцы вроде инструкции к применению, а Москва — все еще святой город, «Новый Иерусалим», где недостойны жить грешные души! Каких-то жертв мы отсюда не знаем, но совершенно точно, что убийца дошел уже до пятнадцатого мытарства! Читай.

И Андрей прочел: «Прошли мимо 15-го мытарства — чародейства, обаяния, отравления, призывания бесов...» Это же Аделаида!

— Здорово, — мрачно сказал Андрей. — И сколько нам еще осталось?

— Пять, — тихо сказала Маша.

АНДРЕЙ

Долго ждать не пришлось. Артем Минаев — разорванный пополам на месте снесенной церкви Фрола и Лавра на Мясницкой — жил поблизости же, в Бобровом переулке. Пока труп снимали с дерева, пока работали эксперты, Андрей все думал о практическом осуществлении плана: нужно было выбрать два дерева. Не очень старых — чтобы не сломались, но и не молодых — слишком податливых, чтобы не распрямились под весом тела. Минаев был мелковат — килограммов шестьдесят максимум, и Андрей, содрогнувшись, подумал, что вес и рост жертвы могли стать решающими при выборе его кандидатуры на «грешника».

А то, что тот грешил, и солидно, сомнений не вызывало: они теперь приблизились к последним ступеням мытарств, где бесы допрашивали уже не за болтовню, а по-крупному. Но какими бы страшными ни были грехи Минаева, Андрей не мог себе представить вину, за которую можно было б разорвать живьем. Впрочем, он уже понял, что по сравнению с преступником ему явно не хватает воображения. Поднимаясь с понятыми в квартиру Минаева, он успел заметить этажом ниже испуганные, но и любопытные мордочки двух мальчишек. Из глубины квартиры раздался истеричный и нетрезвый женский голос — и мордочки мгновенно скрылись за солидной кожаной дверью. Андрей взял на заметку переговорить с ними постфактум: мальчишки в этом возрасте приметливы.

Квартира у Минаева была типичной холостяцкой берлогой. Ну, может быть, чуть почище обычного — согласился с собой Андрей, вспомнив бардак у себя на дачке и пообещав обязательно убраться. И из общегигиенических соображений, и из-за возможного приезда к нему Маши Каравай (во что он особенно поверить не мог, но помечтать хотелось, пусть даже в таких мрачных обстоятельствах). В холодильнике у Минаева имелось все для элементарного обеда-ужина на пару дней в одно лицо: по крайней мере, в гости тот никого не ждал. В комнате еще стояла с вечера тарелка с остатками копченой рыбы, которой пропахло все помещение. Но Андрей согласился с ребятами из экспертной группы — вдыхали запахи и похуже — и медленно прошелся по комнате.

Ничего в ней особенного не было — только представительный компьютер с отдельным жестким диском. Рыбки неспешно плавали по большому плоскому экрану. Андрей посмотрел вопросительно на эксперта, и тот кивнул — можно. Андрей тронул мышку — и экран ожил: на рабочем столе было открыто окошко с видео. Андрей развернул его на весь экран и кликнул на «плэй».

Заиграла музыка ритмичного пошиба, и то, что происходило на экране, тоже было вполне ритмично. Андрея окружили криминалисты, с интересом уставившись в экран. С первых кадров понятно было, что это — порнуха, и, так сказать, голубого толка, но мужчина, стоявший спиной и размеренно дергающий ягодицами, казался удивительно крупным на фоне своего партнера. И когда камера переместилась, кто-то рядом с Андреем ахнул: «Да это ж совсем пацан!» А Андрей быстро нажал на «паузу». Лицо мальчика показалось ему смутно знакомым, и Андрей сглотнул подступающую тошноту. «Маленький сосед снизу», — подумал он. Свернул одно видео, за ним оказалось еще два «окошка» примерно того же содержания. Андрей решил все переписать и посмотреть позже.

Сбрасывая ролики на диск, он заметил краем глаза — каждый из них длился 18 минут. Что сказала вчера Маша? Что-то о том, что они остановились на 15-м мытарстве. Он не хотел звонить — по такому поводу. Но знал, что все равно придется, и пусть уж сейчас: ему нужны были ее мозги и ее разлинованная таблица в тетрадке.

— Привет! — нежно прошептала Маша в трубку еще сонным голосом, и он не выдержал, улыбнулся — такая теплая волна затопила сердце. Значит, ему ничего не приснилось? Значит, всё, что случилось вчера, было правдой?

— Привет! — сказал он. И заранее пожалел о той фразе, что будет следующей: — У нас тут очередной труп у Мясницких ворот.

Маша ахнула...

— Зачитай, пожалуйста, что там с 16-м мытарством?

На другом конце провода зашуршали страницы:

— «Мытарство блуда. Блудные мечты, помыслы, мысленное услаждение в том, порочное осязание, страстные прикосновения...» Подходит?

— Подходит, — согласился Андрей. — Но не совсем. Что с 17-м?

— Прелюбодеяния, супружеская неверность, насилие, — прочла Маша голосом первой ученицы.

— Дальше, — попросил Андрей.

— Андрей, сколько у тебя там трупов? — спросила Маша, но послушно продолжила: —Мытарство содомских грехов, кровосмешение, рукоблудие, уподобление скотам, противоестественные грехи.

— Вот! — удовлетворенно сказал Андрей. — Это оно.

— Но это значит... — нерешительно начала Маша.

— Это значит, что мы пропустили два трупа, — мрачно подтвердил Андрей.

— Я выезжаю, — сказала Маша. — Диктуй адрес.

* * *

— Только маме не говорите, — сказал Петя, младший из мальчишек (старший, когда Андрей сообщил ему о смерти Минаева, нервно дернул лицом и говорить отказался).

— Не скажу, — серьезно пообещал Андрей.

— Мама у нас пьет, — сообщил Петя доверительно. — Вы не думайте — она не пьяница, это после развода с папой просто. Папа ей квартиру оставил, — чинно рассказывал шкет. — Машину. Чего еще надо? Ну, машину она продала, — шмыгнул он носом, и видно было, что машину ему до сих пор жалко. — Машина — во! «Хиундай», двигатель мощный, трехлитровый, — рассказывал Петя, а Андрей смотрел по сторонам: квартира была когда-то облагорожена евроремонтом, но по десяткам мелочей: более ярким квадратам на выцветших обоях, там, где когда-то висели картины, внезапной пустоте на тумбочке под телевизор — Яковлев понял, что в этом доме уже расстаются с недавним благополучием.

— Расскажи мне о Минаеве, — попросил он Петю.

— Он Колин лучший друг. Ну, и мой тоже, — заявил мальчик с гордостью. И добавил, снова шмыгнув носом: — Был. Колька к нему ходил фильмы смотреть и книжки брал, про ниндзя. Это такие японцы.

— Я в курсе, — улыбнулся Андрей.

— Он нам даже еды давал — мама, когда в запое, забывает покупать, — сказал он с обезоруживающей улыбкой. — Мы ее прятали. Весело было. Потом еще однажды ходили в планетарий. В общем, Колька с Артемом дружил. Бегал к нему каждый день, ждал под дверью.

— А вчера? — поинтересовался Андрей, пытаясь не реагировать на крепкую «дружбу» между Минаевым и Колькой.

— И вчера. Он нам еды оставил, и Коля сказал: надо поблагодарить. И пошел. Меня он не берет, — с обидой добавил Петя. — Но я зато конфеты все съел, вот! — Петя вытащил из кармана горсть ярких фантиков.

— Мне нужно переговорить с твоим братом,— сказал, вставая, Андрей.

— Так он же не хочет! — удивился Петя.

— Ничего, я его уговорю,— пообещал Андрей.

— Ко-о-оля! — побежал с криком на кухню Петя, и оттуда донеслось неясное бормотание.

Андрей встал и сам прошел на кухню, где женщина с красными глазами и колтуном на голове мазала бутерброды маслом и поверх почему-то слоем майонеза.

— Отстаньте от детей, — сказала она Андрею, дыхнув на него перегаром. — Он же сказал, что ничего не знает!

— Коля! — не обращая на тетку внимания, позвал Андрей. — Я задам тебе только один вопрос: что ты видел вчера вечером? И если тебе нечего на него ответить, значит, мы никогда не найдем убийцу твоего соседа.

Коля молча отвернулся к окну.

— Идите, идите! — Мать оттеснила его к двери. — Валяйте! Выход сами найдете!

Андрей повернулся и вышел. Он мог бы настоять на том, чтобы допросить мальчишку, но на душе было муторно и — стыдно. Стыдно, что не вычислили педофила раньше. Но еще более стыдно — за эту сучью жизнь, в которой педофил становится лучшим другом одинокого мальчишки. Он вышел на улицу и закурил, думая, что Маша должна вот-вот подъехать.

Хлопнула дверь — из подъезда выбежал, явно торопясь в школу, Коля. Он прошел рядом под пристальным взглядом Андрея и, отойдя уже шагов на двадцать, вдруг обернулся и подбежал обратно к Яковлеву.

— Я никого не видел, — сказал Коля. — Но слышал. У него голос такой... тонкий. И он говорил очень странно... Вроде по-русски, а вообще ничего не понятно.

— Попытайся вспомнить, — попросил Андрей.

Коля нахмурился:

— Что-то про бесов, опачканных гноем и смрадом. Вы знаете, что такое «смрад»?

Андрей кивнул:

— Знаю. Плохой запах.

— А... — Коля понимающе кивнул. — Воняет, типа?

Андрей усмехнулся:

— Навроде того. — И добавил: — Думаешь, ты смог бы его узнать по голосу?

Коля важно кивнул:

— Смогу. Очень уж писклявый, будто его режут. Ну ладно, я пошел, а то в школу опоздаю!

Андрей провожал задумчивым взглядом маленькую фигурку: по-хорошему, не в школу ему надо, а к психотерапевту. И пообещал себе созвониться с парой знакомых медиков, что могли бы подсказать приличного доктора. Подъехала Маша, он открыл дверцу машины и притянул ее за руку, прижал к себе. Так они стояли, замерев, вжавшись друг в друга телами, пытаясь подпитаться остатками тепла. Но чувствуя, как с каждым разом выстужается душа. И дело тут не в казнях и даже не в неумолимости убийцы.

Дело в мире, который становится все страшнее.

МАША

Маша по очереди оглядела ребят, которых Анютин дал им в подмогу. Теперь они назывались следственная группа по делу «Мытарь», и Маша еще не избавилась от страха быть осмеянной за свои безумные идеи. Оттого всю часть, касаемую собственно «Иерусалима», она попросила рассказать Андрея. Почему-то в его изложении все безумное приобрело свою стройную логику, и никто и не думал смеяться, и даже не поднимал недоверчиво бровь: все слушали внимательно, а некоторые — так прямо все записывали, чем Машу несколько смущали. И более того — пугали. Как будто прежде, когда у преступника не было даже такого, абстрактного, следственного прозвища, он, несмотря на жутковатую конкретику убийств, был еще Машиным вымыслом. «Как вампиры или снежный человек, — подумалось Маше. — Если такого видит один — то он просто псих. Но когда группа серьезных мужчин на

Петровке начинает конспектировать данные о нем под диктовку, значит, все серьезно».

— Я считаю, — продолжил Андрей, — что нам следует снова вернуться к первым жертвам: логично предположить, что хотя бы одна из них была знакома с преступником напрямую, вдохновила его на серию. Особенное внимание, думаю, нужно уделить Доброславу Овечкину: его отец — начетчик староверческой церкви в Басманном. А «Мытарства», как вы знаете, — и он усмехнулся, потому как был уверен в том, что никто из сидящих в этом кабинете, как и он, не имел об этом ни малейшего понятия, — является книгой староверческой. Да и сами староверы — люди религиозно одержимые. Вспомним хотя бы эту, боярыню Морозову... — И Андрей запнулся, поймав на себе Машин ироничный взгляд. — А теперь, — и тут Андрей сделал широкий жест конферансье, объявляющего новый номер, и Машина ироничная усмешка мгновенно растаяла, — стажер Мария Каравай расскажет нам про «профиль» преступника.

Маша нервно сжала в руке листки с заготовленными конспектами.

— Сейчас, — сказала она чуть дрожащим голосом, — я раздам вам таблицу с географическими точками, соответствующими убийствам.— Она передала пачку лысеющему оперативнику, сидящему от нее справа, и листки пошли «по рукам». — Что касается «профиля» преступника... Наш маньяк, очевидно, относится к типу «организованного» убийцы. Как вы знаете, данный тип характеризуются способностью контролировать свои желания, у них есть четкий план по выслеживанию и обольщению жертвы. — Она сглотнула. Все внимательно слушали. — В случае если план дает сбой, подобный убийца способен отложить его реализацию. Он социально адекватен. Скорее всего, живет с партнером. Возможно, физически нестабилен в семье и жесток. Мобилен географически. Следит за новостями. Возвращается на место преступления для того, чтобы следить за работой полиции. Водит крупную машину, в которой перевозит тела. — Маша остановилась, чтобы отдышаться, взглянула на Андрея. Тот стоял, опершись на стену, и смотрел на нее с нескрываемой нежностью. И почти материнской гордостью. Маша с трудом сдержалась, чтобы не улыбнуться ему в ответ, и перевела глаза на сидящих вокруг мужчин. — Я бы хотела вместе с вами последовательно пройтись по всем пунктам профилирования. Возможно, мы что-нибудь упустили.

— Думаете, это и правда поможет? — раздался тягучий голос за спиной у «седоватого». Поднялся молодой парень.

— Герасимов, — представился он. — На кой нам эта «Триада Макдональда»? Какая разница, страдал ли он энурезом в детстве, если сейчас он страдает намного больше на голову? Онанизм какой-то интеллектуальный, право слово! Нахватались на Западе!

Андрей уже выпрямился, чтобы выступить в Машину защиту, но Маша его опередила:

— Этот онанизм, как вы его называете, возможно, и не поможет нам напрямую. Но совпадение психологической модели содействует изобличению преступника, а несовпадение позволяет отвести подозрение от невиновного. Вспомните, скольких невинных людей казнили, прежде чем добраться до Чикатило?

— У нас тоже в НИИ МВД не дураки сидят и с профилированием дружат, — поддержал ее «седоватый». — Продолжайте, девушка.

— Мытарь — маньяк-миссионер. — Маша оглядела группу. — Он тщательно выбирает своих жертв, ведь для него ценно не само преступление, а то послание к человечеству, которое это преступление содержит. Итак, начнем с общей характеристики личности: что вы можете добавить, исходя из специфики преступлений?

— Педантичен, — начал Андрей, и Маша поблагодарила его взглядом за поддержку.

— Такие сложные убийства требуют бесконечной подготовки. Необходим высокий уровень организации, — добавил «седовласый».

— Командует на месте преступления, потому что чувствует фрустрацию в жизни? — включился рыжий парень слева.

— Нет, — поправила его Маша, — это не фрустрация, скорее контроль. Контроль за грехом и возмездием.

— Вроде как берет на себя функцию Господа Бога?

— Нет, — снова покачала головой Маша. — Он ставит себя не на место Бога, а на место беса, мытаря. Значит, не считает себя безгрешным. — И вдруг резко замолчала. Она встретилась взглядом с Андреем и прочла в его глазах отклик на свою мысль.

— Может быть, он сидел? — озвучил ее Андрей. — От этого и знание изнутри нашей системы? Знакомство с Ельником? Жестокость?

Маша кивнула — ей нужно было обдумать эту мысль, обкатать в голове. Продолжила:

— Теперь привычки, навыки? У кого есть идеи?

— У него должно быть стерильно чисто в доме и в машине. Потому что он в принципе помешан на чистоте, вообще на понятии чистоты во всех смыслах

В том числе и душевной, — высказался Герасимов, и Маша кивнула:

— Согласна, — сказала она.

— Отлично знаком с криминалистикой, не оставляет следов!

— Сильный физически, тренированный — иначе как бы смог четвертовать?

— Возрастная группа — скорее средний возраст, от 40 до 55 — уверенность в себе, накопленные знания, мог легко входить в доверие!

— Район проживания? — спросила Маша и сама же ответила: — Географическое профилирование, к сожалению, невозможно, несмотря на четкий радиус убийств — бывшая крепость Белого города. Иными словами, внутри Бульварного кольца. Однако бессмысленно строить алгоритм географического профилирования, чтобы вычислить его место жительства по графику и маршрутам дорожного движения в районе. Как вы уже поняли, выбор жертвы и места преступления завязан не на простоте исполнения, а на понятной уже нам религиозной системе. И все же мне кажется, что преступник живет и, скорее всего, работает в центре города. И отлично его знает.

— Уровень образования, — напомнил Андрей.

— Несомненно, высшее. Думаю, тут все со мной согласны. Интеллект — выше среднего. Что касается профессиональной деятельности, — Маша подняла глаза от своего конспекта. — Деятельность должна быть связана с принятием решений, уверенностью в собственной непогрешимости. Существует ряд профессий, дающих ощущение абсолютной власти...

— Учитель! — крикнул с «камчатки» Герасимов.

— Физик или математик!

— Да нет, историк!

— Может быть, врач? — заметил рыжеватый парень слева. — Хирург! Знает, как правильно расчленять!

— Старый вояка, не знающий слов любви и привыкший всех строить!

Андрей предупреждающе поднял руку:

— Думаю, есть большая вероятность, что он работает в органах.

— Один из наших?

— Да ладно! — На лицах оперативников читалось недоверие. И — страх. — Слишком просто он добирается до губернаторш и прочих сильных мира сего, — как будто про себя заметил Андрей, но в кабинете вдруг стало тихо. — Слишком мало улик. На самом деле — ни одной. Только косвенные. Возможно, у него синяя машина. Возможно, у него высокий голос...

— Не думаю, — Маша нахмурилась. — Он, похоже, зачитывает жертвам перед смертью цитаты из «Мытарств». Но это — часть сигнатуры, так сказать, словесный ритуал. В момент совершения этого ритуала он может чувствовать себя другим человеком. А точнее, — поправилась она, — бесом. И если бесы, по его мнению, визжат, значит, он автоматически будет повышать голос...

АНДРЕЙ

Андрей оставил Герасимова у доски объявлений и зашел в церковь на Басманной. Маша сказала ему, что храм — новодел. Но, на взгляд Андрея, разницы никакой: та же золотая луковка, та же колокольня, те же беленые стены...

Однако пройти больше двух шагов в церковных пределах ему не позволили: дорогу перегородил бородач в сером скучном костюме и сорочке наподобие косоворотки. И вполне дружелюбно поинтересовался: кто такой? Ну конечно, подумал беззлобно Андрей. Он ведь по сравнению со староверцами — эдакий лысолицый несолидный товарищ. Андрей показал свою ксиву, и бородач, коротко кивнув, предложил поговорить в «кафетерии рядышком».

Андрей с удивлением узнал, что поблизости от храма открыто староверческое кафе, и, войдя, с любопытством оглядел интерьер: кирпичные стены, простые столы с лавками темного дерева, икона Божьей Матери на стене.

Бородач закрыл дверь на ключ, сел напротив непрошеного гостя за стол в углу. И представился:

— Яков.

Глаза Якова, будто гвоздики, забитые глубоко под кустистыми бровями, смотрели на следователя внимательно и вежливо, небольшие мягкие руки он сложил на коленях и пояснил:

— Овечкина сейчас в храме нет. Но я хозяйничаю и тут, в кафе, и в сувенирной лавке: обе на месте старинных бань. Так что, возможно, смогу помочь.

Андрей оглядел полутемное помещение, пахнущее свежестью и чуть-чуть — ладаном, и не выдержал (очень уж оголодал за утро):

— А чем кормите?

Яков улыбнулся в бороду, извинился: кафе закрыто в начале недели и угостить гостя нечем. А так — здесь можно покушать недорого и не нарушая церковного устава. В пост — скоромную пищу не подают, конечно, а вне поста — традиционная еда, ничего особенного: пироги, щи, лапшенник...

Андрей кивнул и, хоть и не знал, что такое лапшенник, сглотнул слюну.

— Перейдем к делу. — Он побоялся, что у него заурчит в животе. Яков склонил голову набок: приготовился слушать. — У нас имеется подозреваемый, — с места в карьер начал Андрей. — Мы допускаем, связанный со староверцами...

Яков усмехнулся:

— Подозреваемый, как вы допускаете, с нами связанный? Я могу узнать, на каких основаниях?

— Нет. — Отказ прозвучал резко, но Андрей и сам понимал, что доводы его, коли он решится их озвучить этому Якову, весьма шатки. Однако других у него не имелось.

— Это мужчина средних лет, сильный физически, хорошо образованный: врач, учитель, военный или... — Андрей замешкался — ...Полицейский. Предположительно ездит на темно-синей машине. Мне бы хотелось, чтобы вы вспомнили всех прихожан, подпадающих под мое описание. Особенно тех, кто склонен к религиозному фанатизму.

Яков вздохнул и нахмурился:

— Вы пришли к нам, потому что считаете, что все староверцы — религиозные фанатики, так ведь? — Андрей ничего не ответил, а Яков тяжело замолчал, постучал аккуратно подстриженными ногтями по темному дереву столешницы. — Знаете, в семидесятых годах советские геологи обнаружили картофельное поле посреди глубокой тайги. Вспахавшие его старообрядцы жили там пятьдесят лет абсолютно оторванными от мира. Жили и не тужили. Так вот, для меня «семейские» — так еще нас называют — и есть то картофельное поле. Признак цивилизации посреди дикого леса, полного зверья. Если этот ваш человек совершил что-то,. — он вскинул на Андрея маленькие,

но совсем не глупые глазки, — страшное, значит, он к зверью не привык, реагирует на него. Оно, это зверье человеческое, его пугает. А мы — мы пуганые, понимаете? Вокруг нас мир изменяется ажно с 1666 — диавольского — года. И все эти ваши нынешние реалити-шоу, рожи вульгарные, блуд, растиражированный на миллионы экранов в каждый дом, нам не опаснее никоновских, петровских или «красных» комиссаровых нововведений: и не такое видали. И заметьте — жгли в избах нас, а не мы. Мы только держались своего.

— Что ж, — усмехнулся Андрей, — к вам не приходят новобранцы? Те, кто не из потомственных раскольников, а так сказать — неофиты?

— Приходят, — спокойно согласился Яков. — Да только кто приходит и зачем? Это те, кто ищет свои корни. Ведь столько Россию мучили, столько вертели душами людскими, мозги нам крутили в разные стороны: то налево поверни — в коммунизм, то направо — глянь, как капитал процветает! — Яков покачал головой. — А молодые — они хотят в глубину традиции вернуться. Ведь глубже, чем староверцы, и копать некуда. Знаете же: русский народ, он всё гнется... Гнется как тот прут, которым его бьют. И только вдумайтесь: за всю историю лишь однажды случилось, что он ответил «нет» государству и «нет» большинству! Достоинство свое сохранил чрез все гонения, казни, пытки и от тех, и от этих. И так уж четвертый век пошел... И вот ведь как слепоту какую Господь наслал! Окромя религиозной одержимости никто в той истории, твердости и мужества полной, боле ничего не видит! — Яков стукнул рукой по столу и вдруг успокоился, разгладил бороду: — Идите с Богом и не ищите вашего фанатика среди старообрядцев. Наши не борются уже давно, а в скиты уходят или из жизни. Это уж как получится.

— Выходит, и за чистоту не воюют? Не становятся, так сказать, «санитарами леса»? — сощурился Андрей.

— Вы, молодой человек, — сказал тихо Яков, — уже просто забыли значение слова «достоинство». Я вас не виню. Забывчивость в России стала национальной чертой. — И отвернулся к иконе на стене.

Андрей поднялся и коротко попрощался с бородачом: ни в чем тот его не убедил, но выбор этого человека в информаторы явно был неудачен. На крыльце он закурил и тут же вспомнил, как позапрошлой ночью, сидя на подоконнике в теплом кольце его рук, Маша рассказала — спасибо Кеше, проштамповавшем ей в юности весь мозг своими старообрядцами, — что беспоповцы не курят и не пьют ни кофе, ни чая, не говоря уж об алкоголе. «Дома, — говорила Маша, — держали полную бутылку водки: это показывало, что хозяин избы не пьет».

В его семье это было бы удачным решением, — подумалось ему, — глядишь, и отец подольше бы прожил. И не только в его семье: перед глазами встали бледные личики мальчишек Пети и Коли.

Сигарета вдруг показалась горькой: он выкинул ее в ближайшую урну.

ИННОКЕНТИЙ

Иннокентий не выдержал: развернул мягкое льняное полотенце, вынул темную от времени, отполированную сотнями разделенных столетьями рук досочку. Прошелся пальцами по неровному торцу в темных подпалинах — икона явно поджигалась, а может быть, выносилась из горящей избы, как самое ценное в доме. На иконе, сильно нуждавшейся в реставрации, проступал, как со дна глубокого лесного озера, тонкий лик. Николай Чудотворец. Левая рука прижимала к груди Библию, а там, где находилась правая, отсутствовал весь верхний слой, и можно было только догадываться, в каком знамении — двуперстном ли, триперстном, — были сложены тонкие пальцы.

«Вандалы!» — прошептал Иннокентий неизвестным в двадцатый ли век, в восемнадцатый? И решил, что не будет реставрировать эту часть, пусть так и остается — памятником людской нетерпимости. Но вот лицо отдаст подправить Данечке: молодому, но уже отлично зарекомендовавшему себя среди антикваров иконописцу. Верно сказать, что в дополнение к увлеченности своими иконами Данечка и лицом походил на отрока, чуждого этому миру: чистым лбом без юношеских прыщей, голубыми, в обрамлении светлых длинных ресниц, глазами. Что глядели, казалось, сквозь человеков и оживлялись только при виде икон — вот как эта.

Иннокентий вгляделся в лицо Чудотворца и замер на несколько минут: его тоже с детства завораживали эти лики — высокий лоб, идеальный разлет бровей, глаза в форме рыбки (нет, нет ничего случайного, Рыба — символ Христа!). Тонкий, изящный нос, неожиданно полные губы, спрятанные в курчавой бороде: каждый завиток вырисован тончайшей спиралью. И — будто подвешенные вверх, под веки, зрачки, глядящие на зрителя строго и беспристрастно.

Размышления Кентия прервал властный звонок в дверь. Он вздрогнул, отложил икону в сторону и пошел открывать. На пороге стоял (а ведь личность визитера можно было угадать по настойчивой безапелляционности звонка) широкоплечий мужчина лет пятидесяти, кажущийся огромным в своем темном длинном плаще. С короткой, но доходящей почти до самых глаз черной, с проседью, бородкой. Молодой здоровый румянец окрашивал высокие скулы, глаза смотрели зорко, эдак с прищуром. Он пропустил вперед своего спутника — мужчину много ниже ростом и хлипче сложением, с длинной, уже почти седой бородой, и плотно затворил дверь. И только после этого подал руку Иннокентию: огромную же, вполлопаты.

— Ну, здравствуй, сынок!— Уважительно перевел глаза на старика и сказал, скорее утвердительно: — А с главой общины ты знаком.

И Иннокентий слегка поклонился стоящему рядом спокойному старику.

— Чаю? — предложил он и смутился: — Э... может быть, фруктового?

Старик склонил голову: мол, фруктового, отчего бы и нет? И невозмутимо огляделся, полуприкрыв глаза тяжелыми веками, молча проведя взглядом по коридору, темным иконам на беленых стенах, дизайнерской люстре: водопаде из хрустальных капель. Иннокентий смутился своего благополучия, заметил, как поджал губы отец, но лицо старика оставалось бесстрастным.

Кентий усадил гостей на кухне, засуетился похозяйски, накрывая на стол: ошпарил белоснежный, толстого фарфора чайничек, насухо вытер его полотенцем, засыпал фруктовой чайной смеси... А в голове крутилась мысль: почему они пришли? И отец-то бывал у него на квартире не частым гостем, а уж такой важный визитер — и подавно. Зачем отец его привел? И сам себе ответил: нет, не отец привел старика. Все случилось с точностью до наоборот: это отец здесь по воле наиважнейшего в староверческой общине человека. И значит — повод тоже был — наиважнейший. Только при чем здесь он? — ломал себе голову Иннокентий, разливая по чашкам ярко-красный душистый фруктовый сбор и продолжая автоматически улыбаться.

— Твоя подружка, — начал отец, и Иннокентий вздрогнул, чуть не пролив заварку на скатерть. — Та, за которой ты ходишь уже последние пятнадцать лет...

— Маша? — Вопрос был риторическим. За кем еще он «ходил» последние пятнадцать лет?

Иннокентий аккуратно поставил чайник на место под пристальным взглядом двух пар глаз.

— Мария Каравай, — вступил тихим голосом глава общины и сделал паузу, в которую по-деревенски, вытянув губы трубочкой, подул на чай, — практически возглавляет группу, идущую по следу какого-то маньяка. Сегодня они пришли с вопросами в церковь на Басманной. Причетчика не было, с ними разговаривал Яков... Однако понятно, что люди с Петровки будут продолжать рыть землю вокруг нашей общины, и никакой пользы от этого не случится. А напротив... — Старец оторвался от чашки и впился в Иннокентия пронзительными глазками, и набрякшие веки внезапно перестали быть сонными, будто втянулись в глазницы: взгляд у старца стал молодой, острый: — А напротив, случатся одни несчастья.

— Это твой долг — защитить своих, Иннокентий, — вступил отец. — Люди озлоблены. Немного надо, чтобы началась очередная «охота на ведьм». Достаточно одной статьи в желтой прессе про маньяка-староверца, и все, что мы пытались построить последние годы, сгинет, как оно не раз уже случалось! Ладно, будут мешать заниматься делами... — Отец вздохнул. Он был крупным бизнесменом, специалистом по деревянным изделиям: от мебели до балясин с лестницами, и «охота на ведьм» грозила ему напрямую. — Так ведь дальше пойдет: вышлют староверов, только что вернувшихся на север из Южной Америки, остановят дела по возвращению наших церквей...

— Нам ни к чему, — тихо сказал первосвященник, не отводя от Кентия внимательных глаз, — чтобы все узнали про количество наших общин, про людей из наших, живущих светской жизнью. Не потому, что это преступно, но потому, что, крича о вере предков наших на всех углах, мы ее и предаем. Наша правда в молчании, что появилось раньше слова.

— Я не уверен, что смогу в чем-нибудь убедить Машу. — Иннокентий тряхнул головой. — Она вполне самостоятельна, упряма и почти всегда достигает своей цели.

— И пусть достигает. — Старик погладил бороду. — Цель святая — поймать убийцу. Только она ищет его не там, где следует, а когда осознает свою ошибку, зло уже будет совершено. А ведь нельзя, чтобы к добру шли злыми путями...

Они помолчали — ангел пролетел.

— Я постараюсь, — сказал наконец Иннокентий. — Но ничего не могу пообещать.

— Хорошо, — степенно кивнул глава общины.

— Постарайся, — добавил отец. И оба гостя поднялись и прошествовали в прихожую. Там старик перекрестил Иннокентия и вышел, а отец молча сжал плечо своей тяжелой лапищей. Закрывая за ними дверь, Кентий подумал о том, что бы сказали отец и глава общины, если б знали, что он сам, лично, участвовал в расследовании, которое сейчас рискует дискредитировать беспоповскую общину. Он вернулся на кухню. Три чашки с красным остывшим чаем так и стояли на столе. Как три купели, наполненные кровью. Иннокентий хмыкнул и вылил чай.

Одна фраза первосвященника крутилась у него в голове: «Нельзя, чтобы к добру шли злыми путями... Нельзя...»

АНДРЕЙ

Маша согласилась поехать на дачу к Андрею, когда тот уже довез ее до подъезда.

— А хочешь, — сказал он, независимо выдувая дым в открытое окно старенького «Форда», — поедем ко мне?

Они еще даже и не целовались — по дороге, как назло, им была сплошная «зеленая улица», и Андрей только сжимал влажную Машину ладонь в своей, перехватывая другой по очереди руль — коробку передач.

«Поедем ко мне, — мог бы он сказать, — и я покажу тебе Раневскую, это тот еще актер погорелого театра... Или я покажу тебе, какое жилье снимает мент, не берущий взяток: покажу тебе протертую до белого нитяного остова клеенку на круглом столе на веранде или скрипучие разномастные стулья, вафельное замызганное полотенце у заедающего дачного рукомойника, пошедшие пузырями — от зимних еще заморозков — обои. Мне многое есть чего тебе показать — такого концептуального, прямо ужас-ужас! Это вам не предметы изысканного антиквариата».

Почему, задавал он себе не раз риторический вполне вопрос, чтобы привести девушку к себе, надо пообещать показать ей что-нибудь совершенно не относящееся к делу, вроде коллекции блюзовых пластинок или японской миниатюры? Ведь можно, напротив, пообещать кучу всего интересного, к «делу» относящегося, разве нет? Он посмотрел искоса на Машу и покраснел.

— Только если ты дашь слово не пугаться, — добавил он вслух, — моего бардака.

Маша повернула к нему бледное, как у эльфа, лицо с кажущимися прозрачными в темноте глазами:

— Вези уж, — сказала она и до боли стиснула ему руку.

И он с визгом тормозов (так вот для чего нужен был на самом-то деле спортивный двигатель!) быстро, пока она не передумала, рванул с места, вылетел на проспект и понесся по нему, пустому ночью, туда, где в темноте не станет разницы между ними. Скорей, скорей. Он чувствовал, как от перспективы оставшейся им обоим ночи приливает к голове кровь, ему стало жарко, несмотря на ветер, бьющий из двух открытых передних окон.

Он вел машину мастерски, будто находился в другом измерении, или играл в компьютерную игру, или был под наркотиком: а он и был под ним, только натурального разлива. Эйфория делала глаза более зоркими, реакцию — мгновенной, но при всей своей сосредоточенности на дороге он чувствовал второй рукой, когда переключал передачу, легкое прикасание к ее голой коленке — Маша сидела, свернувшись клубком, и тоже сосредоточенно смотрела на дорогу: скорей же!

Вот они выехали за МКАД, свернули на шоссе, вот уже дачная, центральная в их садоводстве улица, и по сторонам выстроились молчаливые темные дома, а воздух стал свежей, запахло травой, мокрым песком... Наконец он остановил машину у калитки, выключил зажигание, выдохнул и повторил, как заклинание:

— Ты только не пугайся моего бардака.

Но Маша уже вышла из машины, потянулась по-кошачьи, глубоко вдохнула и улыбнулась ему, взяла за руку. Андрей отворил калитку, они прошли к дому, поднялись на крыльцо. Изнутри, с веранды, на свободу стал рваться Раневская, счастливо лаять с подвизгом и, когда Андрей наконец открыл дверь, бросился к нему, чуть не снес с ног, исполнил положенный танец счастливой собаки, заждавшейся ужина и прогулки по темному участку. И Андрей чуть дольше, чем надо, трепал Раневскую, приговаривая:

— Вот, дурень, смотри, это Маша, Маша, Маша!

А Раневская и сам видел Машу и бесцеремонно лез ей под юбку, бодался жесткой лобастой башкой в ладони, царапал лапами голые коленки.

Наконец Андрей покормил беднягу и выпустил побегать в сад — в сад, в сад, все в сад! И впервые с того момента, как открыл дверь дома, повернулся к Маше, на которую избегал смотреть, потому как эйфория уступила место нервозности. Где, черт возьми, у него любовный инвентарь: свечи, бутылка хорошего вина? Какое-никакое шелковое белье на худой конец? Вот у Кентия, подумалось ему, это все уже было б наготове...

— Хочешь чаю? — спросил он. — Только у меня к нему ничего нет...

Маша молча помотала головой, сделала шаг, и Андрей прижал ее к себе до боли, притянул за затылок, уткнулся губами в шею рядом с ухом, жадно втянул запах и от него, от этого «правильного», глубинно-своего запаха, вдруг перестал соображать, а вместе с тем рефлексировать по поводу не шелковых и даже несвежих простыней. И кому нужно это вино? И свечи, если в окно смотрит дачный фонарь...

Ах, черт возьми, Маша Каравай, какая же ты тонкая и нежная повсюду, куда добираются мои жадные пальцы и губы, как любой изгиб ложится точно в руку: будь то гладкое колено, шелковое плечо, мягкость и упругость маленькой груди, впалый живот. Как могло ему показаться, что она чужая, когда она сделана была под него, для него? Тебе не больно, милая, что я так крепко сжимаю все, до чего могут дотянуться ставшие внезапно жадными руки? Маша, Маша, что ж ты делаешь со мной?! Смотри, Маша, смотри мне в глаза! Но она уже крепко сомкнула веки, изогнулась с тонким стоном в последней судороге и прижалась к нему жарким телом. И он сам не выдержал-таки, закрыл глаза, и его накрыла звенящая пустота.

* * *

Зверски хотелось курить, но Машина голова покоилась на его плече, и он боялся пошевелиться. За полуоткрытым окном тихо шелестел ночной дождик. Андрей пощупал простыню — она была влажной, пот медленно просыхал и на его груди, в которую она уткнулась носом, а в комнате заметно похолодало. Андрей натянул ей на спину одеяло — еще простудится, не дай бог. Он слушал шум дождя, вязкое хлюпанье собачьих лап под окнами — то Раневская наслаждался долгожданной прогулкой. Андрей был полон счастьем, полон, как то старое цинковое ведро, выставленное им за дверь еще вчера утром с целью собрать дождевой воды.

Их разбудил не скрип половиц под собачьими лапами, и не солнечный луч, беспрепятственно проникший сквозь незашторенное окно, и даже не громкий обмен новостями соседей справа и слева через Андреев участок в шесть соток, а нежный перезвон мобильного телефона. Андрей облегченно выдохнул — трель была не его — Машина, а значит, с работой не связанная. А Маша перегнулась через него длинной изящной спиной (Андрей успел восхититься наличием у нее, казалось, дополнительных позвонков) и стала шарить под кучей одежды на полу.

— Да, мамочка, — сказала она хриплым со сна голосом, найдя наконец трубку. — Ты получила мое СМС? Да, конечно, в порядке. — В трубке вдруг что-то забулькало, а Маша резко села, прижав одеяло к груди: — Мама, что?.. Что случилось? Ты плачешь?! — А потом, сдвинув брови, выслушала, кивая, и наконец сказала: — Мама, могло произойти много чего, и не обязательно страшного! Потерял телефон, решил остаться у друга наконец! Или какое-нибудь резкое ухудшение у пациентки. Ну и что? Все бывает в первый раз. Сегодня выходной, он расслабился, и...— В трубке опять раздалось бульканье. — Мамочка, — сказала Маша умоляющим тоном. — Ну подожди чуть-чуть, я скоро приеду, хорошо? — Она нажала «отбой» и повернула к Андрею расстроенное лицо: — Отчим пропал. Мне нужно возвращаться в Москву.

Андрей взял Машино лицо в ладони — в их обрамлении она казалась девочкой, испуганной и расстроенной. И поцеловал: в лоб, в нос, в теплые сонные губы, в щеку со следом от наволочки.

— Доброе утро! — сказал он. — Одевайся, я пойду сварю кофе.

Он вытянул из кучи на полу вчерашнюю майку и, принюхавшись, пообещал себе, поставив кофе, сразу же окатиться холодной водой под умывальником. И поменять футболку на чистую, чтобы порадовать собой, свежим и хорошо пахнущим, Машу Каравай. Вопрос в том, нахмурился Андрей, проходя на кухню, найдется ли в его завалах чистая футболка? И еще: осталось ли у него молотого кофию, чтобы напоить Машу Каравай. Хотя бы на две чашки. Ну, или на одну. Он отодвинул голой ногой приставучего пса, начал выгребать все из висящего над обеденным столом шкафчика. И узнал о себе много нового: оказывается, он пользуется корицей — по крайней мере, именно это было написано на выцветшем бумажном пакетике. Интересно, задумчиво повертел Андрей пакетик в руках, можно ли корицу добавить в кофе? Или пить — вместо? Плюс к тому на дальней полке обнаружилась пачка спагетти, заржавевшая открывашка, железная банка с неясным содержимым (годен до октября прошлого года — пригляделся Андрей), а также сухарики к пиву. Но не кофе, черт возьми! Не кофе! Кофе, кроме разводимого кипятком пойла, не имелся, и он с расстройства выкинул в помойное ведро жестянку с загадочной начинкой, хотя в обычном состоянии рискнул бы открыть и, возможно, разделить по-братски ее содержимое с Раневской. Раневская посмотрел на него с укором, шатко поставленный на газовую горелку ковшичек для неслучившегося кофе закипел и накренился набок, с шипением залив горелку. Андрей, не раздумывая, схватился за алюминиевую ручку, ойкнул, выматерился и... увидел перед собой уже совершенно готовую к выходу Машу Каравай, глядящую на него с явной иронией.

— Э... — сказал Андрей. — Прости, кофе в постель не будет. И даже не в постель, просто кофе, разве что растворимый? — И он, как дебил, взял со стола и повертел перед ней банку с «Нескафе».

— Может быть, чаю? — спросила невинно Маша, чем обрадовала его безмерно: «Липтон»-то у него точно имелся.

А Маша обняла его, спрятав улыбку на Андреевой молодецкой груди, обтянутой несвежей майкой, и потерлась носом о шею. Он осторожно поставил банку на место и осторожно же обнял свою стажерку.

— Я грязный и неумытый, — шепнул он ей смущенно в ухо.

— Это ничего. — Она подняла на него глаза и улыбнулась: — Ради чая я готова потерпеть... — И сама начала его целовать, да так, что они увлеклись процессом под осуждающим взором Раневской, не потерявшим надежды на завтрак, но тут уже неумолимо зазвонил его телефон. Тогда они оторвались друг от друга с затуманенными глазами, и Андрей рявкнул в трубку: «Да!» — и застыл, а Маша замерла. «Опять?» — читалось в испуганных глазах, мгновенно растерявших всю свою туманность. «Не знаю», — отвечал ей взглядом Андрей, инстинктивно сжав тонкое плечо, будто ухватился за единственную, не подвластную этому кошмару опору.

В машине они ехали молча: Маша, глядя независимо в окошко, а Андрей, сощурив глаза, не отрывая глаз от пролетающей мимо дороги. Он только что приказал стажеру Каравай ехать домой к матери и заниматься семейными делами: утешать маму, искать загулявшего отчима, мирить маму с загулявшим отчимом: нечего ей тереться и в выходные на убийствах. Маша обиделась (и была абсолютно права), но, как бы то ни было, Андрей взять ее с собой не мог. И потому, что парень из группы, рыжий, обсыпанный веснушками Камышов, первый приехавший на убийство, сказал, что «страх дикий, никогда такого не видел», и по каким-то глубинным токам интуиции, которая уже не шептала, а вопила в самые уши: не веди туда Машу!

Они молча же подъехали к ее дому, и Маша уже дернула ручку двери, чтобы так же, полной достоинства, уйти без слов, как он развернул ее к себе за плечи и поцеловал, сминая сопротивление маленькой гордой птички. Как же! На убийство ее не взяли! И поцеловал, как чувствовал — последний раз за сегодняшний, обещавший быть длинным и мучительным день. «Бедная девочка, — подумал он, проводив ее глазами, — говенный тебе кавалер достался: ни свечей, ни кофе в постель, ни даже чая на веранде. Полюбил и бросил — ради неизвестного трупа».

* * *

Когда он подъехал на место преступления, в съемную квартиру внутри очерченного уже для него кровавой, огненной каймой Белого города, на лестнице было уже не протолкнуться. Съехались, несмотря на выходной, все из группы, курили и тихо переговаривались, дожидаясь, пока окончат работу криминалисты. Андрей стрельнул сигарету у Камышова, и тот возбужденным шепотом стал вываливать информацию — труп находился в каком-то гробу, вроде огромной полой деревянной куклы, изнутри усаженной острыми гвоздями. Убийца вложил в нее жертву и закрыл, да так, что гвозди вонзились бедняге в руки, ноги, живот, глаза и ягодицы.

— На трупешник, — выкатил глаза лейтенант, — смотреть невозможно! Кровищи — во! Весь изрезан вживую, по всему, бедолага извивался, а толку-то? Гвозди только глубже вошли и разрезали... — Камышов глубоко вдохнул, видно, воспоминания дались ему нелегко.

— Кто полицию вызвал? — оторвал его от отвратительных картинок Андрей.

— Да, считай, человека три из соседей, не сговариваясь! Убийца, видать, его по голове сначала стукнул и сунул в эту куклу-то свою. А тот, когда очухался, стал орать. — Камышов опять побледнел, представляя себе этого несчастного мужика, разбудившего половину хрущевского, тонкостенного дома.

— Опросите соседей, — приказал Андрей Камышову и Герасимову и прошел в квартиру. Склонился над трупом рядом с судмедэкспертом. Смотреть на залитое кровью тело было невозможно, а на лицо... На лицо, искаженное судорогой, смотреть было совсем нельзя.

— Что в карманах? — спросил он хрипло, оторвавшись от предсмертного, просто-таки американского, белозубого оскала трупа.

— Вот, — протянул ему криминалист прозрачный конверт с фотографией: чудеса, да и только, — фотография была без следов багрового. На ней счастливо улыбался мужчина, прижимая к себе женщину средних лет. Мужчина был явно тем же, что лежал сейчас, целомудренно прикрытый простыней. Андрей дал знак, что тело уже можно унести. А вот женщина — женщина показалась ему смутно знакомой. И только он подумал, что губы у нее похожи на Машины, и сам же себя одернул: юный Вертер, черт бы тебя побрал! — Везде ему, видите ли, мерещится лицо любимой! — как покачнулся, вспомнив лицо в проеме двери: «Маши нет дома! Судя по отсутствию книг, она в библиотеке...» Судя по отсутствию отчима дома, он и есть тот персонаж, что провел эту ночь в деревянной кукле. Маша! Андрей почувствовал неодолимую слабость в коленках и сел на стул под неодобрительным взглядом криминалиста. Опять все сходится к ней! Может ли это быть случайностью? Сам вопрос показался ему смешным. Убийца выбрал жертву потому, что та была близка к Маше. И, конечно же, еще и потому, что ее отчим подходил под ту безжалостную таблицу, которую Маша же и скопировала Андрею еще позавчера вечером.

Яковлев вынул лист из заднего кармана джинсов. Отчим пропал недавно — получается, что и грех его должен быть посильнее, чем у педофила Минаева. Но в списке осталось только два мытарства: ереси и жестокосердия. Машин отчим, насколько он понял из обрывочных объяснений Маши с мамой сегодня утром, работал психотерапевтом. Возможно ли, чтобы он был груб с одним из своих больных? Не понял, до какой степени тот болен? Больного пациента проще вычислить, чем неизвестного старовера. Версия была неплохой, но сырой. Машин отчим с тем же успехом мог бы быть, к примеру, баптистом, что для православных, несомненно, являлось ересью. И подпасть под последнее из мытарств. Надо бы спросить Машу. Надо набрать ее, чтобы прервать их с матерью болезненный и унизительный поток звонков по больницам, знакомым и родственникам: он у вас не ночевал? Такого-то нет в списках поступивших сегодня ночью? Но что это унижение рядом с правдой — страшным исколотым трупом с фотографией ее матери в кармане? Нет, Андрей хотел дать себе еще несколько минут, перед тем как набрать выученный уже наизусть номер. Еще несколько минут, чтобы подумать. Он снова перечитал таблицу и имена жертв напротив каждого из мытарств. И нахмурился: в последовательности у преступника уже давно были некие накладки и пропуски. Будто бы удостоверившись, что сыщики поняли его логику, тот больше не заморачивался: цепочка убийств, как в детской ходовой игре, могла скакнуть на пару шагов назад. И еще: почему маньяк положил в карман своей жертве семейную фотографию? Оттого ли, что Машина мать тоже каким-то образом завязана в этой игре? Андрей шумно выдохнул и с тяжелым сердцем достал мобильник, поняв, что у него не получится додумать эту мысль без Маши: как ни крути, она стала в данном деле не только сыщиком, но и свидетелем. Словно убийца давал примерить своей любимой ученице все роли: от теории — к практике, от расследования — к свидетельству, от свидетельства... Андрей вздрогнул, но не смог не закончить цепочку: к соучастию?

* * *

Камышов сидел напротив соседки снизу — женщины средних лет с нездоровым цветом лица. Цвет лица объяснялся застарелым запахом курева, пропитавшим всю мизерную квартирку, и профессией соседки — технический переводчик. В кухне (она же — рабочий кабинет) стоял старый ноутбук и лежала куча брошюр по пользованию разнообразной бытовой техникой. Соседка нервно их перебирала — аксессуары чужой, оснащенной по последнему слову техники, жизни:

микроволновка и пароварка, хлебопечка, блендер и фритюрница. На ее собственной кухоньке дрожал экзальтированной дрожью один древний холодильник. Занимаясь исключительно письменным переводом, соседка, в силу специфики своей профессии, имела мало возможностей с кем-нибудь побеседовать и потому рвалась навстречу общению, пусть даже и с представителем правоохранительных органов. Камышов уже отказался от мысли задавать вопросы: чего их задавать, если дама все рассказывает сама? Хорошо рассказывает, четко, не отвлекаясь и в деталях. Можно сказать, повезло рыжему. Так Камышов себя сам называл и все жизненные обстоятельства комментировал двумя способами: повезло рыжему или нет. Как ни удивительно, этих двух категорий до 26 лет ему вполне хватало: появилась девушка — повезло рыжему; нет жилплощади для обзаведения семьей — не повезло; девушка ушла к другому: скорее повезло — что с ней делать-то, с девушкой, без жилплощади? Ну, и так далее.

Разговор с соседкой у них как раз и зашел про жилплощадь: квартира сверху, сказала она, сдается уже пять лет как, и никто там постоянно не живет. Она используется исключительно для любовных утех. Так и сказала: утех.

— Откуда такая уверенность? — спросил Камышов.

— Ошибиться невозможно, — сказала переводчица. — Тут все слышно. Люди снимают квартиру и потом приезжают: когда в обеденное время, когда вечерами. И занимаются... сексом. — Слово «секс» она произнесла, как выплюнула. — В общем, — кивнула женщина, — где-то год назад квартиру сняла интеллигентная на вид пара: он — похожий на профессора (Камышов поежился, вспомнив, на что был похож вынутый из куклы мужчина интеллигентного вида), она — на профессорскую студентку: много моложе его, красивая. Стандартная история — старичка потянуло на свежачок. — Переводчица хмыкнула, презрительно скривилась, ожидая от следователя реакции, но Камышов не поддался, только спокойно кивнул: мол, продолжайте, гражданка.

Итак, интеллигентные люди предавались любви совершенно неинтеллигентным макаром: стонали, кричали, чуть ли не хрипели и мешали соседке снизу (а также соседям слева, отметила она) варить суп, принимать душ и смотреть вечерние новости. От любовных дебатов сверху у переводчицы качалась люстра чешского хрусталя, она нервно курила и мрачно обдумывала свою бабскую долю. И что самое забавное: пересекаясь с ними иногда на полутемной лестнице или в лифте, даже не могла ничего им ядовитого бросить — вот что значит интеллигентный вид. Впрочем, ругаться, по большому счету, не стоило: встречались эти двое не так часто, не более одного раза в неделю, и легче было перетерпеть эти вопли сверху, чем, к примеру, мириться с молодой семьей с маленьким ребенком, которые ругались без перерыва и уже трижды протекали на Алину с третьего этажа. Тут хоть тайная страсть и некий саспенс, а там студенческая лодка любви, разбивающаяся ежедневно при тебе о быт, — сами в такой плавали, знаем.

— Но вчера... — соседку передернуло. — Все началось не как обычно. ОН пришел раньше, чем всегда: часа в четыре. Я слышала, как повернулся в замке ключ и хлопнула входная дверь. А ОНА — не появилась: ни звука шагов на лестнице, ни лифта, остановившегося этажом выше.

Камышов усмехнулся про себя: очевидно, история двух тайно любящих сердец занимала соседку много больше, чем та хочет показать. Прошло, наверное, с полчаса — переводчица, по ее словам, уже успела перекусить, — когда дверь снова хлопнула. Она было подумала, что герой-любовник ушел, не дождавшись возлюбленной, но нет — это кто-то зашел в квартиру.

— И это была не «студентка», — уточнил Камышов.

— Нет! — возбужденно сказала переводчица. — На лестнице-то было тихо. Да и лифт у нас едет с таким скрипом — не пропустишь! Нет. Этот кто-то спустился с верхнего этажа.

— Получается, ждал? — задумчиво спросил Камышов.

— Может, и ждал, — кивнула она и потянулась к пачке с сигаретами.

Кроме того, после заливистой трели звонка ей показалось, что она услышала мужской голос. Камышов впился в соседку глазами. Переводчица выдохнула дым от сигареты в покосившуюся, с облупленной краской форточку, выдержала паузу.

— Мне кажется, он сказал...

— Да? — Камышов подался вперед.

Соседка подняла на Камышова взгляд, в котором впервые читался испуг:

— «Открой! Это я!»

МАША

Маша держала маму в кольце своих рук, но кольца не хватало. То ли руки были недостаточно длинными, то ли вовсе не Маше нужно было успокаивать маму. Но больше было некому — рядом не осталось ни папы, ни отчима, а мама ускользала, падала, как Алиса в Стране чудес в свой глубокий колодец. И Маша знала, что там, на дне: папина гибель, и боль, и страх, и одиночество. Андрей позвонил всего пять минут назад, но всё это утро, проведенное на телефоне, она знала, чувствовала затылком, как чувствуют чье-то дыхание в темноте: все зря. Его нет ни у друзей, ни у коллег, ни в палате какой бы то ни было из столичных больниц. Поздно. Он уже там, где его не достанет супружеский укор. Вдруг она поняла, что отчим, его ненавязчивое присутствие в Машиной жизни: хорошо сваренный кофе по утрам, мягкий взгляд, сдерживающий мать, когда та накидывалась на Машу с нескромными вопросами, даже его «психотерапевтические» (как она их называла) рассуждения были вовсе не в пустоту, а тонкими, но крепкими нитями поддерживали ее на плаву. Она привязалась к этому большому деликатному человеку. И сама, за привычным раздражением на него, не заметила, как сильно.

Наталью между тем начало колотить, несмотря на ударную дозу валокордина, пальцы, больно вцепившиеся в Машино предплечье, стали холодными как лед. И Маша решилась: набрала номер работающей неподалеку маминой одногруппницы и подруги и постаралась в двух словах изложить случившееся: отчим погиб, мама явно в нервном шоке, не подскажет ли Надежда Витальевна, как ей можно помочь?

— Машенька, — дрогнувшим голосом сказала та. — Подожди, я сейчас приеду. Не отходи от мамы, ты умница... Уложи ее спать, если сможешь.

Маша повесила трубку и повернулась к маме:

— Мама, пойдем, ты ляжешь, я дам тебе снотворное. Скоро приедет тетя Надя. — Мать смотрела сквозь нее, и Маше на секунду стало страшно. Она похлопала маму по руке, попыталась подняться и поднять ее за собой. — Пойдем, — повторила она мягко, — я тебя уложу.

Мать встала, и они маленькими шажками, будто грузовик с прицепом, подумалось ей, вышли в коридор. Там Маше пришло в голову, что вести мать в их с отчимом спальню будет ошибкой, и она толкнула дверь в свою комнату.

Наталья остановилась как вкопанная, в проеме, и взгляд ее вдруг ожил, сфокусировавшись на чем-то прямо перед ней. Маша просунула голову, чтобы понять, на что она так напряженно смотрит, и выругалась про себя: ее комната тоже оказалась неудачным выбором. Отец на черно-белой фотографии глядел на жену и дочь со стены напротив, а жена и дочь смотрели на него. И он казался им живее, чем они обе, вместе взятые. Так они простояли секунд десять, а потом мать повернула бледное лицо к дочери и тихо произнесла: «Это все твоя вина!» — и, схватившись за сердце, медленно, как в кино, сползла на пол.

— Мама, что?! Что?! Сердце?! — закричала Маша и бросилась на кухню за неизменным валокордином.

В ту же секунду в дверь зазвонили, и с рюмочкой для лекарства в одной руке и пузырьком в другой Маша побежала к входной двери, запнулась за коврик и почти в полете открыла дверь.

— Тетя Надя! — Она уже не пыталась казаться сдержанной, ее будто откинуло на двенадцать лет назад, и она опять стояла, маленькая, потерянная, рядом с телом своего отца. — Маме плохо... Сердце!

— Тихо, тихо, — сказала ей успокаивающе Надежда и, быстро скинув уличную обувь, прошла в коридор.

— Таша! — Она присела рядом с Натальей, быстрым жестом вынула из сумки и положила ей под язык какую-то таблетку, сжав длинными пальцами материнское запястье и слушая пульс. — Таша, надо быть сильной, надо держаться, Таша, — говорила она подруге тихим, будто баюкающим голосом, а Маша молча стояла у нее за спиной и старалась не расплакаться. — Сейчас я тебя уколю и отвезу к себе в клинику — я на машине. Полежишь с пару дней, отойдешь, Маша сейчас соберет все необходимое.

Она кинула взгляд на Машу, и та развернулась, зашла в ванную, быстро собрала чуть дрожащими пальцами материну косметичку, взяла, повернувшись, халат, висящий на двери. Что еще? Смена белья? Проходя по коридору в сторону маминой комнаты, она видела, как Надя отточенным профессиональным движением вводит лекарство матери в вену, приговаривая что-то вроде: «Отлично, всегда завидовала твоим венам, никаких проблем с попаданием!» А Наталья смотрела куда-то вверх, в потолок. Маша быстро зашла в комнату, выдвинула ящик в шкафу, схватила верхнюю пару белья, втянула запах материнских духов, почувствовав, как смыкается горло, — только бы не разрыдаться! И отметила краем глаза пустую серебряную рамку для фотографий. Но не остановилась, не оглянулась, пришла обратно в коридор: мать уже стояла, одетая, перед входной дверью. Надежда взяла у нее пакет с вещами, потрепала по щеке:

— Я заберу твою маму на несколько дней. Ты справишься?

Маша кивнула.

— Отлично. Можешь приехать проведать ее завтра с утра. Я тебе позвоню и дам номер палаты.

Маша еще раз кивнула. Она не отрывала глаз от бледного, будто застывшего, материнского лица. Надежда уже распахнула входную дверь, взяла мать под руку и зашла в лифт. Маша махнула им на прощание рукой, дверь лифта с лязгом захлопнулась, и она медленно отступила в квартиру, заперла на четыре полных оборота замок и повернулась от двери к зеркалу в прихожей.

Она стояла в взвеси из искусственного и естественного света как призрак, не принадлежащий ни одному из миров. Только сейчас она внезапно осознала, **что** сказала ей мать перед тем, как опуститься на светлый паркет в коридоре: она виновата. Почему-то Маша совсем не удивилась: мама была права, как всегда.

Всё, что случилось у них в семье, было ее виной. Ее, и никого другого...

АНДРЕЙ

Андрей впервые пришел в Центр психологической консультации и, несмотря на отвратное настроение, не смог не улыбнуться: вокруг царил такой мир психологического комфорта, что просто, как говорила его бабка в детстве, «Божики мои!». Играла тихая музыка, завораживающе-медленно, весьма успокаивающе для нервов плавали рыбки в аквариуме, на полу лежали мягкие ковры, заглушавшие и без того несуетливые передвижения медперсонала. В высокие окна било солнце, и Андрей зажмурился, на секунду пожелав быть на месте любого из сидящих здесь по своим, психологическим проблемам, товарищей.

Его же нынешняя психологическая дилемма заключалась, как в классическом романе, между долгом и чувством: долг повелевал немедленно нестись к Маше и выспросить до донышка у нее и у Натальи все про ныне покойного супруга и отчима. Чувство же взвизгивало наподобие Раневской: дай им отдышаться, дай прийти в себя... И за кулисами таких благородных побуждений поскуливало еще тише: она возненавидит тебя, и ее мать возненавидит, и даже если это поможет тебе найти убийцу, Машу ты потеряешь, мой бедный провинциальный Йорик, и навсегда.

Чтобы отвлечься от внутреннего навязчивого диалога, Андрей схватил со столика в фойе брошюрку и углубился в чтение: «...психолог помогает клиенту по-другому взглянуть на проблему; с помощью наших специалистов вы сможете узнать о себе что-то новое (Андрей хмыкнул: да, он очень рассчитывал узнать что-то новое, но не о себе, а об одном из специалистов, пролежавшем некоторое время в деревянной кукле) ...сделать иные выводы из того, что происходило с вами на жизненном пути, получить новое понимание проблемы и, наконец, увидеть пути ее решения...»

«Неплохо, — подумал Андрей. — Может, сходить?» Он перевернул брошюрку и нашел прейскурант: Белов Юрий Аркадьевич, чья фотография красовалась на обложке брошюрки (как-никак Юрий Аркадьевич был руководителем «Психеи»), стоил около 200 евро за индивидуальную консультацию. И 250 — за индивидуальную консультацию ВИП. Андрей скривился. Интересно, что входит в консультацию ВИП: индивидуальный массаж для полнейшего расслабления пациента? Читать брошюрку сразу расхотелось: он не верил в консультации для ВИПов. Кроме того, даже если за такие деньги он получит «полное понимание» своей психологической проблемы, то вскорости перед ним встанут проблемы иные — чисто финансового плана.

В зал тем временем вошла высокая крупная женщина с красиво окрашенными в цвет старого золота волосами, уложенными в узел на затылке. Она оглядела замерших в ожидании с чуть напряженными лицами (несмотря на Моцарта и рыбок) пациентов, мгновенно выделила Андрея и подошла к нему так же мягко, не торопясь.

— Татьяна Александровна, — протянула она пухлую теплую руку с нежно-розовым маникюром. — Я заместитель то есть. — Она кашлянула, опустив глаза. — То есть была заместителем Юрия Аркадьевича. Пройдемте ко мне в кабинет.

Андрей послушно поднялся и прошел через коридор к двери с табличкой: «Т.А. Кротова, к. псх. н.».

За дверью находился просторный кабинет с положенным диваном для растерявшихся перед жизнью пациентов, и Кротова плавным жестом показала Андрею — туда ему и садиться.

— Что ж. — Татьяна Александровна грустно улыбнулась и села в свою очередь за свой солидный стол.— Я так понимаю, что вы хотите задать мне вопросы по поводу... касаемо Юрия Аркадьевича. Но я... кхм... не уверена, что смогу вам помочь. Его тут все очень любили: и коллеги, и пациенты. Он был отличным специалистом в своем деле, и мы очень... скорбим.

Андрей поерзал на профессиональном диванчике: и как они тут вываливают о себе всю подноготную, неудобно же? И глубоко вздохнул. Было понятно, что кандидат психологических наук госпожа Кротова вряд ли поделится с ним наболевшим: не на диване, чай, сидит. Он хотел начать со стандартных вопросов, как вдруг, неожиданно для себя самого, выпалил:

— Скажите, а у вашего начальника были внебрачные связи в коллективе?

Татьяна Александровна чуть заметно поджала губы:

— Нет, Юрий Аркадьевич очень любил свою семью.

Андрей смутился: почему вдруг он решил спросить златовласую даму об адюльтере? Может быть, из-за семейной фотографии в кармане? Или из-за одного пропуска в списке мытарств? В любом случае он быстро выровнял линию вопросов:

— Как давно вы знакомы с потерпевшим? Не было ли у него конфликтов на работе с коллегами? А с пациентами? Не замечали ли вы за ним в последнее время повышенной нервозности? — И далее, далее по списку. А Татьяна Александровна вроде бы отвечала не односложно, но вот что значит профессионал — не дала ему ни малейшей зацепки, никакого ключика.

Впрочем, он на нее и не особенно рассчитывал: в конце концов, Мытарь никогда не оставлял за собой следов. Откуда им взяться на этот раз? Андрей вдруг почувствовал ужасную усталость: беспокойство за Машу не отпускало его весь этот чертов день, пропитанный собственной беспомощностью, страхом и кровью. Он испытывал острое желание услышать ее голос, чтобы вспомнить, что случилось между ними еще прошлой ночью. Но ничего не вспоминалось, только последний поцелуй уже на пороге ее дома этим утром, а потом — сплошной этюд в багровых тонах. Он быстро попрощался с Кротовой, еще раз пожав нежно-розовую лилейную ручку, и почти бегом вышел из этого огромного аквариума, где под гипнотическую музыку должны были затихнуть его детские страхи.

На улице уже было свежо, спустились сумерки, пахло дождем и бензином. Андрей потянулся к карману джинсов за куревом, когда внезапно увидел перед лицом пачку сигарет, протянутую тонкой костистой рукой. Он обернулся: рядом, в пальто, накинутом прямо на белый халат, стоял длинный сутулый парень лет двадцати восьми.

— Спасибо, — сказал Андрей, взяв предложенную сигарету, а потом еще и наклонившись к элегантной, совершенной не подходящей этому малому с лицом Дуремара золотой зажигалке. Малый снова протянул руку и представился:

— Тимофеев, психиатр и сексолог здешнего центра.

Андрей аккуратно пожал поданную ладонь: он смутно представлял себе, чем занимаются сексологи.

— Сексологи, — будто бы уловив легкий испуг в его глазах, пояснил Тимофеев, — это не то же самое, что гинекологи. Или, — он усмехнулся, — урологи. Мы имеем дело с тем, что находится выше, а не ниже пояса. — И, еще раз покосившись на Андрея, добавил: — Я имею в виду голову.

— Ммм... — протянул Андрей, довольный, что первая затяжка позволяет ему избежать топкой темы.

— Вы ведь следователь, так? — Андрей кивнул, а сексолог продолжил: — Я видел, как вы заходили в норку к нашей змее.

— Змее?

— Ну да, ласковое прозвище, данное подчиненными разлюбезной нашей Татьяне. — Он очертил в воздухе круг зажженной сигаретой, с чувством продекламировал: — Итак, она звалась Татьяна! И еще она называет себя кандидатом наук. Что уже не смешно.

— На самом деле она не кандидат? — поинтересовался Андрей. Ему даже стало любопытно: Кротова произвела на него впечатление, вполне адекватное своей ученой степени.

— Да, да, — отмахнулся Тимофеев. — Может, купила где, может, задницей чугунной заработала — психология ж не математика, если вы понимаете, о чем я! Но, знаете, — и он приблизил длинное лицо к Андрею, — она же рада-радешенька, что Аркадьича больше нет. Он ведь в этой богадельне был единственный, кто действительно что-то соображал, а не просто начитался Юнга и Ялома! Единственный, кто по-настоящему заботился о пациентах! Даже, — тут сексолог нехорошо усмехнулся, — иногда слишком.

— Что вы имеете в виду? — встрепенулся Андрей.

— А что тут иметь в виду? Все ясно как божий день: он врач, царь и бог, она — пациентка, измученная собственной психикой. К тому же — красивая пациентка. Правда, дело это небезопасное: во-первых, запрещено врачебной этикой. Ну, это, положим, начхать. Но главное — у пациентки имелся муж. Полицейский. Но такого вида, что, переодень его в кожанку и голову обрей, — бандюган-бандюганом, с вашими это случается, вы уж меня извините. И глаза такие... мягко выражаясь, недобрые. Ясно, что подобному человека прирезать, что филантропу старушку через дорогу перевести.

Андрей подобрался, еще не веря собственному везению.

— А вы случайно не знаете фамилии пациентки? — спросил он тихо, боясь спугнуть удачу, пусть даже охотничьей дрожью собственного голоса.

— Не знаю, — выкинул окурок Тимофеев. — Но могу посмотреть в базе данных. Фамилия у нее была простая — вроде Ивановой, очевидно, мужнина. Потому что у нее самой такой фамилии быть просто не могло, м-да. Дело было года два назад — я увидел, как после консультации он посадил ее в машину и увез. А потом она отменила все дальнейшие сессии.

— И поэтому вы думаете, что у них был роман? — с наигранным недоверием протянул Андрей, уже открывая перед Тимофеевым дверь клиники.

— О! — Сексолог поднял вверх длинный кривоватый палец. — Если бы вы видели, как он на нее смотрел. И она — на него. Поверьте, у вас тоже не осталось бы никаких сомнений.

Фамилия клиентки оказалась Кузнецова, адрес также имелся, и Андрей прямо из кабинета Тимофеева набрал номер. Трубку сняли, и глухой женский голос произнес:

— Я слушаю.

— Анна Алексеевна? Добрый день, вас беспокоит старший оперуполномоченный Яковлев. Я хотел бы побеседовать с вами о Юрии Аркадьевиче Белове. Мы могли бы сейчас встретиться?

— Конечно, — тихо сказала Кузнецова. — Приезжайте. У вас есть адрес? Код на двери: 769.

— Еду, — быстро сказал Яковлев и положил трубку, пока та не передумала. И, уже выезжая со стоянки «Психеи», понял, почему после такой краткой беседы у него осталось чувство некой неестественности, какой-то даже странности, что ли. Анна Кузнецова не казалась ни удивленной, ни испуганной. Что очень нетипично для человека, которому ни с того ни с сего позвонил следователь с предложением встретиться.

ИННОКЕНТИЙ

Иннокентий положил трубку и тяжело опустился на темно-зеленой кожи оттоманку в коридоре. Это был Машин «джинсовый» начальник — Яковлев. Он звонил из машины и явно очень спешил. Яковлев сказал, что Машин отчим погиб. Деталей не давал, но Иннокентий уже достаточно знал об этом деле, чтобы понять — Юрий Аркадьевич был убит в крайне неприглядной средневековой манере. Он не стал задавать вопросов. Кроме того, ему было так же, как и Яковлеву, ясно, что смерть Машиного отчима случайностью не являлась. Маньяк стоит уже вплотную за Машиной спиной. И то, что та еще жива, может быть либо недосмотром с его, маньяка, стороны, что маловероятно, исходя из почерка персонажа, либо изощренной игрой. Радостным ощущением полного контроля над происходящим, когда он может отнять у Маши жизнь исключительно по собственному желанию и — в любой момент. Яковлев попросил Иннокентия забрать Машу с матерью и отвезти к себе.

— На некоторое время, — уточнил он. И Иннокентий услышал в его голосе страх и усталость. И еще какие-то новые, умоляющие нотки.

— Конечно, я сейчас же заберу Машу с Натальей Сергеевной, — мгновенно согласился Кентий. И добавил: — Не волнуйтесь: у меня квартира — как сейф. Они тут будут в сравнительной безопасти.

— Вот именно что в сравнительной, — мрачно ответил на это Яковлев, но тут же добавил прочувствованно: — Спасибо.

— Не за что, — машинально произнес Иннокентий, но в глубине души засело занозой: какого черта этот «джинсовый» благодарит его за то, чтобы он позаботился о Маше Каравай? Он, Иннокентий, заботится о ней последние пятнадцать лет и без просьб со стороны третьих лиц! Но тут же себя одернул: Машке на самом деле повезло с хмурым боссом. Он, в сущности, отличный мужик и переживает за нее. И Иннокентий спустился бегом вниз к машине и тронулся, даже предварительно не отзвонившись, в сторону Машиного дома.

Когда Маша открыла ему дверь, он содрогнулся. Вдруг показалось, что она похудела — болезненной худобой, когда видны ключицы в горловине халата, локти становятся острыми, а лицо... Машино лицо осунулось, проступили еще явственней, будто возвышенности, скулы. И над ними — темные круги под глазами. А под ними — впавшие щеки. Волосы висели патлами вдоль лица, а глаза казались очень светлыми, будто из них ушел весь цвет, оставив снаружи лишь безжизненную стеклянную оболочку. Она молча посторонилась, чтобы пропустить его вовнутрь. Прошла вперед него, чуть подволакивая ноги, на кухню, села напротив света. И улыбнулась нехорошей улыбкой:

— Мама в больнице, — сказала она. — Ей стало плохо с сердцем. Ты, наверное, уже знаешь, что произошло?

Иннокентий кивнул и попытался взять ее руку в свои, но она отняла ее и стала сосредоточенно отрывать заусеницу на пальце. Та поддалась, захватив за собой изрядный кусок кожи. Маша даже не поморщилась, лишь слизнула кровь и снова улыбнулась ему все той же пустой, без выражения, улыбкой.

— Маша, — начал он мягко. — Тебе нельзя находиться в этом доме. Это слишком опасно. Еще можно было себя убедить, что смерть твоей подруги была случайностью...

— Ее звали Катя, — тихо поправила его Маша.

— Да, — согласился Иннокентий. — Но теперь понятно, что и Катя не была случайностью, и твой отчим попал в список жертв не без причины...

— Да, — закивала с готовностью Маша. — Дело во мне, это я во всем виновата.

— Что за глупости! Что ты себе...

— Нет, Кентий, нет! Это же ясно, — быстро заговорила Маша, а пальцы продолжали лихорадочно сдирать заусеницу уже рядом с другим ногтем. — И мама мне то же сказала!

Иннокентий перехватил ее руки, но чувствовал, как шевелятся в его ладони, пытаясь вырваться, как насекомые под землей, подушечки пальцев. Переспросил:

— Мама сказала?!

— Да, да, и мама! Если бы я не стала копаться в этом, никто бы ничего не понял! Я уверена! Может, он даже перестал бы убивать, ему бы было неинтересно. А теперь.. теперь это стало так захватывающе! У него появилась публика, ему есть с кем играть, понимаешь? Как в лесу: не будешь же ты, как дурак, прятаться в одиночку? А сейчас по лесу ходят десятки не самых глупых людей и все кричат: «Аууу! Аууу!» А я — ближе всех. Со мной — еще увлекательней. И вокруг меня много грешников — вот что он мне хочет показать. Что я слепая! Иду по его следу, а того, что у меня под носом, — не замечаю!

— Маша, — Иннокентий еще сильней сжал ее руки. — Нам надо собираться: возьми самое необходимое, чтобы ты могла пожить у меня пару дней.

— Зачем, Кентий? Я уже маму собрала, теперь сама? Ты думаешь, он у тебя меня не найдет?

— У меня — безопасней, — упрямо сказал Иннокентий, встал и сам пошел в ее комнату, открыл шкаф. Маша стояла в дверях с неясной улыбкой.

— Кентий, — сказала она мягко,— ты так ничего и не понял. Не меня надо охранять, а тебя. Тебя, маму... Всех, кто имеет ко мне какое-либо отношение. Вы все сейчас рискуете.

Кентий, не поворачивая головы, доставал и складывал в пакет ее джинсы, какие-то свитера, любимые ею черные футболки. Маша вздохнула. Сказала чуть более живым голосом, в котором слышалась тень былой насмешливости:

— Ты и трусы мои тоже будешь собирать?

— Кстати, а где они лежат? — повернулся он к ней и улыбнулся. И она — слава богу — улыбнулась в ответ. Уже более естественной улыбкой.

Они вышли из квартиры десятью минутами позже с пакетом в руках, и Иннокентий сам запер дверь на все четыре оборота.

АНДРЕЙ

Андрей подумал, что никогда еще не видел перед собой такой красивой женщины. Не в современном понимании этого слова — когда часто некая непропорциональность придает лицу свой шарм, делая звезду экрана признанной красавицей. Нет. В ней было что-то от граций девятнадцатого века, от Натальи Гончаровой. Соразмерность черт складывалась в идеальную картину: нежный овал лица, большие голубые глаза, ровные темно-русые брови, тонкий нос, чистый лоб. Лицо завораживало, но Андрей с удивлением понял, что оно его не трогает. Было ли тут дело в том, что он был влюблен в Машу? Или просто подобное совершенство не внушает никаких иных желаний, кроме как желания им любоваться? Впрочем, что это он? Машин отчим, судя по тому, что сообщил ему, с соседкиных слов, Камышов, явно был обуреваем совсем другими чувствами.

— Анна Алексеевна, — начал он. — Почему вы вчера не пришли на встречу с Юрием Аркадьевичем?

Анна чуть приподняла ровные брови — мимика у нее была явно небогатой:

— Он отменил ее. По собственной инициативе.

— Он позвонил вам?

— Да. То есть нет. Позвонил его коллега из университета. И сказал, что у Юры... что Юрию Аркадьевичу нужно принимать дополнительный экзамен, что ли. И он не сможет прийти.

— Ему случалось раньше аннулировать ваши встречи?

Анна задумалась:

— Да, пару или тройку раз. Но он всегда это делал лично. Я не знала, что он доверяет своим коллегам настолько, чтобы дать мой номер телефона и посвятить в эту... сторону своей жизни. Меня это покоробило... Чуть-чуть.

— И как давно вы... встречались?

— Года два, — спокойно ответила она, отведя от лица блестящую прядь, и Андрей не мог не засмотреться: все-таки красота — страшная сила. — Я была его пациенткой. — Она слегка улыбнулась, обнажив идеальные зубы. — Он меня жалел.

И не успел Андрей удивиться такой характеристике отношений, как она, впервые посмотрев прямо ему в глаза, спросила:

— Может быть, вы все-таки скажете мне, что с ним случилось?

— Он... — Андрей прочистил горло, — погиб. Его убили вчера вечером. Мне очень жаль.— Андрей ожидал любой реакции: от прозрачных слез до глухих рыданий. Но «Гончарова» его удивила: лицо ее, недавно столь прекрасное в своей неподвижности, вдруг начало дергаться, будто в пляске святого Витта. Ломался и перекашивался рот, задрожали веки, подбородок задвигался вперед-назад, брови поползли наверх, смяв в гармошку только что бывший идеально гладким лоб. Выглядело это настолько фантасмагорически, что Андрей испугался, вскочил, чуть не опрокинув стул.

— Лекарство... — проговорила Кузнецова чужим, низким голосом сквозь стиснутые челюсти и показала рукой на кухонный шкафчик над обеденным столом. Андрей распахнул дверцы и сразу увидел его: флакон главенствовал на нижней полке. Со строгой надписью на этикетке: «Только по назначению врача». — Тридцать капель, — прохрипела Кузнецова, и он стал отсчитывать лекарство в стакан, предусмотрительно поставленный рядом. Казалось, секунды замерли, Андрей отключил периферийное зрение — только капли, постепенно набухающие и падающие в стакан: пятнадцать, шестнадцать! Не ошибиться и не смотреть на страшное лицо рядом.

Наконец он протянул ей лекарство, придержал, пока она, стуча зубами, выпила его содержимое и откинулась на спинку стула. Андрей отвернулся к окну: квартира у Кузнецовой была в тихом сквере, в старинном доме на три этажа. Сколько таких еще осталось в Москве? «Стоить должна дорого, — вдруг подумал он. — Интересно, кем она работает? Или просто удачливая супруга бандитообразного мильтона?»

— Простите, — раздался сзади спокойный голос. — Я это и предполагала. Должна была привыкнуть.

Андрей повернулся и вновь увидел перед собой безупречную красавицу.

— Все это было странно: и звонок, и что Юра отменил свидание не сам. Он знал, как нам важно встречаться хотя бы раз в неделю. Вы думаете, — она чуть склонила голову, — он был только моим любовником? — Она грустно усмехнулась: — Все не так просто. Он был еще и моим психотерапевтом. У вас есть сигареты? — Андрей кивнул и достал пачку из кармана. Кузнецова неловко затянулась. — Я вообще-то редко курю. Но после приступа, Юра сказал, можно. Успокаивает. Да. Меня привел в «Психею» мой муж. Он, знаете, не делал разницы между психологами, психотерапевтами или психиатрами. Для него все они были «психо». Ну, и я тоже. Так что нормально. Место дорогое, чистое. Не Канатчикова дача. Но Юра... Он очень быстро понял, что мне нужен уже не психолог, а совсем другой доктор. Он очень за меня боялся. Муж тоже очень боялся. — Она снова усмехнулась: — А я боялась мужа. В общем, Юра прописал мне лекарства и интенсивную терапию. А муж приревновал — думал, я хочу ходить в «Психею», только чтобы увидеть Юру. Впрочем, так оно и было — только Юра об этом не знал. Одним словом, муж запретил мне ходить в психологический центр под страхом Юриной смерти — своей я уже давно не боялась. Тогда Юра вызвался помогать мне не в центре, а в каком-нибудь другом месте. Думаю, поначалу он даже и не предполагал, как все обернется.

— А ваш муж? Он ни о чем не догадывался? Он же, насколько я понял...

— Да, он из ваших, но нет, он не догадывался. Я подала на развод. Он не хотел меня отпускать. Был при мне как сторожевой пес. Осторожнее, злая собака! Я знала, — понизила она голос, — что он убивал людей. Он клялся, что нет, но я чувствовала! Я не могла с ним жить. До того, как в моей жизни появился Юра, я хотела уйти от него иначе — пыталась покончить с собой. Но он всегда успевал вовремя. А когда я встретила Юру, словно свет зажегся в конце туннеля. Долгого, черного туннеля длиной в мою жизнь. Пока мы виделись хотя бы раз в неделю, мне было не страшно. Так что уж не знаю, кем он больше был для меня: мужчиной или врачом. Он говорил, что я уже смогу без его профессиональной помощи. Что я уже почти выздоровела, научилась себя контролировать. — Анна замолчала. — И вот, выдался случай проверить. — Она повернулась к окну: по безупречному лицу скатилась хрустальная слеза. «Царевна Несмеяна», — подумалось Андрею.

Он помедлил, прежде чем задать следующий, решающий, вопрос:

— Анна Алексеевна, как я могу переговорить с вашим мужем? Я имею в виду, — поправился он, — с вашим бывшим мужем?

— Это будет достаточно проблематично. — По лицу скользнула еле заметная усмешка.

— Я готов подъехать по месту его работы, и...

— Он на Востряковском...

И Андрей не сразу понял, что это значит.

— Муж погиб, точнее, его убили при выполнении задания полтора года назад. Так что он даже не успел дать мне развода. Впрочем, он и не собирался. Мы не встречались на этой квартире, потому что Юре сюда было далеко ехать, и кроме того, это была наша квартира с мужем, а Юра был очень щепетилен.

Андрей молчал: полицейский чин, способный на убийство. Знакомый — опосредованно — с Машиным отчимом. По навалившемуся на него разочарованию Андрей понял, как много он ставил с сегодняшнего утра на эту версию. Он тяжело поднялся, попрощался с хозяйкой.

Уже открывая ему дверь, «Гончарова» добавила, казалось, уже не ему, а себе самой:

— Они оба так за меня боялись. И вот я есть: жива и почти здорова. А их — нет. Такая нелепость...

МАША

Маша зашла в квартиру за Иннокентием и будто выдохнула — впервые за этот длинный день. Ей захотелось сразу всего: спать, есть, позвонить и услышать голос Андрея. Но сначала — все-таки есть.

— Кентий, — жалобно сказала она, сбрасывая туфли. — У тебя перекусить не найдется?

Иннокентий поставил сумку и скосил на нее ироничный глаз:

— Я рад, что мой дом у тебя ассоциируется с пищей, дитя мое. Пойдем.

На кухне она села на высокий барный табурет и стала на нем тихо крутиться туда-сюда, пока Иннокентий изучал содержимое огромного, двустворчатого монстра: Кентий обожал свой холодильник за объемы и ласково называл «погребом». Из «погреба» он вынул запотевшую кастрюльку и поставил на плиту. Потом оттуда же появился укроп, Иннокентий достал огромную, тяжеленную даже на вид, разделочную доску и быстро его нашинковал. Включил духовку и поставил туда тарелку с пирожками. Когда содержимое кастрюльки закипело, он снял ее с плиты, вынул оттуда куриное мясо и мелко нарезал. Достал супницу в мелкий цветочек — голландскую, дельфтских мануфактур, как он сам пояснил, и аккуратно перелил в нее бульон. Вынул из ящика льняную салфетку и положил рядом с Машей, вместе с серебряной тяжелой ложкой... Обычно Маша потешалась над его хозяйственностью, над желанием все события в своей жизни — а особливо связанные с желудком — обставлять «как следует». Даже если за столом сидит одна-одинешенька подруга детства, у которой уже вовсе не изысканно бурлит в животе. Но сейчас весь этот менуэт вокруг стола действовал на Машу успокаивающе, как некий древний ритуал. Ведь в мире, где с девятнадцатого века жива супница из Дельфта, не может случиться ничего плохого.

— А где, — не смогла не подколоть она Кешу, — серебряные кольца для салфеток? Не уважаешь, да?

Иннокентий поднял голову от последнего этапа приготовлений — он переливал содержимое водочной бутылки в хрустальный графин, который тут же с готовностью запотел, — улыбнулся и щелкнул ее по носу. Налил водки в махонькую толстостенную рюмочку, бульона — в глубокую тарелку, подвинул к ней тарелку с пирожками. Маша глубоко вздохнула, подняла рюмку водки и, не чокаясь, выпила. Откусила пирожок, кинула себе щедрой горстью укропа.

— Кентий, — сказала она и замолчала. А тот замер с ложкой в руке. Что сказать ему — спасибо тебе за то, что ты есть? Ты мой самый лучший друг, и я не знаю, как бы я прожила без тебя все эти годы? Сказать ему все то, что она могла бы, но не успела сказать другой своей подруге — Кате? Или отчиму? Но испугалась — это она с ним, приготовилась прощаться, что ли? И Маша, не закончив фразы, съела первую ложку золотисто-прозрачного бульона. И только потом вновь подняла на него глаза:

— Кто научил тебя варить такой отличный бульон?

На секунду показалось, что Иннокентий ждал от нее каких-то других слов. Но он улыбнулся, промокнул рот салфеткой.

— Госпожа Молоховец, в девичестве Бурман. —И процитировал: «Чтобы суп был чист, надобно варить его на самом легком огне, снимая накипь так, чтобы кипел с одного только боку, тогда будет вкусен и так прозрачен, что не надо будет очищать его белками, а только процедить сквозь салфетку». Издание 1911 года.

— О боже! — простонала Маша в притворном ужасе. — И знать, что всем твоим кулинарным талантам я могу противопоставить только свою яичницу!

— Да, но какую яичницу! — традиционно утешил ее Кентий.

— Ты просто зеркало, в котором отражаются мои недостатки! — произнесла она, приканчивая второй пирожок. — Скажи мне хоть, Ухти-тухти ты мой, пирожки ты тоже пек сам?

— Пирожки — из пирожковой, — примирительно ответил Иннокентий. — А что там, с зеркалом?

— О! Мне только что сейчас пришла в голову эта мысль: ты обладаешь таким несметным количеством достоинств, что, глядя на тебя и автоматически сравнивая, я вижу исключительно свои недостатки. Сам подумай: ты красив и элегантен, ты хозяйственен, ты отлично готовишь. Да любая девушка была бы счастлива разделить с тобой твой обустроенный быт!

Иннокентий улыбнулся и — отвернулся к плите, спросив:

— Хочешь еще чего-нибудь? — Он откашлялся. — Десерта, к примеру?

— Нет, Кеша, спасибо! — прочувствованно сказала Маша, подошла к нему и на секунду прислонилась к его огромной спине. И почувствовала, как слегка напряглись мускулы под тонким шелковистым свитером. «Не иначе кашемир, пижон несчастный!» — подумала Маша и отстранилась.

Иннокентий вздохнул, повернулся к ней и тихо сказал:

— Маша, мне нужно с тобой кое о чем поговорить...

И по тону и выражению кентьевского лица — совсем ему несвойственным — Маша поняла, что все усилия, затраченные другом на выманивание ее с помощью живительного обжигающего бульона и ледяной водки из того сумрачного леса, где она бродит последние несколько месяцев, пропали всуе. Сердце ухнуло вниз и замерло.

— Сядь, пожалуйста, — сказал Иннокентий и сел рядом, положив большие красивые руки на стол перед собой. — Есть кое-что, чего ты обо мне не знаешь... Мне казалось это несущественным. Думаю, оно и является несущественным.

— Кентий, — глухо сказала Маша. — Говори уже.

Кентий выдохнул, поднял на нее глаза и попытался улыбнуться:

— Это про мою родню, Маша. Ты никогда не интересовалась, но они... Моя семья — из староверов. Мой прадед давал денег на постройку церкви на Басманной. Прабабка — из староверческой общины на Урале. Это все было не слишком важным — я ведь человек не сильно верующий. Но мой отец... — Иннокентий не отрывал взгляда от своих рук. — Вот почему я так редко приглашал тебя к себе в гости в детстве.

Маша смотрела на него завороженно: сотни, да что там — тысячи набравшихся за детство и отрочество воспоминаний одновременно, как белуги на нерест, стали подниматься на поверхность, картинками вставали перед глазами: отец Иннокентия, всегда при окладистой бороде, так подходящей всему его, такому «исконно русскому», облику. Мать, приходящая домой вечером с сумками из магазина, а на голове, несмотря на весенние уже дни, — тугой платок. Темная икона на кухне. Запах старых книг в доме: их траченные временем коричневые корешки с золотым тиснением на верхних полках, куда не может дотянуться детская рука. Защита диплома Иннокентия пару лет назад — поздравление заведующего кафедрой: «Ваш диплом, юноша, тянет на диссертацию!» Господи, как же она не догадалась раньше! Ведь и про ее диплом ей сказали почти то же самое. Его помешанность на раскольниках, бесконечные истории про них: страшные, загадочные, иногда даже забавные — всё это не могло не иметь корней, как и ее «нацеленность» на маньяков!

Маша смотрела на Иннокентия и не узнавала: он будто вырос еще, став совсем огромным, заполнившим все пространство кухни, в нем оказались свои бездны, о которых она не подозревала.

— Маша, не смотри на меня так, как будто я подвластен темным силам! Это всего лишь ответвление православия! Пусть даже с тяжелой историей! Ну не стала бы ты на меня так смотреть, если бы я признался тебе в том, что я протестант! Тем более я не религиозен, ты же знаешь! Я прежде всего — историк!

Маша сглотнула:

— Твой прадед участвовал в постройке храма на Басманной?

Иннокентий провел рукой по лицу:

— Да, об этом я и хотел с тобой поговорить. Ко мне приходили люди. То есть... человек. Глава церкви. Он попросил меня поговорить с тобой, дабы убедить, что маньяк, так сказать, не из «наших». Пока сыщики не наломали дров, пока не появились статьи в газетах, ведь староверческие общины только-только начали развиваться, стали возвращаться на Родину раскольники из Штатов и Южной Америки, заново отстраиваться церкви... И все это может оборваться из-за глупого предубеждения, из-за сплетен, пустых слухов, наконец!

— И ты согласился... — прошептала Маша. — Согласился меня... уговорить?

Иннокентий грустно улыбнулся:

— Я согласился попробовать, Маша. Не обещая результата.

— Уже хорошо. — Маша чуть скривила рот: — По крайней мере, ты не связан обещанием, и я не заставлю тебя нарушить страшных клятв.

— Маша, прошу тебя! — Иннокентий потянулся к ней, но Маша чуть отшатнулась, и он с несчастным видом вновь сгорбился на своем стуле. — У меня, — начал он, — есть только один аргумент. Он исторического плана и может показаться несерьезным твоим следователям, но для меня, да и для каждого старовера, он полностью выводит раскольников из-под подозрения. Этот Небесный Иерусалим, к которому так привязан наш маньяк... он напрямую связан с фигурой патриарха Никона, одержимого идеей второго Иерусалима. Никон хотел объединить под Московским патриархатом все православные церкви, прежде всего греческую и киевскую. Для этого он заменил, к примеру, русское двуперстное знамение греческим троеперстием, редактировал богослужебные книги по греческим аналогам. Продолжение ты знаешь — раскол и появление старообрядцев. Для раскольников Никон и все, что с ним связано, — самая страшная страница в их истории. Поэтому все идеи, которым служил патриарх, для них «диавольские», Маша. Он мечтал стать аналогом папы римского и даже построил под Москвой на берегу Истры Вознесенский монастырь — Новый Иерусалим. И постройка всего комплекса Нового Иерусалима была для Никона попыткой уподобиться Ватикану... И бог мой, ни один из наших никогда не станет, извини за метафору, пить из этого отравленного источника. — Иннокентий развел руками: — Я могу много еще чего добавить, но...

— Я поняла, — Маша соскользнула с высокого табурета. — Я.. я подумаю. Прости, я хотела бы сейчас прилечь.

— Да-да, конечно, — засуетился Иннокентий.— Ты устала. Я дурак! Просто уже не мог больше носить это в себе. Извини меня, тебе сейчас совсем не до... не до меня! Я тебе постелю у себя в кабинете.

И он быстро вышел из кухни, а Маша, на секунду замерев, заставила себя сложить грязную посуду в посудомоечную машину и поставить уже чуть теплую кастрюльку в холодильник. Иннокентий снова появился в дверях: выглядел он подавленным, но Маше было его не жалко. И себя — не жалко.

Она только очень хотела спать, и, когда Кентий отвел ее в кабинет и тихо прикрыл дверь, она, быстро скинув с себя одежду, упала в прохладное забытье отутюженных и накрахмаленных простыней — и мгновенно заснула.

АНДРЕЙ

Андрей смотрел на налившийся кровью затылок начальника и пытался отключиться. Обычно в моменты монаршего гнева он бледнел и нервничал. Но сегодня ему было решительно все равно: ни один начальник не сможет его отругать так, как он сам себя ругал и как презирал за «профнепригодность» последние сутки. За Машей — его Машей! — ходит маньяк. А он не знает о нем ничего, что позволило бы загнать убийцу обратно в темный и зловонный угол, из которого тот вылез. Стыд гнал Андрея вперед, настегивал, когда он на минуту останавливался, чтобы закинуть в себя немудреное топливо в виде бутерброда... Но весь этот бег был бессмысленным, как на дорожке тренажера, все следы вели в никуда, все подозреваемые сходили с дистанции: полицейский чин, оказавшийся на кладбище, раскольники, вояки, которых ребята из группы поприжимали вчера на сюжет сотрудничества с Ельником... Убийств было слишком много, копать приходилось, как кротам, в десятках направлений, надеясь отыскать малейшую зацепку в этом огромном информационном поле. Зацепку, похожую на чудо.

— Твою мать! — Анютин ударял по столу огромным кулаком в трогательных ямочках. — Ты это видел?!— И он бросил перед Андреем статью под заголовком: «Новый Чикатило в центре Москвы!»

Андрей безучастно скользнул по ней глазами и снова вернулся к своим мыслям. Если он не способен поймать преступника, то, может быть, у него получится спрятать Машу? Нет, сказал он себе, прятать — бессмысленно. Единственный способ — держать ее всегда рядом, 24 часа в сутки, и, может быть, защитить.

— Ты представляешь себе, — продолжал распаляться полковник, — какой пистон я получил сверху?! Сколько я могу их кормить историями из Ветхого Завета, а?

— Из Писания... — автоматически поправил он босса.

— Я так погляжу, — с угрозой начал Анютин, — вся Петровка у нас теперь — большие спецы по священным текстам? — И не выдержал: — Мы что, в бирюльки тут играем?! Или ты ждешь, пока он исчерпает эти — как их? — мытарства? И уйдет на дно?! — И он опять хлопнул по столу, да так, что разлетелись все бумаги. В дверь постучали. — Да, — буркнул Анютин, пока они с подчиненным на пару собирали по полу документы.

— Вы позволите? — произнес хорошо поставленный баритон.

В кабинет вошел Катышев. Анютин покраснел уже не только затылком, но и лбом, выпрямился и пожал руку прокурору. Катышев кивнул Андрею:

— А я как раз по вашу душу. Хотел узнать, как продвигается следствие...

Андрей устало мотнул головой.

— А никак! — за него ответил Анютин. — Просто призрак какой-то, мастер маньячного дела!

— Ну, — Катышев сел, холодно усмехнулся, — с маньяками очень часто такое случается. Вспомни, скольких убил тот же Чикатило, — он кивнул в сторону открытой газетной статьи. — И скольких из-за него еще казнили...

— Не оправдывай моих бездельников! — набычившись, сказал Анютин, избегая даже смотреть в Андрееву сторону. — Время идет, убийства прибывают, а они ни на йоту не приблизились к решению загадки!

Катышев спокойно качнул ногой в весьма потертом, как успел заметить Андрей, ботинке.

— По крайней мере, твоим ребятам уже известны условия этой задачки, что совсем непросто. — Прокурор грустно улыбнулся: — Знаешь, я иногда сам хожу по Москве, как дурак, не понимая, куда меня занесло? Куда делся город моего детства? Все эти бесконечные ночные клубы и стриптизы, нищета, вопиющая рядом с «Бентли» и шампанским рекой... Этот маньяк ваш, Мытарь, свободен от правил и ограничений. Он режет себе — или что там? — четвертует тех, до кого у нас руки добраться коротки. Вроде той губернаторши...

Катышев встал, устало вздохнул:

— Иногда, Саша, право, думаешь: может, дать этому человеку доделать начатое?

МАША

Маша проснулась оттого, что хлопнула входная дверь. Она еще с минуту полежала в постели, прислушиваясь: ни звука. Очевидно, Кентий ушел на встречу со своими клиентами или — заглаживать вину: покупать продуктов на рынке, чтобы приготовить ей ужин. Маша уже на него не сердилась: она и сама не верила в религиозного фанатика. Скорее, думала она, одеваясь, он прикрывается религиозной тематикой. Идея Небесного Иерусалима вкупе со списком мытарств дает ему некую стройную теорию. Путь, по которому можно идти, следуя зову сердца. Сердце!

Маша набрала номер маминого мобильника и попала на автоответчик. Телефона маминой подруги у нее с собой не было, но ведь та предупредила, что даст Наталье успокоительного. Значит, скорее всего, мама сейчас спит.

Маша вышла из комнаты, зашла на кухню, налила себе соку из холодильника: ее и правда отпустило в кентьевской квартире. Она не будет думать об отчиме, она не будет думать о маньяке. Она подумает об этом завтра, послезавтра, и еще очень долго ей придется думать на этот счет. А сегодня... сегодня она попытается почитать какую-нибудь книжку из кентьевской библиотеки. Но не заумное, а наоборот: эпохи их совместного детства. Что-нибудь из «Библиотеки приключений», корешки которой она видела в его кабинете. Вальтер Скотт или Майн Рид. Интересно, это можно еще читать в ее возрасте? Она залезла на диван и, держа стакан с соком в одной руке, другой перебирала знакомые корешки. Ага. Жюль Верн. «Таинственный остров». Отлично! Маша подцепила томик ногтем, и он вывалился прямо в поставленную ладонь: книжки стояли не впритык. За томом Жюль Верна виднелось темное дерево книжной полки и что-то белое на его фоне. Конверт? Маша нахмурилась. Неужели Кентий прячет в таком месте деньги? Не похоже на него. Интересно, что там может быть? Маша качнулась на носках, пригубила соку и бросила вниз, на диван, книжку. Продолжая хмуриться, тем же макаром поддела конверт и осторожно выудила его из-за книжек. На секунду Маша замерла: ей стало стыдно. Конверт явно спрятан от посторонних глаз. Но любопытство пересилило. И, в конце концов, он только что признался ей в своей страшной тайне. Вполне естественно, уговаривала себя Маша, что она захочет проверить, не припасен ли у Кеши за пазухой еще какой сюрприз? И, без труда убедив себя, что она только взглянет, и все... Маша открыла незапечатанный конверт.

В конверте были фотографии. Ее фотографии. Но нет, не их совместные, времен кружка фехтования во Дворце творчества юных. На них была только Маша, Маша, Маша... Черно-белые, глянцевые, они рассыпались у нее на коленях, когда, посмотрев первые в пачке, она тихо ахнула и выронила остальные. На фото Маша утром выходила из дому, шла, заливисто смеясь, с каким-то из своих поклонников из университета, пила с матерью шампанское на премьере в Большом театре, сидела в каком-то кафе... Тут была и Катя, и еще какие-то ее приятели. Да что там! По этим фото можно было проследить всю ее жизнь: учеба, семья, друзья, развлечения. Проследить... Иннокентий следил за ней! Следил уже долго: этот выход в Большой театр и скандал с матерью, настоявшей на том, чтобы Маша надела декольтированное платье в пол, она отлично помнила. Он был пять лет назад. Иннокентия с ними в театре не было. Или был, но она его просто не заметила, спрятавшегося за колонной с объективом наперевес? Маша в ужасе смотрела на картинки из своей жизни, рассыпанные веером вокруг. Зачем он это делал? Почему шпионил за ней?

Она судорожно сглотнула и резко встала, брезгливо стряхнув фотографии, как сбрасывают ядовитых насекомых. Она не хочет ничего знать. Ей надо уходить из этой квартиры. Сейчас же! Не обращая внимания на фотографии под ногами, Маша выбежала в коридор, где на нее с беленых стен строго смотрели волоокие лики со старых икон, и стала, дрожа всем телом, обуваться. Господи, как она могла чувствовать себя тут защищенно? В этом городе уже нет места, где она была бы в безопасности, и, похоже, нет больше людей, которым она могла бы доверять! От одной мысли, что придется вернуться обратно в пустую квартиру, которую она так спешно покинула всего несколько часов назад, где все напоминало о папе и отчиме и куда входил — теперь уж она точно знала — убийца, ей становилось физически нехорошо. Но похолодевшими руками она толкнула тяжелую входную дверь и вышла на гулкую лестничную клетку.

Внезапно Маша услышала шум на лестнице: мерный и уверенный шаг высокого человека, перешагивающего разом через две ступеньки. Маша судорожно сглотнула: она была уверена, что это Иннокентий, но видеть его сейчас была не в силах. Она тихо поднялась на пролет выше, откуда сквозь сетку шахты лифта наблюдала, как он попытался открыть дверь, но та сама поддалась под его рукой и медленно приоткрылась.

— Маша? — услышала она обеспокоенный голос.

Дверь захлопнулась, а Маша птицей сбежала вниз по ступенькам прочь, навстречу своему одиночеству.

АНДРЕЙ

С того момента, как Андрей вышел наконец из кабинета Анютина, где начальник на пару с Катышевым рассуждал о временах и нравах, с той самой секунды он сказал себе, что не способен ни думать, ни изображать какие-либо разыскные действия, пока не увидит Машу. Он даже ее номер набрал только перед выездом к ней же, потому что знал, что телефонная беседа не утолит его голода, не успокоит терзающих страхов. Он должен обнять Машу Каравай, прижать к себе и не отпускать.

Пока не найдут маньяка или пока не прекратятся убийства. Держать долго, возможно — целую вечность. Ничего — вечность в объятиях с Машей — не худшая из перспектив. Он не доверял Иннокентию — он никому не мог ее доверить. Хотя на сердце было спокойнее, что Маша не одна, а с Кешей. И когда он услышал глухой голос в трубке, произнесший два слова «я дома», Андрей не стал задавать вопросов. Какая разница, откуда он заберет ее с собой? «Надо только не забыть заехать в супермаркет по дороге, — подумал он, паркуясь у Машиного подъезда. — На даче опять шаром покати. Но это — потом. Уже рядом — и вместе — с ней».

Поднимаясь по лестнице, он услышал голоса. Один мужской, говорящий негромко, другой чуть истеричный, женский, явно из-за двери. Слов было сначала не разобрать, но по мере того, как Андрей поднимался наверх, диалог становился все отчетливее: он узнал голос Иннокентия. И первая же понятая им фраза заставила Андрея остановиться как вкопанного.

— Маша, — говорил Иннокентий глухо. — Прости меня. Что за день-то сегодня такой, что я постоянно в чем-то признаюсь и оправдываюсь? В чем ты меня подозреваешь? Что я — выслеживающий тебя годами маньяк? А если допустить, что дело совсем не в этом? Неужели... — Он на секунду замолчал. — Неужели ты не можешь найти никаких других причин, кроме моей кандидатуры на роль убийцы, по которым я мог бы... Маша, как ты не понимаешь, я же тебя...

— Ты врал мне! — перебила его Маша, и в голосе у нее натянутой струной звучала истерика. Андрей не выдержал и рванул вперед. — Ты скрывал от меня столько всего, я не верю тебе, не верю уже никому!

Андрей вбежал на площадку и увидел Иннокентия, прижавшегося лобастой башкой к двери. Тот повернул к нему невидящий, потерянный взгляд.

— Маша! — позвал Андрей. — Это я, открой дверь. — И, покосившись на Иннокентия, который, дрогнув плечами, отошел в сторону, добавил: — Пожалуйста.

Дверь распахнулась. Маша, с заплаканными глазами, стояла на пороге, спросила:

— Где ты был? — И шагнула к нему: — Почему ты так долго ехал?!

Он обнял ее так сильно, как мечтал сделать целый день, чувствуя мокрую горячую щеку на своей шее. Он прижимал ее голову к плечу, зарывался губами в шелковистые пряди на затылке и шептал, баюкая: «Все, все, тшшш... Все будет хорошо, сейчас мы поедем ко мне, покормим Раневскую, сами поедим, ляжем спать, хорошенько выспимся, да?» А Маша только еще сильнее прижималась к нему и всхлипывала, но все реже, реже, пока ее дыхание совсем не выровнялось. Тогда он развернул ее лицом к себе, посмотрел в заплаканные глаза, и ему показалось, что никогда еще они не были такого пронзительно-зеленого цвета.

— Ты возьмешь что-нибудь с собой или так поедем?

— Это уже будет третий сбор вещей за сегодняшний день, — сказала она. — Нет. Я не буду больше собираться. Только сумку захвачу.

Не отпуская его руки, она нащупала в прихожей сумку, выключила, также на ощупь, свет и захлопнула дверь, не закрывая ее ни на один дополнительный оборот ключом.

И только сейчас оба вспомнили об Иннокентии и растерянно огляделись — его нигде не было. Они и не заметили, когда он успел уйти.

— Пойдем, — потянул Машу за руку Андрей. — Пойдем. Раневская проголодался.

ПОКЛОННАЯ ГОРА

Мужчина легко, по-спортивному, перемахнул через ограду парка и быстро пошел, глубоко засунув руки в карманы, в сторону детской площадки во дворе. Машина была на месте, черная в сгустившейся предосенней темени. Он открыл дверь, сел на протертое сиденье, выдохнул. Открутил со скрипом окошко вниз и достал сигареты, медленно, со смаком затянулся. Вместе с сигаретным дымом в легкие попал пряноватый запах палой листвы. Он был чуть менее насыщен, чем давеча в парке, но все равно чувствовался в быстро охладившемся ночью воздухе как знак, что зима близко... «Скоро от деревьев, пока покрытых цветной листвой, останутся только черные ветви, как загадочные письмена на фоне белесого неба. Скамейки по утрам будут покрыты инеем, — думал он, глядя на скамейку перед подъездом, — потом выпадет первый снег, на какой-то момент покажется, что стало светлее, но это иллюзия, обман зрения. Наступит зима, катарсис, смерть без надежды на отсрочку. Умрет и этот год. И он вместе с ним. Не жалко».

Он аккуратно затушил сигарету в пепельнице, закрыл окно и тронулся. Некоторое время дорога была совсем пустой, но внезапно с воем сирен из-за поворота вылетела пожарная машина, за ней еще одна. «Быстро! — хмыкнул мужчина. — Пожара боятся все. Даже рекомендуют при изнасиловании или ограблении кричать «Пожар!» вместо «Спасите!» Кто ж откликнется на «Спасите!»?» Мужчина сглотнул знакомую горечь во рту. Он знал, что горечь не пройдет, как ни сглатывай, как ни заливай алкоголем. Он уже выехал на Кутузовский, когда из темноты на обочине выступил упитанный силуэт сотрудника ГАИ и поманил его к себе полосатым жезлом. Мужчина нахмурился: он знал, что не нарушал правил, просто потому, что никогда их не нарушал, но задерживаться в этом районе не хотелось. Вместо прав он протянул гаишнику свое удостоверение и увидел, как желеобразное лицо быстро подобралось в подобие парадной гримасы. Закрыл стекло и кивнул на доброжелательное: «Доброго пути!»

Он почувствовал запах гари: запах залетел за ту минуту, пока окно машины было открыто: ветер дул в эту сторону. Так же пахли его руки. Так, и немного — бензином. Надо бы не забыть вымыть их в антисептике — для экспертизы напрасный труд, но к утру запах должен был выветриться, чтобы длинные носы на работе ничего не унюхали. У него еще дела впереди. Одно — как подумает Маша Каравай, узнав новости завтра днем. Но ошибется. Их будет два. И он снова улыбнулся: честной улыбкой трудяги, которому совсем немного осталось дотянуть до заслуженного отдыха.

А там, откуда он только что приехал, дальше и выше на горе, в глубине Парка Победы, горел, радостно потрескивая, огромный костер, яркий сполох пламени в кажущейся иссиня-черной, по контрасту, ночи.

И валил серым столбом горько-сладкий дым.

МАША

Маша проснулась оттого, что ей стало холодно. Вчера они поленились зажигать печку, а включили исключительно батарею обогревателя, и это было большой ошибкой. Она пристраивалась к Андрею то так, то эдак, грея у него под боком то оледеневшую ступню, то ледяные же руки под мышкой. Они проспали всю ночь, сложенные в странноватый пазл, обнимая друг друга руками и ногами, но часа в два Андрей встал выключить обогреватель, опасаясь пожара, и к утру то малое, накопившееся вместе с их дыханием в комнатке тепло выветрилось. И Маше пришлось отказаться от идеи побыть еще немного в блаженном забытьи, состоящем из сонного дыхания Андрея на ее щеке и тепла его тела. Пора было вставать и немного подумать.

Она осторожно, чтобы не разбудить Андрея, выпростала ноги, дотронулась до холодного пола и снова их одернула: брррр! Но мысль о включенном на кухне обогревателе и старой Андреевой кофте, одолженной еще вчера, придала смелости. Маша встала, подхватила ворох одежды и выскользнула на кухню, где уже сиделждал терпеливый Раневская. Пес рассеянно глядел, как подружка хозяина с рекордной скоростью залезает в футболку и джинсы, потом в свитер, потом в кофту хозяина, а после с довольным хмыканьем достает хозяйские же шерстяные носки, «сохнущие» рядом с печкой еще с прошлого лыжного сезона.

Затем новая хозяйка опять исчезла в комнате и вернулась уже с обогревателем, поставила чайник и — открыла холодильник. Тут Раневская не стерпел и встал, прислонился боком к хозяйке, на всякий случай — мол, не забыла ли ты о голодной собаке рядом? И та — добрая душа, еще не испорченная строгим хозяином, — предложила ему сразу пару сарделек. Задумчиво посмотрела, как Раневская заглотил обе с характерным горловым звуком, и добавила еще одну. Раневская попытался съесть ее чуть более интеллигентно — из уважения к даме, — а потом потрусил к входной двери. И она поняла, отперла замок и выпустила погулять.

Маша смотрела на пса, обновляющего путь по утреннему, покрытому седой изморозью участку, и ни о чем не думала: просто вбирала глазами туман за окном, темную массу кустарника, отделяющего их дачный домик от соседнего, абсолютную тишину. Только глухой перестук лап Раневской по свежеопавшей влажной листве, движение любопытного мокрого собачьего носа в хрупкой от инея траве.

Ее вывел из задумчивости чайник, сбросивший, вскипев, с себя плохо пригнанную крышку: звякнув, крышка с грохотом упала и покатилась по деревянному полу на середину кухни. И по скрипу кровати в соседней комнате Маша поняла, что Андрея она таки разбудила. И виновато поморщилась. Он прошел мимо нее трогательный, с полузакрытыми глазами и в одних джинсах, и она не смогла удержаться, чтобы не прижаться на секунду к нему, еще такому теплому со сна. Но Андрей, тщетно пытаясь подавить зевок, объяснил что-то малопонятное про то, что ему надо умыться, иначе к нему «и подходить стыдно». И вскоре на веранде загремел нещадно эксплуатируемый рукомойник, полилась вода, раздалось молодецкое фырканье... И Маша, усмехнувшись, стала накрывать на стол, достав практически все, что они привезли вчера из ночного супермаркета: какие-то йогурты, сыр, ветчину. Минутой позже вернулся, уже совсем проснувшийся, Андрей, поцеловал ее в щеку и залил кипятка в турку. Вчера, в хозяйственном угаре, они даже купили пару пачек кофе «с запасом». Наконец уселись за стол. Маша грела ладони о чашку с кофе, Андрей делал себе бутерброд с ветчиной. Они посмотрели друг другу в глаза и — засмущались. Это был их первый завтрак вместе. Андрей отложил бутерброд и протянул руку через стол ладонью вверх. Она улыбнулась и вложила свою руку в его ладонь.

— Все будет хорошо, — сказал Андрей с уверенностью выспавшегося и проснувшегося в хорошем настроении человека. Маша кивнула и показала взглядом на хлеб с ветчиной: мол, не отвлекайся! И Андрей, усмехнувшись: «Держишь меня за Раневскую?» — откусил изрядный кусок, отхлебнул из чашки.

— Я тут подумала... — начала Маша и остановилась.

— Да?

— Я подумала, что была абсолютно не права с Иннокентием. Я просто испугалась вчера — день был такой... страшный. Отчим... — Она сжала чуть сильнее чашку с кофе. — Маму увезли в больницу, тут Кентий рассказывает мне про свою семью, и еще эти фотографии... — Она вскинула на него глаза:— А все на самом деле глупости, Андрей! Я Кентия знаю как облупленного. Нужно совсем помешаться умом, чтобы заподозрить его в убийстве! Как бы это банально ни звучало, но он и правда мухи не обидит. Ты... мне веришь?

Андрей кивнул.

— То, что его семья — не как другие, обычные семьи, я знала давно. Просто это было неважно. Да и стеснялась спросить, тогда, в детстве: а почему это у тебя такие странные мать с отцом? И я уверена: если б задала вопрос, он бы мне на него ответил. Но я была нелюбопытна, зациклена на своих тараканах, и в результате он выбрал плохой момент, чтобы раскрыть мне свои семейные тайны. А фотографии... — Маша опустила глаза и нарисовала вилкой арабеску на ветхой клеенке.

— Да понятно все, с фотографиями твоими! — вздохнул Андрей.

— Конечно, понятно, — тихо продолжила Маша. — Понятно даже тебе. Но я-то? Я ведь видела все, Андрей. Только не хотела себе в этом признаваться, мне было удобно «иметь его как друга», я эксплуатировала, по большому счету, его чувства к себе. Я... была, если честно, плохим другом! Даже другом, и то никудышным! — Маша взглянула на него несчастными глазами.

Андрей смущенно потер переносицу, сделал себе еще бутерброд.

— Маша, бессмысленно без конца посыпать себе голову пеплом: вчера по поводу матери, теперь вот по поводу Иннокентия. Уясни себе наконец: ты в принципе не могла быть ему хорошим другом! Мы не можем быть хорошими друзьями тем, кто в нас влюблен. Потому что дружба не дает им того, чего они хотят. И автоматически мы причиняем им боль. Но Иннокентий уже большой мальчик, Маша. Он сам выбрал для себя стиль вашего общения: он мог бы уже сто тысяч раз признаться тебе в любви, посмотреть на твою реакцию и попытаться тебя завоевать, что ли...

Маша вдруг прыснула:

— «Что ли?» — передразнила она. — Это как ты, «что ли»?

— Ну, — потащил ее за руку к себе на колени Андрей. — Примерно.

Маша важно кивнула:

— Да, и добиваться тебе меня пришлось долго и настойчиво.

— Важен не процесс, а результат... — прошептал ей на ухо Андрей.

— Угум. Если бы Кентий только знал, как легко меня добиться...

— Нет, ты же не то чтобы девушка доступная. Ты просто — очень избирательна.

И на этой исторической фразе Андрей Машу наконец поцеловал...

АНДРЕЙ

К сожалению, Маша от него очень быстро оторвалась. Андрей уже было с беспокойством подумал о запахе ветчины изо рта, отравляющем даже самые романтические моменты, но нет.

— Я должна позвонить Кентию и извиниться перед ним. Как можно быстрее. — Она потерлась по-кошачьи о его щеку и пошла с телефоном на веранду.

Андрей подумал, как он мог бы ревновать к Иннокентию — а вот, не ревнует совсем, еще и жалеет. Испытывает даже некое чувство превосходства, что уж совсем смешно. Он приканчивал остатки кофе, когда Маша вернулась с кухни: лицо у нее было несколько растерянным.

— Он не отвечает. Ни по мобильному, ни по домашнему. Где он может быть?

— У родителей? — предположил Андрей, убирая остатки еды в холодильник.

— Нет... — задумчиво покачала головой Маша. — Он никогда у них не ночует.

— Эй! — Андрей обнял ее и подтолкнул к выходу. — Не загружайся на его счет. И не начинай подозревать по второму кругу. Он, может, под душем поет — и не слышит звонка. А может, напился вчера с горя и спит — отключил телефоны.

— Иннокентий? Напился? — недоверчиво переспросила Маша.

— А что, ты слышала, как он поет под душем? — поддел ее Андрей, когда они уже садились в машину. — И ведь небось арии Верди на языке оригинала, а не попсу какую, ни боже мой!

Маша рассмеялась, но как-то грустно, думая о своем, и Андрей положил руку на ее коленку — уже не в романтическом, а успокаивающем жесте.

— Сейчас я отвезу тебя к маме в клинику, побудешь с ней, сколько потребуется. Потом возьми такси и приезжай на Петровку: я хочу, чтобы ты от меня не отходила ни на шаг.

— Хорошо, — послушно сказала Маша, чуть дрогнув коленкой. — Только зря ты волнуешься, я же тебе говорила...

— Ты говорила, и я услышал: убийца гоняется не за тобой, а за твоими близкими. Да, я это услышал еще вчера в супермаркете. Поставим вопрос иначе: ты будешь защищать меня своим присутствием, о'кей?

— О'кей! — Маша смотрела прямо перед собой на дорогу. — Ни на шаг от тебя не отойду.

Они снова заехали в магазин — купили сока, каких-то любимых Натальиных крекеров, цветов, и через полчаса он уже высаживал ее около клиники.

Андрей смотрел Маше вслед и надеялся, что сегодняшний день не прибавит ей переживаний. Ей нужен перерыв, — думал он, выезжая с больничной парковки. Маше нужна пауза, иначе ее саму придется укладывать в клинику. Ее голова уже не способна к выстраиванию логических цепочек, слишком больно сердцу. Может быть, на это Мытарь и рассчитывает? Оглушить болью, чтобы отключить разум? Значит, несмотря на их бессмысленное, казалось бы, мельтешение, они близко подошли к убийце? И пусть Маша сейчас полностью отдается дочернему долгу. У него забрезжила в голове некая идейка, и он должен был срочно ее проверить.

Но раздавшийся телефонный звонок мгновенно оборвал ход мыслей. Это был Камышов:

— Андрей, у нас, похоже, новый труп.

— Подожди, — сказал Андрей, резко сдал вправо и припарковался у обочины, не обращая внимания на возмущенные гудки. — Ты уверен, что он из нашей серии?

— Не уверен, но скорее всего. Сегодня ночью в Парке Победы обнаружили обгоревшее тело. То есть сначала вызвали пожарных, в Парке полыхало так — издалека видать. А потом нашли и труп, и документы рядом на имя... Сейчас, погоди... — Камышов зашуршал бумагами и продолжил бодро: — Иннокентий Алексеев. Ну, а поскольку место было единственное в твоем списке за пределами Бульварного кольца... Андрей? Ты чего молчишь?

— Иннокентий? — прокашлялся Андрей.

— Что, знакомые имя-фамилия?

— Да, — глухо сказал Андрей, разворачивая машину обратно. — Это имя автора списка.

Еще через полчаса он добрался обратно до клиники и некоторое время сидел в машине, тупо глядя в окно и оттягивая момент, когда придется увидеть Машу и сообщить ей страшную новость.

МАША

Маша осторожно поставила на прикроватную тумбочку сок, пошла к медсестрам за вазой. Она только что переговорила с Надеждой Витальевной. Та, крайне строгая и собранная, в белом халате, сказала, что состояние у матери стабильное, она почти не ест, много спит, что неудивительно при тех успокоительных, которые ей колют. Но волноваться не стоит. Надежда впервые улыбнулась:

— У тебя очень сильная мама, Машенька, поверь. С помощью лекарств мы даем передышку ее нервной системе. Но она скоро выправится, и потом, как ни страшно это звучит, заботы о похоронах отвлекают от самого тяжелого — собственных мыслей. Так что ты уж не бери этого на себя, понимаешь?

— Понимаю, — сказала Маша, вспомнив остервенение, с которым драила посуду на Катиной кухне.

— Ну вот и умница! — улыбнулась Надежда Витальевна, потрепав ее по голове. — Я уже забегала к Наташе с утра. А ты не сиди с ней рядом, пока она спит, — погуляй, отвлекись.

— Да, — сказала Маша и улыбнулась. Но улыбка получилась вымученной.

Надежда кивнула и ушла — по коридору вдаль, а она несколько секунд постояла, провожая ее глазами, а потом опять набрала номер Иннокентия. И опять попала на автоответчик.

Выходя из палаты матери, она вдруг увидела знакомый силуэт у поста медсестры.

— Ирина Георгиевна? — Маша подошла, и женщина обернулась. Маша в который раз удивилась ее почти болезненной худобе.

— Машенька, — улыбнулась та и вдруг порывисто обняла ее: — Такое горе, Маша! Бедная твоя мама: похоронить Федора, а теперь еще и Юру! Как она?

— Спит, — сказала Маша. — Ей дают успокоительные, и..

— Конечно-конечно, — Ирина Георгиевна, склонив голову, смотрела на нее, и Маша вдруг заметила, что глаза у той заплаканные. — Как ты сама? Держишься?

— Держусь. — Маша почувствовала вдруг, как слезы подступают к глазам.

— Ну-ну, ну-ну, — Ирина Георгиевна погладила ее по плечу. — Ник Ник очень тобой гордится, знаешь? Считает, что у тебя, как у Федора, — чутье. Дар, если хочешь... — Маша не выдержала: задыхаясь, она пыталась еще что-то сказать, объяснить свои внезапные слезы, но та только гладила ее по спине и шептала: — Ничего-ничего...

И было что-то абсурдное в том, что у нее получилось наконец выплакаться, но не на плече у матери и не на груди у Иннокентия или Андрея. А вот рядом с малознакомой ей, в общем-то, женой Ник Ника, которую она уже и не видела лет десять как. Наконец она вытерла глаза и высморкалась в протянутый ей кружевной платок.

— Вы меня извините, Ирина Георгиевна, я очень устала.

— Конечно-конечно, — повторила жена Ник Ника, спрятав платок в сумочку, и Маша вдруг увидела синяк у нее на руке. Ирина поспешно оправила платье. — Ну, Машенька, я пойду — навещу твою маму. Ты приходи к нам в гости, хорошо?

И она встала и пошла тяжелой, совсем не соответствующей худой ее фигуре походкой в глубь коридора — к маминой палате.

А Маша решила, как ей и посоветовали, «погулять», дождаться, пока мать проснется: чтобы увидеть, сказать ей что-нибудь малозначимое, поцеловать... А потом наконец поехать на Петровку, куда ее тянуло неодолимо, как наркомана за дозой.

Но планам ее не суждено было сбыться: уже на крыльце клиники она увидела направляющегося к ней быстрым шагом Андрея, и сердце замерло от плохого предчувствия. Такого плохого, что она остановилась, не желая сделать и шага к нему навстречу, а, напротив, мечтая, чтобы он шел к ней как можно медленнее: какие бы ни были новости, которые он намеревался сообщить, она знала — она будет счастливее в последние секунды перед тем, как он откроет рот.

— Поклонная гора? — переспросила она, когда он рассказал ей про последний труп.

— Да, — кивнул он. — Аналог Поклонной горы в Иерусалиме. Место, где традиционно останавливались пилигримы перед вхождением в Святой город, чтобы помолиться — поклониться, и...

— Я знаю, что такое Поклонная гора, — перебила его Маша. — Мытарство?

Это было уже перекличкой: пароль — отзыв. Место? Номер? Андрей ее понял.

— Девятнадцатое. Ересь. Отступничество от православного исповедания веры.

— Кто? — шепотом спросила Маша.

— Маша, — начал Андрей. — Мне очень жаль...

Но она уже не услышала имени, провалившись в гулкую пустоту забытья.

Забытья, где уже блуждала со вчерашнего дня ее мать.

АНДРЕЙ

Андрей едва успел подхватить Машу: она лежала бледная, с закатившимися глазами.

— Эй! Кто-нибудь! — закричал Андрей в сторону клиники, а потом, не дожидаясь санитаров, взял ее на руки. Из приемной к нему уже спешили с носилками, он что-то путано говорил, что у больной тут лежит мать, тыкал своими корочками. Объяснял, что мать — подруга Надежды Витальевны — имя Натальиной подруги выскочило пинг-понговым мячиком из памяти, хотя Маша упоминула его вчера лишь однажды, когда описывала свой день. Слава богу, Надежда спустилась, охнув, мгновенно схватила Машину руку, побила ее по щекам, потребовала нашатырь. Андрей стоял, бессмысленно таращась, рядом, чувствуя себя беспомощно, мучаясь стыдом, как дамы к сорока — мигренью: так привычно.

Маша пришла в себя, застонала, он шел рядом с носилками, которые два дюжих молодца уже завозили в огромный лифт.

— Что со мной? — беззвучно спросила Маша, а Надежда ответила:

— Обморок. Естественно при твоем нервном напряжении. У мамы есть вторая койка в палате. Туда мы тебя и положим на денек — отлежаться.

Андрей сглотнул, сжал Машину руку и почувствовал легкое пожатие в ответ.

— Я приеду после обеда, — сказал он хриплым голосом и откашлялся. — Что тебе привезти?

— Ничего. — Маша закрыла глаза. — Ничего не надо.

— У Маши погиб лучший друг, — сказал он Надежде, когда они вышли из палаты.

— Господи! — Она прикрыла в ужасе рот рукой. — Значит, это не совпадение?

— Нет, — мотнул головой Андрей. — Это уже третье убийство рядом с ней. Думаю... думаю, ей сейчас очень тяжело. Она будет обвинять себя в смерти друга, и...

— Но ведь это полный бред! — возмутилась Надежда Витальевна.

Андрей улыбнулся жалкой улыбкой, кивнул и, коротко попрощавшись, вышел из клиники.

* * *

Его не отпускала мысль, простая, как три копейки. Она со вчерашнего вечера не давала ему покоя: Андрею нужен был день, чтобы все проверить. Или хотя бы полдня, в течение которого его просто оставят в покое. Он раздал задания всем членам следственной группы по Мытарю: кому поехать в войсковые части, где погибли солдаты, кому опрашивать свидетелей по кострищу в Парке Победы, кому копать в ближнем кругу губернаторши...

У него нашлось с сотню таких срочных, необходимых заданий, истинной целью которых было вывести всех членов следственной группы за границу видимости и слышимости, освободить себе время, выкинуть все вторичное из головы. Он даже — о святотатство! — сбросил звонок Анютина уже при входе в кабинет. Войдя, оглянулся по сторонам — и с удовлетворением отметил, что остался один. А затем запер дверь изнутри, выдернул штепсель из телефонной розетки, одним решительным жестом сбросил с рабочего стола все накопившиеся за месяцы на нем бумажки, визитки, папки. Выдохнул — и стал вынимать досье, принесенные еще вчера по делу Мытаря: от первого и до последнего, заведенного на тот кусок окровавленного мяса, что раньше был Машиным отчимом. Он тщательно проверял убитых: ему нужно было выявить нить, которая могла свести убитого с убийцей. Как первый из погибших попался маньяку на глаза? Если Иннокентий прав и дело не в конфликте юного болтуна с папашей-причетником? Если раскольники тут ни при чем? Господи, какие раскольники? Ведь Иннокентия сожли как еретика, значит, казнящий — из другого лагеря...

Может быть, он проходил военную службу? Или — был под следствием? Как-то он должен был попасться на глаза «профессионалам», своим, из органов, или воякам, потому что убийца был явно не любителем, а, совсем напротив, профи высокого класса. Доброслав Овечкин не служил в доблестных военных силах, но он привлекался за мелкое хулиганство — его тогда осудили условно. Дело слушалось тут, в Москве, в центральном суде. Дальше — Юлия Томилина, дававшая показание в суде на своего бывшего любовника; Солянко Александр — вовлеченный в дело своего прямого конкурента о подброшенных наркотиках, пьяница Колян, таких любой участковый держит на заметке... Андрей расстегнул ворот рубашки, открыл окно: а что, если он опять движется в ложном направлении? Что, если это не дорожка к убийце, а очередной тупик, а он здесь теряет время, ставшее таким ценным? Теряет, пока Маша лежит под успокоительными в клинике?

Но он заставлял себя сдержать нервную дрожь, бешеное желание нестись куда-то, что-то быстро делать, неважно что. Методичность. Сдержанность. Строгая последовательность. Не смотреть на часы, а страницу за страницей отсматривать досье. Архитектор, попавший под амнистию. Вор-рецидивист. Берущая безмерные взятки Турова... Стоп! Ельник. Убийца, выловленный в Москве-реке. Что сказал про него деревенский идиот Андрюша? Андрей вдруг замер: он вспомнил кабинет Анютина, их первую беседу, касаемую Мытаря. Их последнюю беседу. Он все понял. Вскочил, схватил куртку и вылетел из кабинета. Ему нужно увидеть Машу. Но до встречи с ней — избавить себя от последних сомнений. Он спустился на проходную, отдал ключ, расписался в журнале и попросил посмотреть страницы за тот день, когда погиб Машин отчим. Фамилия Анютин, напротив — короткая, по-военному четкая подпись. И рядом: время сдачи ключей. Он кивнул и выбежал на улицу: ему показалось, что он снова начал дышать. А вот теперь он может ехать к Маше.

* * *

Маша лежала, отвернувшись к стене. Она не спала, и мать ее — не спала. Но они не разговаривали: Натальины веки опухли от слез, но когда Андрей вошел и поздоровался, посмотрела на него так, что он внутренне поежился. Он прикоснулся к Машиному плечу, и она повернулась — медленно — и улыбнулась: мертвой, лишь уголками губ, улыбкой.

— Есть новости? — спросила она. Андрей покосился на Машину мать. Та без слов встала и тихо вышла из палаты.

— Я знаю, Маша, — сказал Андрей, хотя еще по дороге не был уверен, что захочет выдать ей всю информацию.

— Знаешь?! — Маша рывком приподнялась на подушках.

— Успокойся. Тебе нельзя волноваться! — сказал он и сразу пожалел о своей избитой фразе — Машины брови сдвинулись в одну линию, глаза сузились:

— Я не больна, Андрей. И не инвалид. Если ты узнал, кто он, и собираешься делать что-то без меня, я... Я никогда тебе не прощу. Ты понял? Я должна быть там, должна помочь тебе поймать его — из-за Кати, и Юрия Аркадьевича, и, — в глазах заблестели слезы, — и Кентия.

— Хорошо, — согласился он. — Одевайся. Мы едем за город.

— Куда? — переспросила Маша, натягивая кофту.

— Мы едем на дачу к твоему Катышеву.

Маша нахмурилась:

— Откуда ты знаешь, что у него есть...

— Догадался,— мрачно усмехнулся Андрей.

— Но... я не знаю точно, где у него дача! Мы туда ездили последний раз, когда мне было лет десять, еще до папиной смерти. Я помню, там есть речка и лес, но ни названия станции, ничего конкретного...

— Деревня Нарино. По Калужскому шоссе. Дом, кажется, двенадцать. Он один напротив леса, не ошибетесь.

Маша и Андрей обернулись: в дверях стояла Наталья Сергеевна, бледная в цвет белой ночной рубашки и белого же махрового халата.

— Мама...— нерешительно начала Маша.

Но та смотрела прямо Андрею в глаза:

— Поезжайте. Поезжайте прямо сейчас, пока еще не стемнело.

Они выехали достаточно быстро из города, но всю дорогу в Москве Маша молчала, сосредоточенно глядя прямо перед собой.

— Почему? — наконец спросила она, когда он набрал приличную скорость на Калужском шоссе.

— С тех пор как погиб твой отчим, — сказал Андрей, — и возможностей для спекуляции на тему Кати тоже не оставалось, я задавал себе тот же вопрос: почему ты? Почему именно вокруг тебя он плетет свою сеть, почему именно тебе хочет что-то доказать? Покрасоваться перед тобой, что ли? Ты сама-то об этом никогда не задумывалась?

— Потому, — медленно начала Маша, — что я его чувствую и, кажется, понимаю, как он функционирует?

— Маша, эти все «чувствую», «кажется» — ничто! Метафизика, интуиция, девичьи гаданья! — раздраженно перебил ее Андрей. — Как же мы этого не поняли уже после смерти твоего отчима! Он знал, что именно ты его вычислила: ты, и никто другой, связала убийства между собой! Ты разгадала его мотивировку, ты соотнесла место преступлений и Небесный Иерусалим, ты нашла «Мытарства блаженной Феодоры»! Ты, Маша!

— Не без помощи Иннокентия, — тихо сказала она.

— Перестань кокетничать! — Он ударил рукой по рулю. Он злился и знал, что на самом деле злится вовсе не на Машу.

— Хорошо, — согласилась она. — И что из этого?

— А то из этого, что ты стала очень интересна убийце!

Маша побледнела, отвернулась к окну.

— Я уже давно это знаю, Андрей. Я еще вчера тебе говорила, что это я во всем виновата!

— Дура! — не выдержал Андрей. — Умная, а дура! Кто был в курсе, что это ты — автор идеи, связывающей убийства и Небесный Иерусалим?!

— Многие, Андрей. Не кричи, пожалуйста.

Андрей глубоко вдохнул-выдохнул, еще сильнее вцепившись в руль:

— Прости. Черт! Всё это время разгадка была у нас перед глазами, а мы вели себя как слепые котята, увлеченные заумными теориями. Многие — да не многие, Маша.— Он взглянул на нее искоса. Маша смотрела в сторону, на развертывающуюся ленту пригородных дачных хозяйств. — Вспомни: наша следственная группа уже не знала деталей, кто там был первооткрывателем. А знали — доподлинно — только пятеро человек. Ты, я...

— Иннокентий, — продолжила Маша. — Анютин и... Ник Ник.

— Да, Маша, твой Ник Ник. Герр прокурор Катышев, который с самого начала интересовался делом! Катышев, который в последнюю нашу встречу впрямую предложил Анютину дать Мытарю закончить начатое.

— Это все домыслы, Андрей, — хриплым голосом сказала Маша. — Он просто имел в виду, что у него развязаны руки, тогда как у правосудия...

— Вот именно, Маша! Вспомни о нашем — твоем опять же — психологическом портрете! О том, что убийца, скорее всего, работает в правоохранительных органах, что он служил — ведь твой Ник Ник служил, верно?

Маша молча кивнула.

— А желание вершить правосудие своими силами — это же фишка маньяков-миссионеров! И кому ж не обвинять, как не герр прокурору?

Он замолчал, вынул сигарету из пачки, открыл окно. Маша тоже молчала, но он видел, чувствовал периферийным зрением: она начала ему верить.

— И еще. Сегодня с утра я перелопатил кучу дел жертв Мытаря. Как ты думаешь, что я там искал? Я пытался нащупать сцепку: как преступник знакомился со своими «грешниками»? Я еще сомневался, кого подозревать — босса или Катышева? Оба неплохо подходили. И вот что я выяснил: все жертвы так или иначе пересекались с системой правосудия, даже тот мелкий болтун с Берсеневской набережной! — Они проехали мимо надписи «Деревня НАРИНО».

— Сейчас направо, — глухо сказала Маша. Андрей кивнул, развернулся и сбавил скорость.

— И знаешь, когда я понял, что иду по верному следу?

Маша молча продолжала смотреть на деревенскую улицу.

— Я вспомнил, как ездил в деревню к Ельнику. У него на подхвате работал деревенский идиот: он не видел убийцу, только его машину. Но он сказал одну фразу, на которую я тогда не обратил внимания. В день убийства Ельник отослал его со словами, что приехал его друг, очень важный человек, которому он по гроб жизни обязан... Теперь вспомни, Маша, кто был обвинителем на последнем процессе Ельника. Обвинителем, которому якобы не хватило улик?!

Они медленно подъехали к самым последним домикам на главной улице, и Андрей остановился, приглушил мотор. Маша повернула к нему лицо с по-детски упрямо выпяченным подбородком:

— Я все равно не верю, Андрей! Ник Ник был лучшим другом моего отца, он очень любил мою маму... — И тут она замолчала, рывком открыла дверь машины. Посмотрела на него: — А если это все-таки Анютин?

Андрей пожал плечами:

— Я думал об этом. И кое-что проверил. Это не мог быть Анютин. Незнакомец позвонил в съемную квартиру к твоему отчиму в четыре часа — это был его обычный... ммм.. график свиданий. А Анютин в это время находился на работе. И оставался там до восьми. Это не стопроцентная гарантия, согласен. Поэтому я ничего и не сказал шефу о наших планах. Во-первых, возможна утечка информации. Во-вторых, у нас нет времени на тщательную проверку деталей и алиби.

Они пошли по опушке леса, где земля была скользкой от слоя опавших листьев, мох пружинил под ногами. Андрей взял Машу за руку, чтобы она не поскользнулась. Рука у Маши была вялой, но лицо уже сосредоточенным, собранным. Маша Каравай включила свой мозг, и Андрей обрадовался: он знал, что активная работа ума отвлечет ее от прочих тягостных дум. Вдруг Маша остановилась — напротив, в лохмотьях старой краски, стоял глухой деревянный забор.

— Это она... — прошептала Маша. — Дача Ник Ника. Калитка должна быть справа.

Они осторожно обошли дом — все было тихо. Последние дни так похолодало, что дачники убрались обратно в мегаполис, а местных тут особо и не было. Только где-то, за дальними домами, поднимался дымок от чьей-то печки. Андрей толкнул плечом запертую калитку, но Маша просунула тонкую руку между забором и калиткой и отодвинула щеколду с той стороны. Повернулась к Андрею, все такая же бледная, сосредоточенная:

— Он сказал: «Открой. Это я». Помнишь?

— Помню, — кивнул Андрей. — Анютин не был знаком с твоим отчимом, а Ник Ник — да. Убийца спустился с верхнего этажа и позвонил в дверь. И когда твой отчим спросил: «Кто там?» — убийце даже не нужно было называть свое имя — его и так узнали.

Маша сглотнула:

— Их нет на даче. Я видела сегодня жену Катышева. В больнице. Она... пришла проведать маму. И у нее синяк на руке. — Она тряхнула головой: — Я знаю, маньякам свойственно бытовое насилие в семье, но, может, это она просто ударилась? Может, это все-таки не он, а Анютин? Понимаешь, — она умоляюще на него посмотрела, — Ник Ник никогда не был религиозен. Я бы знала!

Андрею стало ее ужасно жалко.

— Хочешь, — сказал он, — ты посидишь на крыльце?

— Мы не имеем права нарушать неприкосновенность жилища... — начала Маша, но Андрей подошел к двери, поднял руку, как фокусник выудил с резного изгиба на крыше крылечка ключ, в один сухой поворот отпер дверь.

Дверь со скрипом отворилась, и Маша вошла за Андреем в дом. Первое, что она увидела, — была иконка:

в красном, как и положено, углу. Маша вздрогнула — и обменялась взглядом с Андреем, который, слава богу, промолчал. Но чем больше она оглядывалась по сторонам, тем ближе, сильнее подступали к сердцу воспоминания детских, еще не отравленных смертью отца, лет. Вот за этим самым столом они сидели все вместе после традиционных осенних слетов по сбору грибов и чистили их, каждый хвалясь своей добычей. А Ирина учила Машу нанизывать кусочки боровиков на крепкую белую нить, чтобы потом развешивать елочными гирляндами вокруг круглой, выкрашенной в серебрянку, печи. А на этой веранде Ник Ник и мама в четыре руки мыли после обеда посуду в тазике, и мама хохотала, а папа вытягивал ноги в старом кресле-качалке и беседовал с Ириной, которая всегда рукодельничала: то штопала, то вязала, а иногда беспокойно прислушивалась к заливистому смеху на кухне, которого Федор, казалось, просто не замечал. Воспоминания были такими живыми, что Маша будто уже и забыла, зачем сюда пришла: смотрела на сложенные гармошкой древние раскладушки, прислоненные к стене на веранде, проводила рукой по облупившемуся лаку старого буфета, в буфете стояли доставшиеся еще, наверное, от родителей Ирины фарфоровые статуэтки — мальчик с санками, девочка с лыжами. Ей казалось, она даже помнит, как Ирина говорила, что привязана к этим хрупким мещанским прелестям, пусть это и китч. Конечно, мама этого не понимала...

Громкий скрежет вырвал ее из воспоминаний: это Андрей передвинул тяжелый стол, приподнял веселый коврик, сшитый из разноцветных полос: под ним был люк в погреб. Маша кивнула: она помнила этот погреб — девочкой помогала Ирине относить туда заготовки с грибами и вареньем. Они сошли вниз: в погребе пахло плесенью и запустением. Маша наткнулась на пустую банку, и та с грохотом укатилась в темноту. Щелкнул выключатель — и весь подвал осветился мутным, чахоточным светом: с потолка спускалась на витом шнуре одна-единственная пыльная лампочка. По стенам стояли стеллажи, когда-то, во времена ее детства, заполненные припасами на зиму, мешками с картошкой и яблоками. Сейчас полки тускло отсвечивали боками пустых, покрытых пылью больших банок. Банки стояли не сплошняком, отчего их ряды напоминали челюсти с выбитыми зубами, а сам погреб — давно закрытую лавку то ли аптекаря, то ли алхимика.

— Мне казалось, — сказала Маша, и голос ее прозвучал странным эхом в пространстве, отданном на откуп запустению и пыли. — Я была уверена, что погреб больше.

— В детстве все кажется огромным, — меланхолично ответил Андрей.

— Интересно, почему жена Ник Ника забросила садоводство? — Она задумчиво провела пальцем по пыльной банке. — У нее к этим соленьям с вареньями была такая страсть! Знаешь, они же бездетны...

— Тсс! — приказал ей Андрей.

Он начал простукивать стеллаж, а потом повернулся к Маше:

–Ты права: тут дело не в детском искажении пространства. Этот подвал действительно намного больше. Ну-ка, помоги мне. — И они в четыре руки начали снимать банки с полок. Когда стеллаж полностью освободился от тары, Андрей тихо подтолкнул его в одну, потом в другую сторону. И тот вдруг со скрипом поддался и медленно отъехал: в проеме открылась еще одна часть подвала. Из густой темноты лампочка выгадывала только несколько сантиметров каменного пола.

И тот был совсем не пыльным.

МАША

Андрей сказал: «Посиди здесь». И Маша послушно подчинилась. Она ничего не хотела видеть. Так тянущаяся к знаниям, как говорил отец, «аки подсолнух к солнцу», она поняла, что достигла некой черты, предела. И эта черта проходила как раз на границе неверного света и глухой черноты подвала. Андрей достал фонарик и пошел вперед, а она села на перевернутое старое ведро и стала его ждать, задумчиво рассматривая серые от пыли пальцы.

Она не желала смотреть в ту сторону, но взгляд, как загипнотизированный, возвращался к черному проему: некоторое время свет фонарика бегал по наскоро выбеленной стене, а потом Андрей нашел выключатель, и ту часть подпола залил совсем другой, яркий свет. Теперь казалось, она тут, в сумеречной зоне, полной неназванных теней и сомнений. А там из темноты волшебным образом возник сияющий мир, где правит беспощадная правда. Маша смотрела, как Андрей обходит подвал. На стене висели: огромная старинная карта Москвы, рядом — карта Иерусалима, рядом — современная карта, с аккуратно пришпиленными красными флажками. Маша сглотнула — у нее у самой была такая, с пометками на тех же самых местах. Глазок камеры — интересно, откуда он мог наблюдать за своими жертвами? Огромный профессиональный холодильник, где, очевидно, и пролежал с полгода Ельник, какие-то плотницкие инструменты — Маша вдруг вспомнила, как мать всегда ставила Ник Ника в пример отцу, как очень «рукастого»: «А ты, Федор, и гвоздя на кухне забить не можешь!» В глубине стояла простая, крепкая скамья — Маше даже не нужно было подходить, чтобы увидеть покрывающие ее бурые пятна.

— Смотри-ка. — Андрей приблизился к полкам, вытащил тонкую книжицу — «Мытарства блаженной Феодоры». Открыл холодильник: — Отключен, но по размеру отлично подходит, — и вынул оттуда какой-то аквариум.

— Что это? — спросила дрожащим голосом Маша, так и не встав со своего ведра.

— Нечто вроде инкубатора, — Андрей озадаченно вертел стеклянный куб в руках, — для разведения...

— Муравьев... — шепотом закончила за него Маша и предложила: — Пошли отсюда!

Андрей повертел и положил на место плетку с железными окончаниями.

— Пошли, — согласился он. — Мы уже достаточно насмотрелись.

Он уже поднял руку, чтобы выключить свет, когда Маша крикнула:

— Подожди!

Встала, зашла внутрь. Стараясь не смотреть по сторонам, быстро прошла к противоположной стене и одним рывком сняла карту с флажками: карта свернулась у нее в руках.

— Теперь пошли, — сказала она и стала подниматься по ступенькам наверх. Но не выдержала, оглянулась назад: вместо тайного убежища вновь зияла черная дыра. «Так вот где ты был, — сказала она себе, — Небесный Иерусалим... Тут, в этом темном подвале, для Ник Ника — ее Ник Ника!— горел горний свет и пели ангелы. О господи!» — И она бегом преодолела последние ступеньки, выбежала из дома, вцепилась в перила крыльца, и ее сотряс рвотный спазм. И потом долго сидела на ступеньках и жадно вдыхала горьковатый морозистый воздух, а Андрей обнимал ее за плечи, пытаясь унять бившую ее крупную дрожь.

Когда они сели в машину, Машу уже почти не трясло, она только молча смотрела на карту, свернутую рулоном на коленях. Андрей позвонил следственной группе, вызвал на дачу криминалистов, объяснил, как доехать, дверь и проход в погреб они оставили открытыми. Он попросил Камышова зайти и узнать, на месте ли Катышев? В прокуратуре его не было, мобильник тоже не отвечал. Маша набрала домашний номер. Трубку взяла Ирина, сказала:

— Коли нет дома. — И, помолчав, спросила: — А как мама?

И Маше пришлось еще пару минут рассказывать о своем и мамином самочувствии: она не могла ни положить трубку, ни задать этой женщине какой-нибудь вопрос, относящийся к расследованию. Она покорно выслушивала обеспокоенные рекомендации жены Ник Ника («Тебе надо больше отдыхать, Машенька! Спать хотя бы по восемь часов, пить мяту и ромашку»), и ей казалось, что она да и весь мир сошли с ума. Она даже заставила себя взглянуть в зеркало дальнего вида на исчезающий в ранних сумерках дачный дом, за которым черной стеной вставал лес, чтобы вспомнить, что ни мир, ни она — не безумны. Безумен совсем другой человек, хотя сам он, конечно, так не считает. Под конец беседы Маша спросила походя:

— Ирина Георгиевна, а вы на дачу-то часто ездите?

На секунду ей показалось, что связь прервалась, а потом Ирина Георгиевна грустно сказала:

— Знаешь, совсем не ездим. Коле не до этого, а мне одной какой интерес? Да и дом, Коля сказал, разваливается, а у него все руки не дойдут до ремонта. Все преступников своих судит. — Она как-то нехорошо усмехнулась. А Маша вздрогнула: таким верным был ее вывод. — Ну, Машенька, передавай маме привет, и скорого выздоровления, — попрощалась с ней Ирина и повесила трубку.

— Так, — подвел итоги Андрей. — Значит, его нигде нет. Думаешь, он догадывается, что мы его вычислили?

— Не знаю, — тихо сказала Маша и добавила более уверенно: — Думаю, да.

Андрей на секунду повернул к ней озабоченное лицо:

— Если он в курсе, что мы идем по его следу, значит, может пуститься в бега.

Маша покачала головой:

— Нет. Если он знает, что мы идем по его следу, значит, попытается закончить начатое.

— Уверена? — покосился на нее Андрей.

Маша мрачно усмехнулась:

— Уверена. Я знаю Ник Ника. Он... очень последователен.

БЕЛЫЙ ГОРОД

Время у него еще имелось. Оно было высчитано множество раз, и вот сейчас он не доверял машине — всегда можно попасть в пробку, но и спускаться под землю, в метро, ему не хотелось. А хотелось просто погулять по Бульварному кольцу, в конце концов, он заслужил эту прогулку.

На нем был старый плащ типа макинтоша, с обтрепавшимися по краям рукавами. Жена уже несколько раз подштопывала подкладку, но вот с потертостью ничего поделать не могла. А он любил свой плащ, любил даже эту самую ветхость — плащ жил с ним, его жизнью, с начала осени до холодов, достойных уже драпового пальто; и с середины весны до лета. А он всегда предпочитал демисезонность зимнему холоду или летнему московскому зною. В период межсезонья, с его нежнейшим солнцем, влажным воздухом, в котором еще сильнее проступает нота бензина, ему было проще поверить в то, что видело его сердце. Нет, не мчащиеся куда-то машины, не безобразные вывески, не пошлую рекламу и не встречный поток людей, даже не замечающих мужчины в ветхом плаще, стертых ботинках и с уставшим от жизни лицом.

Нет, он сам для себя становился будто прозрачный, как тот изменчивый воздух в переходных сезонах, и изменялся городской пейзаж рядом с ним. Поднималась стена Белого города, Царь-Града, подавляя белокаменной своей массой всю наносную мусорную шелуху. Белые кирпичные стены чуть вибрировали в нежном воздухе, а над ними было только небо, такое же, как в 1591-м, когда Федор Конь закончил строить, а хан Гирей пришел под стены крепости, да так и ушел ни с чем. Он лукаво улыбнулся — будто сам сидел под шатровой крышей и видел уходящее вдаль крымское войско.

Он почти добрался до своей предпоследней остановки. Вход в огромном здании, выстроенном буквой

«П», с Бульварного кольца. А поперечной своей перекладиной дом выходил на Знаменку.

Он подумал, что потом прогуляется и по этой улице — в надвигающихся сумерках перед ним встанут, будто никогда и не были снесены, две церковки: одна — святого Николая Чудотворца Стрелецкого, с тремя маковками и колокольней, на месте которой «они» отстроили аляповатую часовню. И еще одна — Иконы Божьей Матери, где сейчас лишь детская площадка, совсем рядом с домом № 19. На «дело» ему хватит и получаса — а потом медленная прогулка в сторону Боровицкой площади и оттуда — на набережную.

Он показал свои документы на проходной — ему немедленно выписали пропуск. ГВМУ — значилось на пропуске. Для непосвященных: Главное управление Министерства обороны Российской Федерации. И в углу — заковыристая эмблема, которую он не без любопытства рассматривал в лифте: традиционная змея, обвитая вокруг чаши, а в самой чаше что-то лежит. Кинжал? Ступка? Вокруг венок из дубовых листьев, сверху орел, снизу красный крест: ух ты! Он усмехнулся: геральдики хреновы.

Он постучал в кабинет — секретаря уже не было на месте, на это он и рассчитывал — и зашел под приветственные басовитые раскаты: хозяин кабинета даже поднялся ему навстречу. В глазах читалось некоторое недоумение — что могло понадобиться у него прокурору? Но, в конце концов, от встреч с такими людьми, как этот прокурор, не отказываются, даже когда дорастут до многометрового кабинета с видом на Кремль. Они потрясли друг другу руки, а потом Леонтьев — хозяин кабинета и глава департамента — сел в кожаное кресло во главе длинного, как каток, блестящего лакового стола и сделал приглашающий жест широкой ладонью.

— Наслышан, наслышан, — пророкотал он и уставился на мужчину в старом плаще: — Чем, так сказать, обязан?

Мужчина улыбнулся, обнажив плохо вставленные искусственные челюсти:

— О! Я буду краток: знаю, ваше время дорого. Один маленький вопрос, — сказал он. — До меня тут дошла информация о нескольких подряд самоубийствах. Так сказать, суицидах напоказ. Все покончившие с собой — воины-афганцы. И вот что я выяснил. — Улыбка мужчины в плаще превратилась в оскал, или она им и являлась с самого начала? — Что всем им отказали в давно запрошенных инвалидных колясках. Тем же запретом, продиктованным, по официальной версии, экономией средств, были аннулированны льготы по лекарствам ветеранам...

— Я не совсем понимаю ваше вмешательство во внутриминистерские дела. — Леонтьев пытался держаться в рамках приличий, но на широком, открытом лице, явно помогшем ему сделать карьеру, читалось с трудом сдерживаемое раздражение. — Вы знаете так же хорошо, как и я, насколько сократились федеральные бюджеты!

Мужчина покивал, покачал в такт головой и ногой в старом ботинке и продолжил как ни в чем не бывало:

— Однако, по моим сведениям, в то же самое время в ваш кабинет был закуплен мебельный гарнитур. — И он ласково провел пальцем по сверкающей столешнице: — Вишня?

Леонтьев кивнул.

— Чуть больше, чем на пять миллионов рублей. Вся эта резьба, бронза, хорошая кожа стоит своих больших денег, стоит. — Он встал, подошел совсем близко к Леонтьеву и доброжелательно спросил: — Седалище не слипнется?

— Да как вы смеете?! — Леонтьев начал медленно подниматься с кресла, обтянутого этой самой кожей, встал и оказался одного роста с чудным прокурором. И вдруг услышал щелчок. Он скосил глаза — всего в паре сантиметров от виска на него, не мигая, глядел черный зрачок пистолета. И еще: он впервые увидел так близко глаза мужчины в потертом плаще, и зрачок пистолета показался ему вдруг почти дружелюбным.

— Что вы де... — начал Леонтьев, но мужчина приказал главе департамента молчать и ловким жестом опытного фокусника одел ему на голову нечто между маской и кляпом. Из другого кармана плаща он вынул широкий бежевый скотч и привязал Леонтьева к его дорогому креслу. Леонтьев мог, наверное, в какой-то момент вырваться. Но черный пистолет... Но полное отсутствие нервозности у прокурора. Его спокойные, выверенные движения — вот он подошел, положил на стол обыкновенный черный дипломат и стал так же неторопливо вынимать из него один за другим деревянные колья и аккуратно выкладывать на стол.

Леонтьеву казалось, что он сходит с ума: то, что сейчас происходило с такой обыденностью в его кабинете, просто не умещалось в сознании. «Зачем ему нужны колья?» — подумал он. Не дожидаясь ответа, взгляд его заметался испуганной птицей и вдруг — замер. Он чуть-чуть двинулся, подкатившись ближе к столу: новая мебель не заскрипела, ковролин скрадывал звуки. Ступней в длинноносом, мягкой кожи ботинке он пытался нащупать тревожную кнопку под столом — кроме обычной кнопки, связанной с внутренней охраной здания, имелась и такая, напрямую выходящая в местное отделение полиции. Еще миллиметр, еще... Он замычал, чтобы отвлечь прокурора от своих движений, — и — о счастье! — сумел-таки нажать на заветную кнопку.

АНДРЕЙ

Звонок поступил, когда они уже подъезжали к городу. Камышов кричал в трубку, что только что в отделение полиции Центрального района поступил сигнал: у них там новая система — стало слышно все, что происходит в кабинете у главы департамента.

— Какой-то бред! — возбужденно кричал Камышов. — Тонкий голос, будто бабий, но не бабий, нес бред.

— Где?! — перебил его Андрей.

— В Военно-медицинском министерстве на Знаменке, оно еще на Бульварное кольцо выходит...

— Где группа?

— Мы выехали, Андрей. Через пять, максимум десять минут будем на месте! Шесть часов — чертовы пробки!

— Он на это и рассчитывал, — тихо сказал Андрей. — Ладно, делайте, что можете.

— Что за бред он нес? — спросила у Камышова Маша, которая не упустила ничего из телефонных криков.

— Они послали мне запись на мобилу через Интернет! — с гордостью за техническое оснащение родной полиции сказал Камышов. — Сейчас дам послушать!

Андрей включил громкоговоритель в телефоне: сначало было слышно чье-то мычание.

— Он надел на него кляп! — прошептала Маша. А потом высокий и оттого еще более страшный голос стал произносить нараспев слова: «...злобные духи последнего, 20-го мытарства, — немилосердия и жестокосердия. Жестоки тут истязатели, и князь их лют, с виду сухой и унылый. Если бы кто совершал и самые великие подвиги, изнурял себя постами, непрестанно молился и сохранял чистоту телесную, но был немилостив, таковой из этого последнего мытарства низвергается в бездну ада и не получает милости вовеки. Приговариваю тебя, грешник, к немедленному низвержению в ад через сажание на кол».

— Слыхали? — вновь проявился в трубке камышовский голос. — Жуть берет, нет? Ладно, мы уже подъехали!

— Не отключай телефон, — сказал ему Андрей. Он нащупал под сиденьем мигалку и, не снижая скорости, поставил ее на крышу машины.

Они стали продвигаться быстрее, но все равно медленно, чудовищно медленно, а в это время Камышов лаконично комментировал обстановку: «Подъехали, шеф. Окружаем входы. Зашли в здание. Разделились: мы поднимаемся по лестнице, остальные — на лифте». Маша сидела рядом, натянутая как струна. Слышен был топот многих ног, потом со скрипом открылась дверь пожарного хода, опять топот, пауза, грохот выбиваемой двери, и вдруг — внезапная тишина.

— Камышов! Ты жив?! — крикнул Андрей. — Что там?!

— Твою мать... — выдохнул в трубку Камышов. — Я тут, Андрей. Все с нами в порядке. Но вот с мужиком...

— Попроси его описать, — прошептала Маша.

— Э... — начал Камышов. — Мужик сидит на стуле. А стул — на столе, что твой памятник. Колья... у него из-под ребер торчат... Как дикобраз кровавый, прости господи!

Вдруг в трубке опять заорали несколько голосов, и крик Камышова заполнил всю машину:

— Он живой! Елки, спустите его, он живой!!!

Маша и Андрей замерли. На другом конце послышались возня, грохот падающих стульев.

— Нет, — раздался чей-то незнакомый голос. — Это была предсмертная судорога. Вызывайте криминалистов.

Камышов опять взял трубку:

— Все. Помер.

— Камышов, слушай сюда. — Андрей говорил медленно, понимая, что бедный Камышов еще в шоке. — Спускайся на проходную. Посмотри список посетителей у убитого на сегодняшний вечер: когда пришли, когда ушли. — И добавил: — Бегом!

И попросил Машу набрать Анютина.

— Товарищ полковник, — не поздоровавшись, дрожащим голосом начала Маша. — Мы знаем, кто убийца. Это Николай Николаевич Катышев.

Анютин осторожно кашлянул:

— Маша, вы, простите, в своем уме?.. — начал он, но Андрей уже вырвал у Маши трубку:

— Александр Иванович, мы только что были у него на даче. Мы нашли все: карты, инструменты для пыток.

Сомнений быть не может. Нет времени объяснять — у нас только что появился новый труп. Прошу вас, предупредите посты ГИБДД, вышлите группы захвата по его домашнему адресу и на дачу.

— А сам? — только и смог сказать Анютин и, судя по немногословности, поверил: что-то такое было в голосе Андрея.

— Я перезвоню вам, товарищ полковник, — ответил Андрей и отключился.

МАША

Почти в ту же секунду на другом телефоне ожил Камышов:

— Ну что, у меня в руках журнал. Сегодня у потерпевшего было три встречи вечером. Начнем с последней: Катышев Н.Н. Пришел в 19:15. Ушел в 19:45.

— Как ушел? Через проходную?

— Ну да, — еще ничего не понял Камышов. — Все чин чинарем: и подпись, и пропуск сдал.

Андрей выругался и покосился на Машу. Приказал:

— Езжайте на Петровку. — В бешенстве бросил трубку на приборную доску. Маша понимала, почему он в такой ярости: на часах еще не было восьми. Они подъехали уже совсем близко: убийца мог быть любым из движущихся по вечерним улицам призрачных в прозрачных сумерках силуэтов прохожих.

— Он больше не появится дома, — медленно сказала Маша. — И вряд ли вернется назад на дачу. Дай мне подумать.

Они припарковались, и Маша разложила на коленях карту из дачного подвала. Она смотрела на паутину центральных улиц, на флажки, разбросанные тут и там по зеленоватому полю. «Так, — сказала Маша самой себе. — Теперь идем от обратного». И она начала спокойно, сосредоточенно, один за другим, убирать метки убийцы: Берсеневская набережная, Ленивка, Пушкинская площадь, Коломенское... Она осторожно вынимала флажки, заглаживая пальцем дырку, оставленную иголкой. Будто высвобождая от страшного прошлого, выпуская вновь на свободу старинные названия улиц и площадей. Замерла перед флажком на Поклонной горе. Андрей открыл окно, закурил, не спуская с нее глаз. Лубянка, Никольская улица, Варварка... Она достала их все. Кроме одного — почти по центру, там, где карта была уже вдоволь истыкана другими метками.

Маша приблизила карту к глазам, прочитала название и повернула бледное лицо к Андрею:

— Вот, — сказала просто она. — Ты видишь? Он все для нас приготовил...

— В смысле? — Андрей выбросил сигарету, сам взял в руки карту.

— У нас имеется пара «пропусков» в мытарствах — и в убийствах. Я думала, что Ник... что убийца совершил их, просто мы пропустили, не знали, где искать... Тогда преступление, которое он совершил сегодня, это и правда уже двадцатое, последнее мытарство. Получается, он дошел до конца. И у нас должно быть два лишних флажка. Но он один, Андрей.

— И что это значит?

— Думаю, — медленно начала Маша, — он допускал возможность, что мы найдем его логово. А если мы были там и отыскали карту, то назад ему пути нет. И он оставляет на карте один лишний флажок. Только один, Андрей, а не два. В месте, которое для нас еще не связано с убийством. Зато... — Маша замолчала и продолжила глухо: — Зато оно было в списке, который составил Кентий.

— Хочешь сказать, он назначает нам свидание? — недоверчиво переспросил Андрей.

Маша кивнула.

— Васильевский спуск? — хмурясь, прочел Андрей маленькие буковки, едва различимые в свете автомобильной лампы.

А Маша эхом повторила:

— Васильевский спуск.

ВАСИЛЬЕВСКИЙ СПУСК

— Сиди в машине и не высовывайся! — сказал ей Андрей, поцеловав твердыми губами, и вынул из бардачка пистолет. Стало совсем темно. По Васильевскому спуску гуляли припозднившиеся туристы. Маша тихо сидела в постепенно охлаждающейся машине, и ей было очень страшно.

«Может быть, стоило позвонить Анютину? Зачем Андрей пошел в одиночку? А может быть, выйдя из машины, уже всем отзвонился и весь спуск на самом деле оцеплен? Тогда почему не выводят за пределы оцепленной зоны иностранцев?»

Ей казалось, что время замерло: Маша смотрела вокруг и говорила себе: «Ну, конечно! Где же еще им встретиться, как не здесь? Кремлевская стена нигде не кажется столь высокой, как у реки, где волной вздымается широкая лента спуска, на гребне которой, подсвеченный, словно печатный пряник, стоит Покровский собор. Любимая точка для видового фото для молодоженов и туристов, глянцевая картинка, до которой можно усечь любой, самый сложный и прекрасный город в мире».

Глядя на почти черные в наступившей темноте стены древней крепости, она думала о том, что история любого города — любой точки на карте, где многие столетия живут бок о бок люди, — это история крови и жестокости. Такое уж безжалостное животное человек. И если вдруг на мостовых старинных городов проступила бы вся кровь, которая на них когда-либо была пролита, то мы бы шли в ней по щиколотку, а то и по колено. И никогда больше не согласились бы жить в городах, потому что из всех есть только один безгрешный, но его никто не видел. Град Небесный, Иерусалим.

Внезапно зазвонил телефон, и Маша с ужасом поняла, что это мобильник Андрея, который тот забыл на приборной доске. Значит, он не может позвать на помощь? Значит, он бродит там один в темноте в поисках убийцы, что поджидает его в густой тени крепостной стены?

Маша резким движением схватила телефон, вылезла из машины и стала, как выпавший из гнезда птенец, беспомощно оглядываться по сторонам. Андрея нигде не было видно — вокруг спешили по своим делам люди, и хотелось набрать в легкие холодного, влажного, рядом с Москвой-рекой, воздуха и крикнуть: «Уходите, спасайтесь, кто может!»

Маша судорожно выдохнула и стала искать в телефонной книге мобильника номер Анютина.

— Машенька, — вдруг услышала она тихий голос и на некую долю секунды вздохнула с облегчением, уже хотела повернуться: слава богу, здесь Ник Ник, он знает, что делать! Но вдруг замерла, вспомнив. Он стоял прямо за ее спиной — ей казалось, она даже чувствует его дыхание: не очень свежее дыхание немолодого человека. — Машенька, — со вздохом сказал голос, родной и бесконечно чужой одновременно. — Папа бы тобой гордился. Ты всегда была очень умной и упрямой девочкой. И я верил, верил, что мы с тобой обязательно встретимся! — Она услышала довольный смешок. — Вот так, в конце моего пути. Мне бы очень не хотелось оказаться тут одному. Но я знал, что ты меня отыщешь! Видишь ли, поначалу Федор тоже доверял мне до конца. Но в тот вечер он стал задавать мне вопросы. Я еще не успел на них ответить, как он уже понял, что его подозрения — обоснованны. Он же хорошо знал меня, Федя, мы были лучшими друзьями! Уж кто-кто, а он видел, когда я вру!

Маша сжала зубы и повернулась к нему. Ник Ник стоял, засунув руки в карманы потертого плаща — Маша помнила этот плащ, ему было лет пятнадцать. Ник Ник улыбнулся ей грустной, усталой улыбкой...

— Ты... — Маша не могла договорить.

— Да, Машенька, я убил его. Конечно, не своими руками. Его убили те, кто дал мне взятку. Пойми же! — Он попытался приблизиться, но она отшатнулась. — Это было время полного смещения ценностей и одновременно — нищеты. Я растерялся...

— Папа — не растерялся! — выкрикнула Маша, чувствуя, как подступают к глазам те самые, еще не выплаканные в детстве слезы. И упрямо выставила вперед подбородок — о чем она с ним говорит? Какие старые семейные отношения выясняет? Этот человек — монстр! Но иначе она не могла. Она ждала этого разговора с двенадцати лет.

— Папа — не растерялся, — повторил эхом Ник Ник и болезненно поморщился: — У Федора всегда был этот «нравственный камертон». А я нашел его позже — когда пришел к Богу. Я успокоился, Маша, стал другим человеком.

— Другим человеком?! — Машин голос взвился вверх, и одновременно, как в плохих боевиках, прозвучало:

— Ни с места!

Андрей стоял в пяти шагах от них и целился в голову Катышева. Ник Ник сделал едва заметное движение, схватил Машу за плечо, резко развернул к себе. Висок царапнул холодный ствол пистолета.

— Какой шустрый! — сказал Катышев. — Мы еще не договорили, молодой человек. Положите пистолет на землю. На землю! — заорал он, и Маша увидела, как Андрей медленно кладет пистолет. — Руки за голову! — приказал Катышев. Маша услышала, как изменился его голос. Это было тем более удивительно, что она знала наизусть все его интонации, но вот эти, с ноткой истерики, были чужими. И ее накрыл внезапный ужас.

— Да, — продолжил Катышев, а Маша чувствовала, как подрагивает сталь на виске. — Где мы остановились? Я стал судьей, я не сумел... Не мог сносить развратных, видеть безнаказанность их. Лжецы! И те, кто делает вид, что убегает, и те, кто за ними гонится. Да, я грешен, грешен! Так ведь земной суд и не может быть справедливым! — И голос его взлетел еще выше, взвился, завибрировав в хрустально-холодном воздухе. Катышев облизнул губы. — Справедлив только суд небесный. И в каждом из нас сосуществуют ангел с демоном! Их именем я и приговаривал виновных к немедленному схождению в преисподнюю. Но, — тут он благодушно усмехнулся, отчего у Маши дрожь прошла по всему телу, — я был бы плохим судьей, если бы не мог осудить себя самого... Не пройти мне, Маша, 9-го мытарства — неправды, где истязуются неправедные судьи, из корысти оправдывающие виновных и осуждающие невинных. И мое место — в аду. А умру я здесь, на Васильевском спуске, символе геенны огненной!

И человек, когда-то бывший ближайшим другом ее отца, вдруг с силой толкнул Машу вперед. Маша запнулась и полетела прямо в руки Андрея. А человек вынул из обтрепанного кармана ампулу, и пока — медленно, ах как медленно —к нему бежал этот капитан с испуганным лицом, он раскусил хрупкое стекло, содержащее смерть. И упал на мостовую, забившись в последней судороге. Над ним склонились лица, он увидел Машу и в последние секунды смотрел, не отрываясь, в эти светлые, «федоровские», глаза. И не отыскал в их глубине ничего, кроме безмерной жалости.

А потом наступила тишина: замолкли крики, шум машин, звуки сирен, далекая музыка. Пропали запахи влажного асфальта, палой листвы и бензина. Исчезли с того берега только что отстроенные пентхаусы, исчезла сама река, высокие кирпичные башни Кремля, булыжники мостовой. Но вместе с ними ушли все беды, все пороки, все страданья. Весь плач и стон людской.

И почудилось ему, что из хрустального небытия вокруг медленно, торжественно вырастают высокие стены, блистающие холодным огнем...

Литературно-художественное издание

ИНТЕЛЛЕКТУАЛЬНЫЙ ДЕТЕКТИВНЫЙ РОМАН

Дезомбре Дарья

ПРИЗРАК НЕБЕСНОГО ИЕРУСАЛИМА

Ответственный редактор *О. Рубис*
Художественный редактор *А. Сауков*
Технический редактор *Ю. Балакирева*
Компьютерная верстка *Е. Мельникова*
Корректор *О. Супрун*

ООО «Издательство «Эксмо»
123308, Москва, ул. Зорге, д. 1. Тел. 8 (495) 411-68-86, 8 (495) 956-39-21.
Home page: **www.eksmo.ru** E-mail: **info@eksmo.ru**

Өндіруші: «ЭКСМО» АҚБ Баспасы, 123308, Мәскеу, Ресей, Зорге көшесі, 1 үй.
Тел. 8 (495) 411-68-86, 8 (495) 956-39-21
Home page: www.eksmo.ru E-mail: info@eksmo.ru.
Тауар белгісі: «Эксмо»
Қазақстан Республикасында дистрибьютор және өнім бойынша
арыз-талаптарды қабылдаушының
өкілі «РДЦ-Алматы» ЖШС, Алматы қ., Домбровский көш., 3«а», литер Б, офис 1.
Тел.: 8 (727) 2 51 59 89,90,91,92, факс: 8 (727) 251 58 12 вн. 107; E-mail: RDC-Almaty@eksmo.kz
Өнімнің жарамдылық мерзімі шектелмеген.
Сертификация туралы ақпарат сайтта: www.eksmo.ru/certification

Сведения о подтверждении соответствия издания согласно
законодательству РФ о техническом регулировании
можно получить по адресу: http://eksmo.ru/certification/

Өндірген мемлекет: Ресей
Сертификация қарастырылмаған

Подписано в печать 09.04.2015. Формат 84x108 1/32.
Гарнитура «Гарамонд». Печать офсетная. Усл. печ. л. 18,48.
Тираж 2000 экз. Заказ 8536.

Отпечатано в ОАО «Можайский полиграфический комбинат»
143200, г. Можайск, ул. Мира, 93
www.oaompk.ru, www.оаомпк.рф тел.: (495) 745-84-28, (49638) 20-685

ISBN 978-5-699-67871-6

9 785699 678716

16+

Оптовая торговля книгами «Эксмо»:
ООО «ТД «Эксмо». 142700, Московская обл., Ленинский р-н, г. Видное,
Белокаменное ш., д. 1, многоканальный тел. 411-50-74.
E-mail: **reception@eksmo-sale.ru**

По вопросам приобретения книг «Эксмо» зарубежными оптовыми покупателями *обращаться в отдел зарубежных продаж ТД «Эксмо»*
E-mail: **international@eksmo-sale.ru**

International Sales: International wholesale customers should contact Foreign Sales Department of Trading House «Eksmo» for their orders
international@eksmo-sale.ru

По вопросам заказа книг корпоративным клиентам, в том числе в специальном оформлении, *обращаться по тел. +7 (495) 411-68-59, доб. 2261, 1257.*
E-mail: **ivanova.ey@eksmo.ru**

Оптовая торговля бумажно-беловыми
и канцелярскими товарами для школы и офиса «Канц-Эксмо»:
Компания «Канц-Эксмо»: 142702, Московская обл., Ленинский р-н, г. Видное-2,
Белокаменное ш., д. 1, а/я 5. Тел./факс +7 (495) 745-28-87 (многоканальный).
e-mail: **kanc@eksmo-sale.ru**, сайт: www.**kanc-eksmo.ru**

В Санкт-Петербурге: в магазине «Парк Культуры и Чтения БУКВОЕД», Невский пр-т, д.46.
Тел.: +7(812)601-0-601, www.bookvoed.ru/

Полный ассортимент книг издательства «Эксмо» для оптовых покупателей:
В Санкт-Петербурге: ООО СЗКО, пр-т Обуховской Обороны, д. 84Е. Тел. (812) 365-46-03/04.
В Нижнем Новгороде: Филиал ООО ТД «Эксмо» в г. Н. Новгороде, 603094, г. Нижний Новгород, ул. Карпинского, д. 29, бизнес-парк «Грин Плаза». Тел. (831) 216-15-91 (92, 93, 94).
В Ростове-на-Дону: Филиал ООО «Издательство «Эксмо», пр. Стачки, 243А. Тел. (863) 305-09-13/14.
В Самаре: ООО «РДЦ-Самара», пр-т Кирова, д. 75/1, литера «Е». Тел. (846) 207-55-56.
В Екатеринбурге: Филиал ООО «Издательство «Эксмо» в г. Екатеринбурге,
ул. Прибалтийская, д. 24а. Тел. +7 (343) 272-72-01/02/03/04/05/06/07/08.
В Новосибирске: ООО «РДЦ-Новосибирск», Комбинатский пер., д. 3.
Тел. +7 (383) 289-91-42. E-mail: **eksmo-nsk@yandex.ru**
В Киеве: ООО «Эксмо», 04073, Московский пр-т, д. 9. Тел.: +38 (044) 237-70-12.
E-mail: **sale@eksmo.com.ua**
В Донецке: ул. Складская, 5В, оф. 107. Тел. +38 (032) 381-81-05/06.
В Харькове: ул. Гвардейцев Железнодорожников, д. 8. Тел. +38 (057) 724-11-56.
Во Львове: ТП ООО «Эксмо-Запад», ул. Бузкова, д. 2. Тел./факс (032) 245-01-71.
В Симферополе: ООО «Эксмо-Крым», ул. Киевская, д. 153.
Тел./факс (0652) 22-90-03, 54-32-99.
В Казахстане: ТОО «РДЦ-Алматы», ул. Домбровского, д. 3а.
Тел./факс (727) 251-59-90/91. **rdc-almaty@mail.ru**

Полный ассортимент продукции издательства «Эксмо»
можно приобрести в магазинах «Новый книжный» и «Читай-город».
Телефон единой справочной: 8 (800) 444-8-444. Звонок по России бесплатный.

Интернет-магазин ООО «Издательство «Эксмо»
www.fiction.eksmo.ru
Розничная продажа книг с доставкой по всему миру.
Тел.: +7 (495) 745-89-14. E-mail: **imarket@eksmo-sale.ru**